KB091042

비파괴검사 이론 & 응용 ❺

침투탐상검사

한국비파괴검사학회

한 기 수 著

NODE MEDIA
노드미디어

| 머리말 |

1960년대 초에 도입되어 반세기의 역사를 지니고 있는 우리나라의 비파괴검사 기술은 원자력 발전설비, 석유화학 플랜트 등 거대설비·기기들에서부터 반도체 등의 소형 제품에 이르기까지 검사 적용대상도 다양해져 이들 제품의 안전성 및 품질보증과 신뢰성 확보를 위한 핵심 요소기술로서의 중심적인 역할을 분담하게 되었다.

특히 한국비파괴검사학회의 활동 중 비파괴검사기술자의 교육훈련 및 자격인정 분야에서는 그 동안 꾸준한 활동으로 산·학·연에 종사하는 많은 비파괴검사기술자를 양성하였고, ASNT Level Ⅲ 자격시험의 국내 유치, KSNT Level Ⅱ 과정의 개설을 위시하여 최근에는 ISO 9712에 의한 국제 표준 비파괴검사 자격시험의 도입을 준비 중에 있다.

이에 학회에서는 비파괴검사기술자들의 교육 및 훈련에 기본 자료로 활용하는 것 뿐만 아니라 비파괴검사 분야에 입문하는 분들이 비파괴검사를 체계적으로 이해하고 관련 실무지식을 체득할 수 있는 비파괴검사 이론 & 응용을 각 종목별로 편찬 보급하고 있다. 이 교재는 1999년도에 초판으로 발행된 비파괴검사 자격인정교육용 교재 5(침투탐상검사)의 개정판이다.

책은 마음의 양식이요 지식의 근본이라 했다. 지식정보화의 시대를 살아가는데 지식은 미래의 값진 삶을 지향하기 위한 원천이다. 특히 전공 교재는 특정 영역의 체계적이고 가치 있는 내용을 담고 있는 지식의 근원이요 터전이다

본 비파괴검사 이론 & 응용은 비파괴검사 분야에 입문하는 자 및 산업체의 품질보증 관련 업무에 종사하는 초·중급 기술자는 물론 고급기술자 모두가 필수적으로 알아야할 비파괴검사 기술의 개요와 타 전문 분야와의 연관성 등에 한정하여 기술하고 있다. 아울러 이 교재에서는 현재 산업 현장에서 적용이 시도되고 있거나 연구개발 중에 있는 각종 첨단 비파괴검사 방법의 종류와 특징도 소개하고 있다

끝으로 본 교재의 출판에 도움을 주신 노드미디어(구. 도서출판 골드) 사장님과 자료 및 교정에 협조하여 주신 분들게 심심한 사의를 표하는 바이다.

2011년 10월
저자 씀

| 목차 |

CONTENTS

제 1 장 — 침투탐상시험의 일반

제 1 절 침투탐상시험의 개요 ··9
1. 침투탐상시험의 일반 ··9
2. 침투탐상시험의 산업적 응용 ··10
3. 침투탐상시험의 종류와 특징 ··10
   가. 침투탐상시험의 종류 ··10
   나. 침투탐상시험의 특징 ··11
   다. 자분탐상시험과의 비교 ··12

제 2 절 침투탐상시험의 기초 이론 ··14
1. 침투탐상시험의 기초 ··14
   가. 침투탐상시험의 원리 ··14
   나. 침투에 영향을 미치는 중요한 원인 ································15
2. 침투탐상시험의 기초이론 ··15
   가. 표면장력 ··15
   나. 적심성 ··17
   다. 모세관현상 ··19
   라. 적심의 속도 ··22
   마. 점성 ··22
   바. 밀도 ··22
   사. 휘발성 ··23
   아. 인화점 ··23
   자. 유화 ··23
   차. 현상 ··24

　　3. 지각에 관한 기초지식 ··26
　　　　가. 지각현상 ···26
　　　　나. 형광 ···26

제 3 절 침투탐상시험의 용어 정의 ··27

【 익 힘 문 제 】 ··33

제 2 장 ━ 침투탐상시험 방법

제 1 절 침투탐상시험의 분류 ···35
　　1. 관찰방법(사용하는 침투액)에 따른 분류 ··································35
　　　　가. 염색 침투탐상시험(Visual dye(Colour contrast) penetrant testing) ·····35
　　　　나. 형광 침투탐상시험(Fluorescent penetrant testing) ·················36
　　　　다. 이원성 염색(형광) 침투탐상시험 ··································36
　　2. 잉여 침투액을 제거하는 방법(세척방법)에 따른 분류 ··············36
　　　　가. 용제제거성 침투탐상시험(Solvent removable penetrant testing) ·········37
　　　　나. 수세성 침투탐상시험(Water washable penetrant testing) ·············37
　　　　다. 후유화성 침투탐상시험(Post emulsifiable penetrant testing) ········37
　　3. 현상방법에 따른 분류 ··38
　　　　가. 속건식 현상법에 따른 침투탐상시험 ···························39
　　　　나. 습식 현상법에 따른 침투탐상시험 ·······························40
　　　　다. 건식 현상법에 따른 침투탐상시험 ·······························40
　　　　라. 무(無) 현상법에 따른 침투탐상시험 ···························41
　　4. 시험방법의 분류 ··41
　　　　가. 침투탐상시험의 조합과 기호 ·····································41
　　　　나. 시험방법의 분류 ···42

제 2 절 침투탐상시험의 방법 ···45
　　1. 침투탐상시험의 탐상순서 ···45
　　　　가. 용제제거성 염색 침투탐상시험 ···································45
　　　　나. 용제제거성 형광 침투탐상시험 ···································45
　　　　다. 수세성 형광 침투탐상시험 ··46
　　　　라. 수세성 염색 침투탐상시험 ··46
　　　　마. 후유화성 형광 침투탐상시험 ·······································46

바. 후유화성 염색 침투탐상시험 ·························47

2. 각종 침투탐상시험의 방법 및 특징 ···············47
가. 용제제거성 염색 침투탐상시험 ···············47
나. 용제제거성 형광 침투탐상시험 ···············53
다. 수세성 형광 침투탐상시험 ·····················55
라. 수세성 염색 침투탐상시험 ·····················59
마. 후유화성 형광 침투탐상시험 ·················60
바. 후유화성 염색 침투탐상시험 ·················63

3. 각종 침투탐상시험의 선정 기준 ···················64

제 3 절 기타 침투탐상시험의 방법 ·····················67
1. 필터효과를 이용한 침투탐상시험 방법 ···········67
2. 하전입자의 흡착성을 이용한 침투탐상시험 방법 ·····68
3. 휘발성의 침투액을 이용한 침투탐상시험 방법 ·····68
4. 기체 방사성동위원소를 이용한 침투탐상시험 방법 ·····69

【 익 힘 문 제 】 ·····································71

제 3 장 ─ 침투탐상시험 장치 및 재료

제 1 절 탐상제 ···73
1. 전처리제 ···73
2. 침투액 ···73
가. 관찰방법에 의한 분류 ·························75
나. 세척방법에 따른 분류 ·························75
3. 유화제 ···76
4. 세척액 또는 제거액 ·······························77
5. 현상제 ···77
6. 기타 탐상제 ·······································79
가. 고감도 형광 침투액 ···························79
나. 수형 에어로졸 ·································80
다. 고온 탐상제 ···································80

제 2 절 침투탐상장치 및 기구 ·························81
1. 침투탐상장치의 구비 조건 ·························81
2. 휴대용 기구 및 장치 ·······························81

　　　　가. 분무법에 사용하는 장치(에어로졸 제품) ················82
　　　　나. 솔질법에 사용하는 기구 및 장치 ·····················83
　　　3. 설치형 침투탐상장치 및 기구 ··························83
　　　　가. 전처리 장치 ··································86
　　　　나. 침투처리 장치 ································86
　　　　다. 유화처리 장치 ································86
　　　　라. 세척처리 장치 ································87
　　　　마. 건조처리 장치 ································88
　　　　바. 현상처리 장치 ································89
　　　　사. 검사실 ····································90
　　　　아. 후처리 장치 ··································91
　　　4. 자외선 조사장치 ································91
　　　5. 자외선 강도계(ultraviolet meter, black light meter) ·······94
　　　6. 조도계 ······································94

제 3 절 대비시험편 ···································95
　　1. 대비시험편의 사용목적 ·························95
　　2. 대비시험편의 종류와 특성 ·······················97
　　　　가. 알루미늄 담금질 균열 시험편 ····················97
　　　　나. 침투탐상 시스템 모니터 패널(PSM-Panel, 별모양 균열 시험편) ·····99
　　　　다. ISO 대비시험편 ·····························101
　　　　라. 도금 균열 시험편(B 형 대비시험편) ················104
　　3. 대비시험편의 사용 방법 ························105
　　　　가. 탐상제의 비교 ······························105
　　　　나. 탐상제 성능의 점검방법 ·······················107
　　　　다. 사용 후 대비시험편의 후처리 ····················110

　【 익 힘 문 제 】 ·································111

제 4 장 ― 침투탐상시험의 실시방법

제 1 절 침투탐상시험의 절차 ··························113
　　1. 전처리 ······································113
　　　　가. 오물의 종류에 따른 제거방법 ····················118
　　　　나. 주의할 사항 ······························119
　　2. 침투처리 ····································120

　　　가. 침투액의 적용방법 ···121
　　　나. 배액 ··123
　　　다. 침투시간 ···124
　　3. 유화처리 ···127
　　　가. 기름 베이스 유화제 ···128
　　　나. 물 베이스 유화제 ···128
　　　다. 유화정지 ···129
　　4. 세척처리와 제거처리 ···130
　　　가. 세척처리 ···130
　　　나. 제거처리 ···130
　　5. 현상처리 ···131
　　　가. 건식 현상법 ···133
　　　나. 습식 현상법 ···134
　　　다. 속건식 현상법 ··136
　　　라. 무현상법 ···138
　　6. 건조처리 ···139
　　7. 관찰 ··140
　　8. 재시험 ···142
　　9. 후처리 ···142
　　10. 시험의 기록 ···142
　　　가. 시험조건에 관한 기록 ···143
　　　나. 탐상결과의 기록 ···145
　　　다. 탐상결과를 스케치하는 방법 ···147
　　11. 침투탐상시험에 관한 규격 ··160
　　　가. 한국 산업규격(KS) ··160
　　　나. ASTM(미국 재료시험 협회)의 규격 ····································160
　　　다. ISO (국제 표준화기구)의 규격 ··161
　　　라. 한국 산업규격(KS B 0816)과 ASME 코드(sec. V)와의 비교 ··········163

【 익 힘 문 제 】 ···167

제 5 장 ━ 침투탐상시험의 적용

제 1 절 침투탐상검사의 실제 ··169
　　1. 검사의 시기와 목적 ···169

  2. 제조할 때의 침투탐상검사 ································170
    가. 주조품(1차 가공품) ································170
    나. 단조품 및 압연품(1차 가공품) ···················176
    다. 용접부 ··182
    라. 2차 가공품 ·······································189
  3. 보수할 때의 침투탐상검사 ·························193
    가. 용접 구조물 ·····································194
    나. 소형부품 ··195
  4. 불연속 깊이의 결정 ·······························199
  5. 특수한 환경 및 특수한 부품에 적용하는 검사 ·······200
    가. 특수한 환경에서의 검사 ··························200
    나. 수형(水型) 에어로졸을 이용한 수세성 침투탐상검사 ···202

제 2 절 기기 및 구조물의 적용 ····························205
  1. 용제제거성 침투탐상검사 ·························205
    가. 용제제거성 염색 침투탐상검사 ···················205
    나. 용제제거성 형광 침투탐상검사 ···················209
  2. 수세성 침투탐상검사 ····························212
    가. 수세성 형광 침투탐상검사 ·······················212
    나. 수세성 염색 침투탐상검사 ·······················217
  3. 후유화성 형광 침투탐상검사 ······················219
  4. 수형(水型) 에어로졸을 이용한 침투탐상검사 ·········223

【 익 힘 문 제 】 ····································227

제 6 장 ― 지시모양의 관찰과 해석 및 평가

제 1 절 지시모양의 관찰 ·······························230
  1. 지시모양 형성의 조건 ····························230
  2. 관찰을 하기 위한 시험조건 ·······················231
    가. 시험 면의 밝기 ·································231
    나. 주변 환경의 밝기 ·······························233
    다. 눈과 관찰부위와의 각도 ··························233
    라. 눈과 광원과의 위치 관계 ·························234
    마. 눈과 시험면 사이의 거리 ·························234

    제 2 절 지시모양의 해석 ·······························235

        1. 지시모양의 발생원인 ·····················237

           가. 평가대상이 아닌 지시모양의 발생원인 ·······237

           나. 평가대상 결함 지시모양의 발생원인 ········238

        2. 침투 지시모양의 분류 ·····················248

           가. 지시모양의 분류 ······················248

           나. 침투지시모양의 분류 ·················251

           다. 결함의 분류 ·························252

    제 3 절 침투 지시모양의 평가 ·······················255

        1. 평가하기 전의 주의사항 ··················255

        2. 결함의 위험성에 관한 일반원칙 ············257

    【 익 힘 문 제 】 ·································258

제 7 장 ━ 탐상장치와 탐상제의 관리

    제 1 절 탐상장치와 탐상제의 관리 ····················259

        1. 관리할 사항과 방법 ·····················259

        2. 탐상장치의 관리 ·······················260

           가. 개방형 탱크 ·························261

           나. 세척장치 ·····························261

           다. 온도 및 압력조절장치 ·················261

           라. 건조기 ·······························262

           마. 냉각 팬 ·····························264

           바. 검사실의 점검 ·······················264

           사. 자외선조사장치의 점검 ················264

           아. 조명용 전등 ·························265

           자. 자외선 강도계와 조도계 ···············265

           차. 환풍기 ·······························265

        3. 탐상제의 관리 ·························265

           가. 탐상제의 정기점검 ···················266

           나. 에어로졸 제품의 탐상제 관리 ···········270

        4. 검사원의 관리 ·························270

           가. 눈의 능력 ·····························270

　　　나. 지식과 실기능력 ··271

　　5. 시험공정 관리 ··271

제 2 절 안전 관리 ··272

　　1. 화재 예방 ··272

　　2. 안전 관리 ··272

　　3. 에어로졸형 제품 ··273

　　4. 기타 ···274

【 익 힘 문 제 】 ··275

기 타 ─ 찾아보기, 참고문헌

찾아보기 ··277

참고문헌 ··283

제 1 장 침투탐상시험의 일반

제 1 절 침투탐상시험의 개요

1. 침투탐상시험의 일반

어떤 구조물이나 제품이 파괴되는 경우에 그 파괴의 출발점이 되는 결함은 종류도 다양하지만 그 중에서도 표면 결함은 비록 작은 것이라도 비교적 짧은 시간에 큰 균열 (crack)로 성장하여 구조물이나 제품에 심각한 영향을 주어 파괴에 이르게 한다.

침투탐상시험(penetrant testing : PT)은 이와 같은 표면결함, 특히 균열과 같이 표면에 조금이라도 열려 있는 결함을 검출 목적으로 하는 시험방법이다. 따라서 침투특성이 좋은 침투액을 시험체 표면에 적용하여 불연속부에 침투시키고, 현상제를 도포하여 불연속부에 침투해 있는 침투액을 표면으로 스며 나오게 함으로써 열려 있는 표면 불연속을 검출한다.

이 시험은 사람의 눈으로 보이지 않는 미세한 폭을 가진 불연속도 확대와 색(色) 대비(contrast) 등을 통하여 쉽게 검출할 수 있게 하는 우수한 방법이다. 그러나 탐상제의 특성과 시험방법, 실시장소의 환경 및 검사원의 기량 등이 시험결과에 큰 영향을 미치므로, 충분한 지식 및 경험을 필요로 한다.

이 시험은 금속, 비금속에 관계없이 거의 모든 재료에 적용이 가능하지만 목재, 벽돌과 같이 미세한 구멍이 많고, 흡수성이 좋은 다공질(多孔質) 재료에는 적용이 곤란하다. 또한 탐상제에 의해 부식 및 변색 등을 일으키는 시험체에는 적용해서는 안 된다.

> ※ **침투탐상시험(Penetrant Testing)**은 일반적으로 줄여서 "PT"라 부르며, 액체 침투탐상검사(Liquid Penetrant Inspection)라 할 때는 "LPI" 라고도 부른다.

2. 침투탐상시험의 산업적 응용

침투탐상시험은 결함 속에 침투한 침투액이 만드는 침투지시모양을 관찰하여 결함을 찾아내는 탐상방법이다. 따라서 표면이 열려 있지 않으면 결함을 검출할 수 없다. 그러니 침투액은 아주 침투성(浸透性, permeability)이 좋아서, 열려 있는 결함이면 시험체의 재질에 관계없이 시험이 가능하다.

이 시험은 표면 결함을 경제적으로 발견해 낼 수 있어 산업현장에서 널리 사용되고 있다. 특히 시험체의 재질에 관계없이 시험이 가능하므로, 강(鋼)으로 만들어진 강자성체의 부품 및 알루미늄(aluminium), 놋쇠(brass) 또는 스테인리스 강(stainless steel)과 같은 비자성체(nonmagnetic material)로 만들어진 주조품(casting) 및 단조품(forging) 등의 소형 대량 생산품에 대한 시험과 각종 구조물의 용접부에 대한 시험 그리고 제품에 대한 가공 공정 등에도 널리 활용되고 있다. 최근에는 세라믹(ceramics)과 같은 부품의 시험에도 이용되고 있다.

이 시험으로 검출할 수 있는 결함은 반드시 시험체 표면이 열려 있어야 하므로, 균열 [제조시의 균열, 사용 중에 발생하는 피로균열(fatigue crack)과 응력부식균열(stress corrosion crack) 등]과 언더컷(under cut), 오버랩(overlap), 표면의 블로우 홀(blow hole)이나 핀홀(pinhole), 기계 가공 등으로 인하여 표면에 나타나는 라미네이션(lamination) 및 탕계(cold shut), 심(seam) 그리고 시험체 표면에 존재하는 결함 등이 대상이 된다.

3. 침투탐상시험의 종류와 특징

가. 침투탐상시험의 종류

시험방법은 기본적으로 3가지 방법 [수세성(water washable), 후유화성(post-emulsifiable), 용제제거성(solvent removable)]이 있지만, 3종류의 침투액(염색, 형광, 이원성 침투액), 4종류의 잉여 침투액의 제거방법 [물세척(수세), 기름베이스 유화제(lipophilic emulsifier), 물베이스 유화제(hydrophilic emulsifier), 용제제거], 5종류의 현상법(건식, 수용성 습식, 수현탁성 습식, 속건식, 무현상법) 등을 조합시키면 수십 종류가 된다. 이들 시험방법은 각각의 방법에 따라 적합한 성능의 탐상제가 조합되어 사용된다.

이들 시험방법 중 용접부를 대상으로 하는 시험방법에는 용제제거성 (염색과 형광) 침투탐상시험-속건식 현상법과 수세성 (염색과 형광) 침투탐상시험-속건식 현상법의 4가지 방법이 있다. **표 1-1**에 침투탐상시험의 분류에 따른 침투탐상시험의 종류를 나타낸다.

나. 침투탐상시험의 특징

결함의 검출성을 중심으로 침투탐상시험과 다른 비파괴시험을 비교했을 때의 특징에 대하여 설명한다.

표 1-1 침투탐상시험의 종류

관찰방법에 따른 분류	세척방법에 따른 분류	현상방법에 따른 분류
염색 침투탐상시험	수세성 염색 침투탐상시험	습식 현상법(수현탁성) 속건식 현상법
	후유화성 염색 침투탐상시험	
	용제제거성 염색 침투탐상시험	
형광 침투탐상시험	수세성 형광 침투탐상시험	건식 현상법 습식 현상법(수용성) 습식 현상법(수현탁성) 속건식 현상법, 무현상법
	후유화성 형광 침투탐상시험	
	용제제거성 형광 침투탐상시험	
이원성 염색 침투탐상시험	수세성 이원성 염색 침투탐상시험	습식 현상법(수현탁성) 속건식 현상법
	용제제거성 이원성 염색 침투탐상시험	
이원성 형광 침투탐상시험	수세성 이원성 형광 침투탐상시험	건식 현상법 습식 현상법(수용성) 습식 현상법(수현탁성) 속건식 현상법, 무현상법
	후유화성 이원성 형광 침투탐상시험	
	용제제거성 이원성 형광 침투탐상시험	

◉ 침투탐상시험의 장점 :

1) 금속, 비금속에 관계없이 거의 모든 재료에 적용할 수 있다.
2) 1회의 탐상조작으로 시험체 전체를 탐상할 수도 있고, 또 결함의 방향에 관계없이 결함을 검출할 수 있다.
3) 액체 탐상제를 사용하기 때문에 형상이 복잡한 시험체의 세밀한 부분의 결함도

탐상할 수 있다.

4) 결함이 확대되어 지각(知覺, perception)하기 쉬운 색상, 밝기로 지시모양이 나타나므로, 높은 확률로 결함을 검출할 수 있고, 결함 폭의 확대율이 높기 때문에 아주 미세한 결함도 쉽게 검출할 수 있다.

5) 어둡거나 밝아도 탐상할 수 있는 시험법이 있으며, 시험환경에 따라 시험법을 선택할 수 있다.

6) 전기 및 수도 등의 설비를 필요로 하지 않는 휴대성이 좋은 시험법도 있다.

7) 시험이 비교적 간단하여 교육 및 훈련을 받으면 비교적 숙련이 쉽다.

◉ 침투탐상시험의 단점 :

1) 표면이 열려 있어도 그곳에 침투액의 침투를 방해하는 물, 기름 등의 액체나 금속, 비금속 개재물 등의 이물질(異物質)로 채워져 있는 결함은 탐상할 수 없다. 즉 표면이 열려있지 않으면 검출이 불가능하다.

2) 표면이 거친 시험체나 다공성(多孔性) 재료는 적절한 탐상 기술이 아직 정립되지 못하여 시험이 곤란하다.

3) 결함의 깊이와 결함의 시험체 내부 형상을 알 수 없다. 검출된 결함 지시모양으로부터 알 수 있는 것은 결함 유무와 결함의 위치 및 표면에 나타난 결함의 개략적인 모양뿐이다.

4) 손으로 하는 작업이 많아 검사원의 기량에 따라 시험결과가 크게 좌우되기 쉽다.

5) 유지류(油脂類), 유기용제(有機溶劑) 등 가연성(可燃性)의 탐상제를 사용하므로, 보관 및 작업할 때에는 화기(火氣)에 주의하고, 또한 환기를 시켜야 한다.

6) 주변 환경 특히 온도의 영향을 많이 받는다.

7) 밀집되어 있는 결함이나 매우 근접해 있는 결함을 분리하여 별도의 결함 지시모양으로 나타내는 것은 일반적으로 곤란하다.

다. 자분탐상시험과의 비교

침투탐상시험은 자분탐상시험과 같이 표면 결함을 검출하는 방법으로, 서로 이용분야가 비슷하여 2방법 중 어느 방법을 선정하여 시험하는 것이 좋은지를 서로 특징에 대하여 비교하여 설명한다.

1) 침투탐상시험은 금속, 비금속 재질에 관계없이 적용이 가능하지만, 자분탐상시험은 철강 재료와 같은 강자성체에만 적용이 가능하다.

2) 침투탐상시험은 결함 방향의 영향을 받지 않으므로, 어떠한 방향으로 결함(균열 등)이 있어도 1회의 탐상 조작으로 탐상이 가능하지만, 자분탐상시험은 결함 방향의 영향을 받으므로 형상이 복잡한 시험체의 모든 부분을 정확히 자화하기가 어렵고, 때로는 자화의 방향을 바꿔서 2회 이상 탐상을 해야 한다.

3) 침투탐상시험으로 검출할 수 있는 결함은 시험체 표면이 열려 있는 결함만 가능하지만, 자분탐상시험은 표면이 열려 있는 결함은 물론, 표면 가까이에 있는 결함도 검출이 가능하다.

4) 침투탐상시험은 원형상(원형모양)의 불연속을 뚜렷하게 나타내어 검출할 수 있지만, 자분탐상시험은 자분모양이 흐려서 잘 검출되지 않으며, 선상(선모양)의 불연속도 자화의 방향에 따라 검출할 수 있는 결함의 방향이 결정된다.

5) 침투탐상시험은 탐상제(용제제거성 염색 침투탐상시험의 경우)가 세트(set)로 되어 있어 휴대성이 좋고, 전원과 수도설비 등이 없는 곳에서도 적용이 가능하지만, 자분탐상시험은 탐상장치의 전원이 없으면 시험이 불가능하다.

6) 침투탐상시험은 시험체의 표면상황에 따라 영향을 많이 받으므로, 자분탐상시험에 비해 표면처리를 철저히 해야만 양호한 시험결과를 얻을 수 있다.

7) 침투탐상시험은 자분탐상시험에 비해 탐상조작이 각 단계별로 독립되어 있고, 대부분 수동(手動)으로 작업하므로, 검사원이 탐상조작의 단계별로 절차를 준수하는 것이 특히 중요하다.

8) 침투탐상시험은 현상법으로 습식법 또는 속건식법을 적용하는 경우, 결함 지시모양의 형상 · 크기 · 색의 농도가 시간이 경과하면 변화하여 평가하기가 어렵지만, 자분탐상시험은 한번 결함 자분모양이 형성되면 탈자를 하지 않는 한 장시간(長時間)이 지나도 변화하지 않는다.

9) 침투탐상시험은 자분탐상시험에 비해 온도의 영향을 많이 받으므로, 표준온도를 벗어나는 경우에는 시험조건을 변경해야 한다.

10) 침투탐상시험에서 얻어지는 결함 지시모양은 자분탐상시험에 비해 결함에 대한 확대 배율이 높으므로, 미세한 결함을 확대하여 인간의 눈으로 보기 쉽게 한다. 그리고 높은 콘트라스트(contrast), 즉 대비가 잘 되므로 식별하기도 쉽다.

11) 침투탐상시험은 자분탐상시험에 비해 탐상제로 유기용제를 사용하므로 작업할 때 환경조건 [(화기(火氣), 환기(換氣), 기온, 온도, 바람 등)]에 대한 주의가 필요하다.

제 2 절 침투탐상시험의 기초 이론

1. 침투탐상시험의 기초

가. 침투탐상시험의 원리

　침투탐상시험은 시험체 표면에 존재하지만 직접 눈으로는 발견되지 않는 폭이 좁은 미세한 결함들을 검출하는 방법이다. 이 시험을 위해서는 시험체 표면의 오물 등을 제거한 후 **(전처리)**, 그곳에 눈에 잘 띄는 색깔 또는 형광(螢光)을 발하는 액체를 침투시키고 **(침투처리)**, 표면에 남아있는 액체만을 물로 씻어 내거나 **(세척처리)** 마른 헝겊으로 닦아낸 다음 **(제거처리)**, 그곳에 미세한 분말이나 액체를 도포하여 도막을 만든다 **(현상처리)**. 이렇게 하면 결함 속에 침투해 있던 액체가 표면으로 스며 나오면서 현상제 도막 속으로 번져나가 실제 결함보다 확대되어 눈에 잘 띄는 색깔 또는 형광을 발하는 지시모양이 되는데, 이것이 결함에 의한 지시모양인지 아닌지를 육안으로 조사 및 확인 **(관찰)**함으로써, 시험체의 결함을 검출하는 방법이다.

　이 시험은 표면이 열려 있는 결함의 검출에 적용되는 것으로, 침투액이 미세한 틈의 결함 속으로 침투하는 현상과 현상제 도막 속으로 침투액이 스며 나오게 하는 현상 등 그 기본원리는 액체의 표면장력(surface tension)에 기인한 모세관 현상(capillarity)을 이용한다. 이런 현상에 대해서는 아래의 기초 이론에서 설명하기로 한다. **그림 1-1**은 침투탐상검사의 원리를 설명한 그림이다.

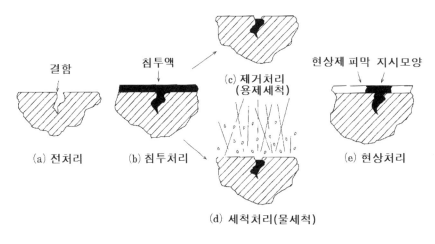

〔그림 1-1〕 침투탐상시험의 원리

나. 침투에 영향을 미치는 중요한 원인

침투탐상시험은 표면 불연속(결함)을 경제적으로 발견해 낼 수 있는 방법이지만, 침투액을 표면 불연속의 틈 속으로 침투시키지 못하면 시험의 목적을 달성할 수 없게 된다. 따라서 침투액을 표면 불연속의 미세한 틈 속으로 침투시키기 위해서는 침투액이 불연속으로 침투하는 특성에 대하여 알고 있어야 효과적인 탐상을 할 수 있다. 침투에 영향을 미치는 중요한 요인으로는

① 시험체 표면의 청결도(cleanliness) 및 결함의 청결도, ② 검출하고자 하는 결함의 형태, ③ 표면에 열려있는 결함의 크기, ④ 침투액의 표면장력, ⑤ 침투액의 적심성, ⑥ 침투액의 접촉각이 있다.

2. 침투탐상시험의 기초이론

침투탐상시험은 표면에 열려있는 균열(crack)이나 오목한 부분 등을 관찰하기 쉽도록 짙은 농도로 착색한 유성(油性)의 액체나 형광(螢光) 염료로써 형광을 발하는 성질을 지닌 유성의 액체를 침투시켜 그 액체가 발하는 색(色)이나 형광을 지각(知覺, perception)하여, 이상부분(異常部分)의 존재를 찾아내는 시험방법이다.

이와 같이 그 원리는 매우 간단하지만, 액체의 침투에서부터 색(色)이나 형광(螢光)을 지각하여 그 형상이나 크기로부터 이상부분인지 아닌지를 판단하기까지의 모든 현상을 이해하기 위해서는 시험체에 발생하는 결함을 포함하여 불연속부에 대한 지식 및 액체와 고체와의 사이에서 일어나는 계면현상(界面現象), 색과 형광의 지각현상 등에 대하여 이론적인 지식을 갖고 있지 않으면 안 된다. 따라서 계면에서 일어나는 현상과 더불어 침투액의 물리적 현상 그리고 지각현상 등 이론에 대하여 개략적으로 설명한다.

가. 표면장력

같은 체적을 가진 여러 형상의 액체나 고체 중에서 표면적이 가장 작은 것은 공(球)모양이다. 이는 물질이 자유 표면 에너지를 줄이려는 방향으로 변화하기 때문이다. 이와 같이 액체의 자유 표면에서 표면을 작게 하려고 작용하는 장력, 즉 액체 스스로 수축하여 표면적을 가장 작게 가지려고 하는 힘을 계면장력(界面張力, interfacial tension) 또는 표면장력(表面張力, surface tension)이라 한다.

일반적으로 모든 물질은 기체, 액체, 고체에 속하지만 이것을 그 상태에서 보면 기상(氣相), 액상(液相), 고상(固相)의 3상(phase)으로 표현된다. 그래서 각각의 상(相)과 상(相)과의 경계에는 계면(界面)이 형성되는데, 이것을 액체/액체 계면, 기체/액체 계면, 기체/고체 계면, 고체/액체 계면, 고체/고체 계면이라 부르지만, 특히 기체/액체 계면, 기체/고체 계면과 같이 한쪽이 기상(氣相)인 계면을 표면(表面)이라 한다. 그리고 이처럼 표면에 표면장력이 존재하는 것은 단지 표면을 형성하고 있는 분자(分子)의 자유 에너지에 의한 것이다.

액체를 구성하는 분자끼리는 서로 끌어당기는 흡인력(attractive force)이 있고, 반대로 분자사이의 거리가 특정 거리보다 좁아지면 분자사이에는 반발력(repulsive force)이 작용하므로, 액체는 기체처럼 크게 압축시킬 수가 없다.

그림 1-2와 같이 A지점의 분자(○로 표시)는 흡인력과 반발력이 평형상태이므로 작용하는 분자력은 "0"이다. 그러나 B지점 즉 표면에 있는 분자는 내부로 향하는 방향으로 흡인력이 작용하지만, 표면에서 바깥방향으로 균형을 이룰 흡인력이 없으므로, 액체 내부로 향하는 분자력이 작용하게 되는데, 이렇게 내부로 향하는 분자력은 액체 표면을 팽팽하게 잡아당기게 된다. 예를 들어 거미줄에 매달려 있는 물방울 모습, 풀잎 위의 빗방울이 퍼지지 않고 굴러가는 모습을 보면 액체의 표면은 팽팽히 잡아당겨진 막의 특성을 나타낸다. 비눗방울이나 액체 속의 기포 물방울 등이 둥근모양이 되는 것은 액체 표면에 장력이 작용하기 때문이다. 액체의 분자사이 흡인력의 균형이 액체의 표면 부근에서 깨지기 때문에 있는 물방표면 부근 분자의 위치 에너지는 액체 속의 분자보다 더 크게 된다. 이로 인하여 액체는 표면적에 비례하는 표면 에너지를 가지게 되는데, 이 에너지를 최소로 만들려는 작용이 표면장력으로 나타나는 것이다. 따라서 표면장력은 단순히 액체의 자유 표면 뿐만 아니라 섞이지 않는 액체의 경계면, 고체와 기체, 고체와 고체의 접촉면 등 표면의 변화에 대한 에너지가 존재할 때 보편적으로 생기는 현상이다. 이 때문에 계면장력이라고도 한다. 표면장력의 단위는 N/m (Newton/meter)를 사용한다. 이 표면장력은 침투액의 침투성능을 나타내는 중요한 특성으로, 가급적 표

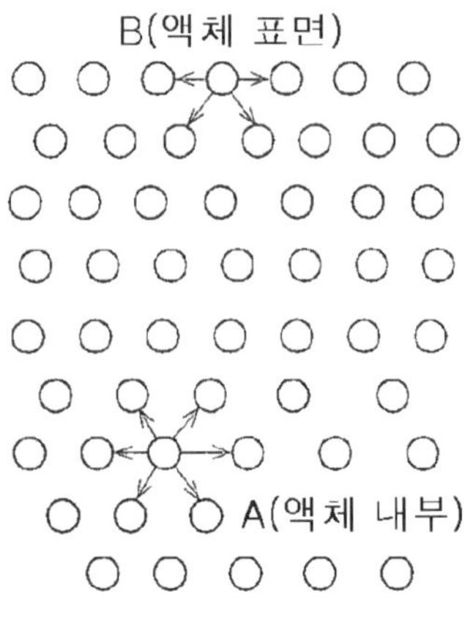

〔그림 1-2〕 액체 내부와 표면에서의 분자의 상태

면장력이 큰 것이 좋은 침투액이 된다. 그러나 침투액의 표면장력이 크게 되면 시험체 표면과의 접촉각(contact angle)이 증가하여 접촉 면적이 작아지므로, 침투액이 시험체 표면에 잘 분산되지 않게 된다.

나. 적심성

침투액의 침투성을 나타내는 인자로 적심성(wetting ability)이 있다. 적심성은 고체 표면을 적시면서 퍼지는 정도를 말한다. 고체 표면에 어떠한 액체를 떨어뜨렸을 때, 액체는 고체 표면 위로 퍼진다. 이것은 액체가 지닌 표면장력보다 강한 표면장력이 고체 표면에 존재하여 고체 표면 위에 흡착되어 있던 기체를 액체가 대신하기 때문이다.

이와 같이 액체가 기체를 밀면서 넓히는 현상을 "적심"이라 하며, 고체/기체 계면을 고체/액체 계면으로 치환하는 현상으로 정의되고 있다. 적심현상은 넓게 퍼진 고체 표면 위에서만 일어나는 것은 아니고, 미세한 틈을 가진 균열의 파면(破面)에서도 일어난다.

적심의 정도는 액체의 종류, 고체의 종류, 고체 표면의 상태 등에 따라 다르기 때문에, 적심이 쉬운지 적심이 어려운지를 나타내는 하나의 지표로써 접촉각 (contact angle, θ)이라는 양 [1805년 토마스 영(Thomas Young)이 처음 도입]을 도입하여 사용하고 있다.

액체가 고체 표면을 적실 때 액체의 형상은 **그림 1-3** 과 같이 된다. 이때 액체가 고체로 퍼져가는 앞쪽 끝 즉, **그림 1-3** 의 M점(기체, 액체, 고체의 3상의 접점)에서 액체면(液体面)에 접하는 선을 그으면, 이 접선은 고체 표면에 대하여 각도를 가지는데, 이 각도 θ 를 접촉각이라 하며, 적심의 난이도를 나타내는 하나의 기준 값이 된다. 즉 이 값은 기체와 액체, 고체와 액체와의 조합으로 결정된다.

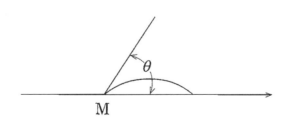

〔그림 1-3〕 액체의 접촉각

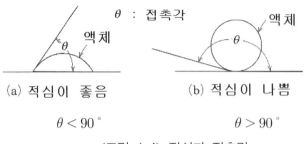

〔그림 1-4〕 적심과 접촉각

그림 1-4(a)와 같이 $\theta < 90°$ 의 경우에는 "적심이 좋다"라고 하며, 그림 1-4(b)와 같이 $\theta > 90°$ 의 경우에는 이 액체는 이 고체에 대하여 "적심이 나쁘다"라고 한다.   수은의 경우는 대부분 고체에서 접촉각이 90°를 초과하므로 적심이 이루어지지 않는다. 그러나 적심의 현상은 엄밀히는 액체의 표면장력, 고체/액체 간의 계면장력   또한 고체의 표면장력과 관계되는 것으로, 고체의 표면장력과 고체/액체 간의 계면장력의 힘의 차를 고려하지 않으면 안 된다.

접촉각 θ 와 표면장력 Γ 와의 사이에는 다음 관계가 성립한다.

$$\Gamma_S = \Gamma_{SL} + \Gamma_L \cos\theta$$

이것을 영의 방정식(Young's equation)이라 하는데, 식 중의 Γ_S, Γ_{SL}, Γ_L 은 액체와 고체를 만들고 있는 물질 고유의 양으로, 접촉각 θ은 이 식으로부터 정해진다. 그래서 다음 식의 관계가 성립하는 경우에는 접촉각은 존재하지 않고, 액체는 고체 표면을 자연히 넓히며, 고체 표면을 완전히 적셔버린다.

$$\Gamma_S > \Gamma_{SL} + \Gamma_L$$

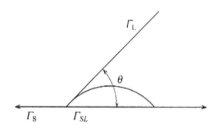

Γ_L : 침투액의 표면장력
Γ_S : 시험체의 표면장력
Γ_{SL} : 고체/액체 계면장력
θ : 접촉각

〔그림 1-5〕 접촉각과 표면장력

그러므로 액체가 고체 표면을 자연적으로 넓혀서 적시기 위해서는 Γ_{SL} 과 Γ_L 의 값이 가능한 한 작게 되도록 해야 한다. 우선 Γ_{SL}의 값을 작게 하기 위해서는 시험체 표면과의 계면장력에 영향을 미치는 조건, 즉 고체 표면 위에 기체나 액체의 흡착여부를 고려해야 한다.

또한 침투액의 표면장력 Γ_L 의 경우 침투액에 포함되어 있는 계면활성제의 종류와 양 등을 고려하여 이들의 값을 작게 해야 한다. 기타 결함의 형상이나 크기 등에 의해서도 적심이 좋고 나쁨은 영향을 받으므로, 고체의 표면상태나 침투액의 성질에 의해서만 적심이 좋고 나쁨을 결정해서는 안 된다는 점에 주의해야 한다.

다. 모세관현상

침투액이 미세한 균열 등의 틈으로 침투하는 현상을 이용하는 침투탐상시험은 모세관 현상(毛細管現象, capillarity)의 원리를 응용하는 방법이다. 모세관 현상이란 액체가 들어있는 통 속에 양끝이 막혀있지 않은 가는 유리관을 세웠을 때, 유리관 속의 액체의 면이 관 밖의 액체의 면보다 높아지거나 낮아지는 현상을 말한다.

〔그림 1-6〕 모세관 현상

※ **수은** 속에 세운 모세관은 액면의 높이가 관 밖의 액면보다 낮다. 그리고 관 속의 액면도 볼록하다.

이 현상은 액체의 응집력(凝集力, force of cohesion)과 관과 액체 사이의 부착력(附着力, force of adhesion)의 차이에 의해 일어난다. 유리관 속의 표면에 접촉된 액체가 관의 안쪽 벽을 적시며 퍼지기 때문에 유리관 속 면에서의 액체의 면적은 증가하므로, 관 속의 액체는 표면적을 가능한 한 가장 작게 하려는 표면장력에 의해 관 속의 액체면을 위로 끌어올리게 된다. **그림 1-6** 은 액체가 표면장력에 의하여 가는 유리관에서 상승하여 그 액체의 면이 외부의 액체의 면보다 높아지는 모세관 현상을 나타낸 것이다. 이때 유리관 속의 액체의 면은 오목하다.

그림 1-7 과 같이 관의 반지름을 r, 액체의 표면장력을 Γ, 액면이 상승한 높이를 h, 관 내 면에서의 액체의 접촉각을 θ라 하면, 유리관 내면에서의 액체와 접하는 점에서 각각의

표면장력(= 계면장력)의 차에 따라 위로 끌어 올리는 힘은

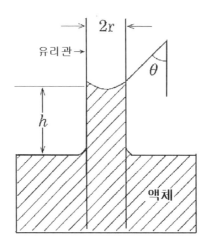

〔그림 1-7〕 표면장력과 모세관현상

$$F = 2\pi r \cdot \Gamma\cos\theta$$ ·······································(1. 1)

이다. 또 이 힘에 의해서 끌어올려진 액체의 질량은 처음 액체의 면에서 상승한 메니스커스 [meniscus ; 원통 속 액체 표면의 오목한(볼록한) 면]까지의 액체 기둥(液柱)의 질량과 같게 되며, 다음 식으로 표시된다.

액체 기둥의 질량 $= \pi\rho h r^2$ ·······································(1. 2)

여기서 ρ : 액체의 밀도이다.

그러므로 액체가 정지된 경우에는 이 둘은 균형을 이루므로, 다음 식의 관계가 성립한다.

$$2\pi r \Gamma\cos\theta = \pi\rho h r^2 g$$ ·······································(1. 3)

여기서 g는 중력 가속도(gravity acceleration)이다. 이에 따라

$$h = 2\Gamma\cos\theta / \rho g r$$ ·······································(1. 4)

$$\Gamma = \rho grh / 2\cos\theta \quad \cdots\cdots\cdots\cdots\cdots\cdots\cdots\cdots\cdots\cdots\cdots\cdots\cdots\cdots(1.\ 5)$$

즉 모세관 현상을 이용하
여 액체 기둥의 높이를 측정
함으로써 알고자 하는 액체
의 표면장력을 측정할 수 있
다. 일반적으로 침투액이 유
리관을 상승한 때의 접촉각
$\theta \fallingdotseq 0$ 이라 생각해도 된다.
그렇기 때문에 $\cos\theta \fallingdotseq 1$ 이
되므로, 식 (1. 5) 는 다음과
같이 된다.

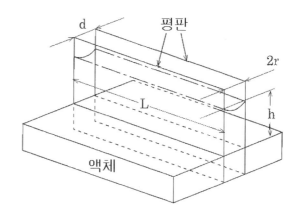

〔그림 1-8〕 두 평면간의 모세관 현상

$$\Gamma = \rho grh / 2 \quad \cdots\cdots\cdots\cdots\cdots\cdots\cdots\cdots\cdots\cdots\cdots\cdots\cdots\cdots\cdots\cdots\cdots(1.\ 6)$$

이 관계를 기억해 두면 액체의 표면장력을 이해하는데 있어서 매우 편리하다.

지금까지 유리관을 예를 들어 설명했지만, **그림 1-8** 과 같은 작은 틈 d에 2장의 판을 액
체 속에 세운 경우에도 똑같은 모세관 현상이 일어나는데, 액체는 틈 속을 상승하여 높이 h
에서 정지한다. 그 때의 높이 h는 다음 식으로 구해진다.

$$h = 2\Gamma\cos\theta / \rho dg \quad \cdots\cdots\cdots\cdots\cdots\cdots\cdots\cdots\cdots\cdots\cdots\cdots\cdots\cdots(1.\ 7)$$

만일 2장의 평판 틈에 상승한 액체 기둥 윗면의 메니스커스의 반지름을 r (메니스커스
는 반원의 모양이라 가정)이라 하면 $d = 2r$ 이 된다. 따라서 **그림 1-7** 의 관의 지름과
그림 1-8 판의 틈의 폭이 같다고 하면 액체 기둥의 높이와 판의 틈을 상승한 액체의 높
이와의 비는 2 : 1이 된다.

위의 관계는 모두 양끝이 막혀있지 않은 모세관 또는 판의 틈에 관하여 성립하는 것이
며, 실제 결함의 경우에는 끝이 막혀있기도 하고, 끝이 막혀있지 않기도 한다. 더욱이 균
열은 실제로 그 틈이 균일하지도 않고, 결함 내부의 상황도 복잡하기 때문에 위의 관계식
만으로는 결함 속 침투액의 침투깊이를 구할 수는 없다.

라. 적심의 속도

관의 안쪽 면을 적시면서 액체는 상승하지만, 액체의 기둥에 작용하는 중력(重力)과 액체의 점성(粘性, viscosity) 저항에 의해 액체의 면이 상승하며, 면이 상승함에 따라 상승속도는 늦어져서 마침내는 정지한다. 이 상승하는 속도(v)는 온도와 관계가 있다. 즉 결함 속으로 침투하는 속도는 액체의 표면장력(Γ), 접촉각, 점성(η), 밀도, 모세관의 지름(결함의 폭) 등의 영향을 받으며, 또한 침투깊이에 따라서도 다르다. 이 중에서 표면장력, 접촉각, 점성 등은 온도에 의해 영향을 받기 쉽기 때문에 침투속도는 온도에 의한 영향을 받기 쉽다. 온도가 높아지면 액체의 표면장력이 점성과 함께 감소한다. 이러한 액체의 표면장력은 일반적으로 온도가 높아지면 저하하지만, 우리들이 침투액을 취급하는 온도범위에서는 거의 변화하지 않는다고 생각해도 된다. 오히려 0℃~60℃ 정도의 온도범위에서는 액체의 점성이 더 영향을 미친다. 점성이 감소하면 액체의 유동속도는 빨라진다. 속도 v 와 점성 η 과의 관계는 다음 식과 같이 속도는 점성의 역수의 함수로서 표시된다.

$$v = f(1/\eta) \quad \cdots\cdots\cdots\cdots\cdots\cdots\cdots\cdots\cdots\cdots\cdots\cdots\cdots\cdots\cdots\cdots\cdots\cdots\cdots\cdots\cdots\cdots\cdots (1. \ 8)$$

이것은 침투속도와 침투시간에도 영향을 미치므로, 온도가 상온 근방 또는 상온 이상의 경우에는 문제가 없지만, 저온에서 침투탐상시험을 실시하는 경우에는 주의해야 한다.

마. 점성

일반적으로 서로 접촉하는 액체끼리는 떨어지지 않으려는 성질을 가지고 있는데, 이 성질을 점성(粘性, viscosity)이라 한다. 침투액의 점성은 침투력 자체에는 그다지 영향을 미치지 않으나, 침투액이 결함 속으로 침투하는 속도에는 중요한 변수가 된다. 점성이 높은 침투액은 점성의 반대되는 성질인 유동성이 좋은 것보다 천천히 이동하며, 침투액을 결함 속으로 빨아들이는 힘에 대한 저항력이 크게 된다. 일반적으로 액체는 온도가 낮을수록 점성이 높아지므로, 온도가 낮은 환경에서 탐상할 때에는 침투속도가 떨어지므로 결함 속으로 침투액이 침투하는 시간을 길게 늘려야 한다.

바. 밀도

밀도(密度, density)는 액체의 침투성에 직접적인 영향을 미치지 않는다. 대부분 침투액으로 사용하는 액체는 비중이 1 보다 낮다. 이는 침투액의 주성분이 보통 비중이 낮은 유기화합물로 이루어져 있기 때문이다. 침투액이 1 이하의 비중을 갖도록 하는 것은 침투액에 물이 섞여도 물이 통의 바닥에 가라앉게 되므로, 제 기능을 발휘할 수 있게 되고, 운반할 때 가볍게 하기 위함이다.

사. 휘발성

침투탐상시험에 사용하는 침투액은 비휘발성이어야 한다. 침투액이 휘발성(揮發性, volatility)이면 개방된 용기에 넣고 사용하는 경우, 침투액이 증발되어 그 양이 줄어들게 되며, 시험체에 적용하면 침투시간 중에 침투액이 건조되고, 또한 현상처리를 하더라도 결함 속에 침투해 있던 침투액이 건조되어 지시모양을 형성시킬 수 없게 되기 때문이다.

아. 인화점

바람직한 침투액은 높은 인화점(引火點, flash point)을 가지고 있어야 한다. 인화점이 낮으면 시험장소 주위의 열에 의한 온도의 상승으로 화재(火災)의 위험이 높으며, 시험체 자체의 온도가 높을 때도 화재를 일으키기 쉽기 때문이다.

자. 유화

유화(乳化, emulsification)란「기름과 물과 같이 서로 섞이지 않는 액체의 한쪽이 작은 입자가 되어 다른 쪽의 액체 속에 분산되어 있는 상태」를 말한다. 예를 들면 물과 기름을 한 용기에 넣으면 서로 섞이는 성질이 없기 때문에 2층으로 분리되지만, 이 물과 기름으로 분리되어 있는 용기를 기계적으로 강하게 흔들어서 속의 액체들을 교반(攪拌, agitation)하면 액체의 전체가 하얗고 탁한 상태가 된다. 이 상태를 유화상태라 하며, 하얗고 탁한 상태의 액체를 유탁액(乳濁液, emulsion)이라 한다. 이러한 유탁액은 물과 기름 중의 어느 한 쪽이 작은 입자가 되어 다른 쪽 속에 분산된 상태가 되기 때문에, 조금만 방치하게 되면 시간 경과와 더불어 물과 기름은 2층으로 다시 분리된다. 이와 같이 물과 기름이 분산되어 있는 유탁액의 상태를 장시간 안정되게 유지하기 위해서는 적당한 계면활성제를 첨가해야 되는데, 이 계면활성제를 유화제(乳化劑, emulsifier)라 부른다.

침투탐상시험에 사용하는 유화제는 일반적으로 수용성(水溶性)으로 물 속에 기름이 작은 방울이 되어 분산된 O/W의 유탁액으로 되어 있다. 유화제를 첨가한 침투액에 대량의 물을 첨가하면 물 속에 기름이 소립자가 되어 분산된 유탁액이 된다. 이와 같이 물 속에 기름이 작은 입자가 되어 분산되는 기구(mechanism)는 다음과 같이 설명된다.

그림 1-9 에 유화제의 분자구조를 모형적(模型的)으로 표시한다. 이러한 분자구

조는 침투탐상시험에서 사용하는 유화제뿐만 아니라, 일상에서 사용하고 있는 비누나 세제에 있어서도 똑같아서, 물과 친하기 쉬운 친수기(親水基, hydrophilic group)와 기름과 친하기 쉬운 친유기(親油基, lipophilic group)로 이루어져 있다. 이러한 유화제가 물과 기름의 유탁액 속에 존재하는 경우, 물의 연속상(continuous phase) 속에서 작은 입자로 되어 있는 기름입자는 **그림 1-10** 과 같이 친유기에 의해 입자표면에 흡착된 유화제의 분자 막에 의해 물 속에 격리되어 기름입자끼리 응집될 수 없게 되어 있다. 그렇기 때문에 유탁액은 안정된 유화상태를 유지할 수 있는 것이다. 이와 같은 유탁액의 상태에서 다시 물을 가하면 침투액의 유성(油性)입자를 분리 제거할 수 있게 된다.

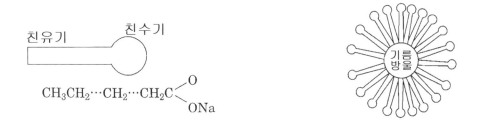

〔그림 1-9〕 유화제의 구조 설명도   〔그림 1-10〕 유화의 모형도(O/W형 흡착)

차. 현상

침투탐상시험에서 현상(現像, development)이란 시험체를 현상처리를 했을 때, 표면이 열려있는 불연속부 속에 침투해 있던 침투액에 의해 시험체 표면에 결함 지시모양을 형성하는 것으로, 가열(加熱)하거나 현상제(現像劑, developer)를 사용하여 실시한다.

잉여 침투액을 제거한 시험체 표면에는 표면이 열려있는 균열 등의 주변을 균열 속에 침투해 있던 침투액이 그 자체의 적심성(wetting ability)으로 적시어져서 잠재적(潛在的) 지시모양을 형성한다. 이와 같이 침투액 스스로의 적심성에 의해 지시모양을 형성하는 힘을 침투액의 자력 현상력(自力現像力)이라 하는데, 자력 현상력에 의해 형성된 지시모양은 매우 얇은 피막이므로, 사람의 눈으로는 색(色)을 거의 지각(知覺, perception)할 수 없고, 휘도(輝度)로 지각하기도 곤란하다. 그러나 시험체를 침투액의 성능이 열화(劣化, degradation)되지 않는 한도 내의 적당한 온도로 가열하면 결함 속에 침투되어 있는 침투액의 온도도 상승하여 적심성이 개선된다.

따라서 열려 있는 주변부 표면으로 나오는 침투액의 양도 많아져서, 표면을 적시는 침투액도 증가하게 된다. 그러나 색으로 지각할 수 있는 두께와 지시모양의 존재는 알 수 없으나 형광 휘도(fluorescent brightness)로는 지각할 수 있는 충분한 피막두께가 되므로 형광 휘도를 이용하여 지시모양의 존재를 알 수 있게 된다.

현상제를 이용하는 현상은 침투탐상시험에서 사용하고 있는 현상법으로, 일반적으로 사용되고 있는 방법이다. 그 중에서도 건조된 금속 산화물의 미세한 분말을 직접 적용하거나 또는 물 또는 휘발성 용제에 금속 산화물의 미세한 분말을 현탁시킨 액체를 사용하는 현상은 침투탐상시험이 개발된 처음부터 현재에 이르기까지 널리 사용해 오고 있다. 물론 이 외에도 액체 현상제, 플라스틱 현상제 등 그 후에 개발된 현상제도 있지만, 여기서는 가장 일반적인 금속 산화물의 미세분말을 이용한 현상제를 사용하는 현상의 기본적인 기구(mechanism)에 대하여 설명한다.

금속 산화물의 미세분말을 사용하는 현상은 표면이 열려 있는 균열 등이 있는 시험체 표면에 금속 산화물의 미세분말을 적층하여 얇은 도막을 형성시켜서, 미세분말 입자 사이의 틈에 의한 침투액의 모세관 현상과 침투액의 미세입자 표면으로의 적심현상을 이용하여, 균열 등의 불연속부 속에 침투해 있는 침투액을 도막 속에서 흡출(bleed out)하고, 확장시켜서 실제로 열린 부분의 치수보다도 확대된 크기를 가진 지시모양을 형성시킴으로써 쉽게 불연속부의 존재를 알 수 있도록 하는 방법이다.

이 방법의 가장 좋은 점은 눈으로 관찰할 수 없는 미세한 균열 등을 몇 배에서 수십 배의 크기로 확대시켜 쉽게 알 수 있는 지시모양으로 나타낸다는 것이다. 이러한 지시모양을 형성시키는 현상은 앞에서 설명한 적심과 모세관 현상에 의해 발생하는데, 불연속부 속의 침투액이 현상제 도막에 이르기 까지는 모세관 현상에 의해 이동하며, 도막 속에서는 적심이 발생하여 확대된 상을 형성시킨다. 이와 같이 금속 산화물의 미세분말을 사용하는 현상은 어떠한 현상제의 경우에도 적심과 모세관 현상을 기본원리로 하고 있다. 그러나 각각의 현상제는 특정한 목적을 갖고 만들어지므로, 각각 현상제가 지닌 성질 및 상태는 다르며 이용방법도 다르다. 그러므로 형성되는 현상제 도막의 성질이 다르며, 도막의 성질이 다르면 그것에 의해 형성되는 지시모양의 성질도 다르게 된다. 따라서 현상제를 사용할 때에는 그 성질을 충분히 알고 실수하지 않고 현상을 하도록 해야 한다.

3. 지각에 관한 기초지식

가. 지각현상

우리의 눈으로 물체의 형태나 색깔이나 크기를 포착한다든지 감지하는 현상을 지각현상(知覺現象)이라 한다. 인간의 지각은 모양이 크고, 밝으며, 선명한 색깔을 가진 것일수록 감지하기 쉬우며, 또한 환경이 어두우면 어두울수록 작고 약한 빛에 대해서도 민감하게 작용한다.

우리의 눈은 물체의 색깔, 밝기, 크기 등에 의해 물체가 있음을 알 수 있고, 그 모습이나 형상으로부터 그것이 무엇인지 판단할 수 있게 한다. 또한 어두운 곳에 들어갔을 경우, 잠시 동안은 아무것도 보이지 않지만 시간이 조금 지나거나 작은 틈에서라도 빛이 들어오면 물체를 쉽게 찾을 수 있다. 즉 인간의 눈으로 관찰할 수 있는 환경조건을 갖추고, 물체 또한 쉽게 볼 수 있는 조건이 갖추어지면, 물체를 확실하게 볼 수 있게 된다. 염색침투탐상시험은 눈에 잘 띄는 색깔과 어두움보다는 밝은 곳에서, 작은 것보다는 큰 것이 식별하기 쉬움을 이용하여 결함을 검출한다. 또 어두운 곳에서 지시모양을 관찰하는 형광침투탐상시험은 지시모양이 황록색의 형광이 사람의 눈에 감지되기 쉬우므로 고감도 침투액에는 황록색이 강한 형광을 발하는 형광체가 이용되고 있다.

나. 형광

형광(螢光, fluorescence)이란 일반적으로 좁은 의미로 빛의 자극(刺戟)에 의한 발광현상을 말한다. 즉 형광은 물질에 파장이 짧은 빛을 조사했을 때, 빛을 조사하고 있는 동안에만 그 물질에서 조사되는 빛 보다 긴 파장의 빛을 발하는 현상을 말하며, 조사하는 빛을 여기 광(勵起光), 이 현상을 나타내는 물질을 형광체 또는 형광물질이라 한다. 형광 침투액에는 형광물질이 첨가되어 있어서, 이것에 여기 광으로 파장이 320~400nm의 자외선을 조사하면 파장이 500~550nm(nanometer, $1\ nm = 10^{-9}m$) 부근의 황록색의 형광을 발한다. 형광 침투액에는 이 형광물질이 함유되어 있어 자외선을 조사함에 따라 여기(excited)하여 휘도가 높은 형광을 발하게 된다. 그러나 지시모양을 나타내는 침투액은 형광물질을 함유한 액의 얇은 피막이기 때문에, 형광물질의 형광 휘도가 어떠한지에 관계없이 형광이 소멸하는 한계의 피막 두께가 존재한다. 즉 피막 두께가 너무 얇은 경우에는 형광을 발하지 않는다. 형광을 발하는 피막의 두께는 메니스커스(meniscus)법에 의해 알 수가 있다.

제 3 절 침투탐상시험의 용어 정의

침투탐상시험에서 사용되는 용어에 대한 설명이다.

1) 탐상용 기자재의 준비 : 침투탐상시험을 실시함에 있어서 필요한 탐상장치, 탐상제 기구, 마른 헝겊이나 종이 수건 등을 갖추어 준비하는 것을 말한다.

2) 시험면의 준비 : 올바른 시험을 하기 위하여 방해가 되는 것을 제거하는 작업을 말한다. 시험면의 표면에 부착되어 있는 것에는 스패터(spatter), 슬래그(slag), 스케일(scale), 녹, 도료, 유지류(油脂類) 등이 있으며, 이것을 제거하는 방법으로 기계적인 방법에 의한 제거와 화학적인 방법에 의한 세척이 있다.

3) 탐상제(examination medium) : 침투탐상시험에서 결함을 검출하기 위하여 사용하는 모든 침투액, 유화제, 세척액 또는 제거액, 현상제 등을 말한다.

4) 전처리(pre-cleaning) : 결함 내부에 침투액이 들어가는 것을 방해하는 가벼운 오물이나 기름 등을 세척액 등으로 제거한 후 시험면과 결함 내부를 충분히 건조시켜서 침투액이 들어가기 쉬운 상태로 만드는 작업을 말한다.

5) 침투처리(penetration treatment) : 열려있는 결함 속으로 침투액을 충분히 스며들어가게 하기 위하여 시험체의 표면을 담금법[침지법(沈漬法)], 분무법, 솔질법 등에 의해 침투액을 적시는 작업을 말한다.

6) 잉여 침투액(excess penetrant) : 침투처리에서 결함 속으로 침투시킨 침투액 이외의 시험 면에 부착되어 있는 침투액을 말한다.

7) 세척액(solvent cleaner) : 전처리 또는 제거처리에 사용하는 용제를 말한다. 즉 전처리 세척이나 용제제거성 침투액을 사용하는 경우, 잉여 침투액을 제거하기 위하여 사용하는 휘발성 용제.

8) 제거처리(solvent wiping removal) : 용제제거성 침투액을 침투처리 후 시험면에 부착되어 있는 잉여 침투액을 제거하는 작업으로, 마른 헝겊 또는 종이 수건 등으로 닦거나, 충분히 제거가 안 될 때에는 필요에 따라 헝겊 등에 세척액을 묻혀 닦는 작업을 말한다.

9) 세척처리(rinsing) : 침투처리 후 시험체 표면에 부착되어 있는 불필요한 침투액 및 유화제를 물 또는 세척액(용제)으로 씻어내는 작업으로, 수세성 침투액 및 후유화성 침투액은 물을 살포하여 세척하며, 용제제거성 침투액은 용제제거성 세척액으로 세척한다.

10) 유기용제(organic solvent) : 시너(thinner), 용제(solvent) 등 기름 따위를 녹일 수 있는 액체상태의 유기화학 물질로써, 다른 물질을 용해시키는 성질에 착안하여 부

처진 이름. 세척액, 침투액 또는 현상제의 용제로서 사용되고 있다.

11) 과세척(over washing) : 세척시간이 너무 길거나 과잉세척으로 인하여 불연속 안에 있는 침투액이 제거되는 것. 과잉세척이라고도 한다.

12) 흡출(吸出, bleed out) : 불연속부 안에 들어 있는 침투액이 표면으로 스며 나와서 지시모양을 형성하는 작용. 스며 나옴이라고도 한다.

13) 물 베이스 유화제(hydrophilic emulsifier) : 물을 첨가하여 사용하는 유화제로써, 유성 침투액과 작용하여 물로 세척할 수 있도록 하는 수용성 액체.

14) 기름 베이스 유화제(lipophilic emulsifier) : 물을 첨가하지 않고 사용하는 유화제로써, 유성 침투액과 작용하여 물로 세척할 수 있도록 하는 유용성 액체.

15) 유화처리(emulsification) : 기름을 기본성분으로 하는 침투액을 물로 세척이 가능하도록 유화제를 시험체의 표면에 적용하는 조작을 말한다.

16) 유화정지(emulsification stop) : 유화시간 경과 후에 시험체를 물에 담그거나 물을 뿌려 유화시간을 정지시키는 작업을 말한다.

17) 현상처리(development) : 제거처리 또는 세척처리 후 결함 지시모양을 형성시키는 작업으로, 현상제를 사용하는 경우와 무현상법과 같이 가열처리를 하는 경우가 있다.

18) 건조처리(dry treatment) : 수분 및 유기용제의 건조를 목적으로 하는 처리방법. 자연 건조, 마른 헝겊 또는 종이 수건 등에 의한 건조, 냉풍 또는 온풍을 사용하는 건조 및 열풍 건조기를 사용하는 건조 등이 있다.

19) 관찰(interpretation) : 형광 침투탐상시험에서는 자외선조사등 아래에서, 염색 침투탐상시험에서는 자연광이나 조명등에 의한 밝은 장소에서 시험면의 지시모양 유무를 확인하여 지시모양이 있으면 그것이 의사모양인지 결함 지시모양인지 여부를 식별하고, 결함 지시모양인 경우는 지시모양의 종류를 판별하는 것을 말한다. 관찰은 현상처리 후 지시모양이 나타나기 시작하면서부터 현상시간 사이에 여러 번 실시하고, 현상시간이 끝난 직후에 최종적으로 관찰을 실시한다.

20) 열화(劣化, degradation) : 재료나 제품이 열 또는 빛 등의 사용 환경에 의해 그 화학적 구조에 유해한 변화를 일으키는 것을 말한다.

21) 건전부(sound area) : 시험체가 비파괴시험의 지시로부터 이상이 없다고 판정된 부분.

22) 흠(flaw) : 비파괴시험의 결과로부터 판단되는 불연속부.

23) 불연속부(discontinuity) : 비파괴시험에서 지시가 결함 · 조직 · 형상 등의 영향

에 의해 건전부와 다르게 나타나는 부분.

24) 결함(defect) : 규격, 시방서 등에서 규정하고 있는 판정기준을 초과하는 흠으로 불합격되는 흠집. 즉 비파괴시험 결과 명확하게 이상하다고 판단되는 불연속부.

25) 결함 지시모양 [defect(discontinuity) indication] : 결함 속에 침투되어 있던 침투액이 표면으로 흡출되어서 시험면에 형성되는 지시모양을 말한다.

26) 의사모양(false indication, non-relevant indication) : 결함 이외의 원인에 의하여 생기는 침투액에 의한 지시모양을 말한다. 거짓지시라고도 한다.

27) 지각(知覺, perception) : 감각기관이 외계의 사물을 인식하는 작용.

28) 시험 기록(examination record) : 시험의 목적, 적용 규격 또는 작업 절차서에 따라 실시한 시험방법, 시험조건, 시험결과 등의 기록. 또한 시험결과에 대해서는 결함 지시모양의 위치, 크기, 지시모양의 분류를 기록한다.

29) 후처리(post-cleaning) : 침투탐상시험을 마친 후에 시험체 표면에 남아 있는 현상제 또는 침투액을 제거하는 작업. 침투탐상시험을 한 시험체 표면에는 흡습성이 강한 현상제가 표면에 부착되어 있으므로 그대로 방치해 두면 부식의 원인이 되기도 하고, 시험 후 시험체의 가공 또는 사용에 있어서 현상제가 해로운 경우도 있기 때문에 후처리가 필요하다.

30) 침투시간(penetration time) : 침투액을 표면에 적용하고 나서 유화처리, 세척처리 또는 제거처리를 시작하기까지의 시간을 말한다. 배액에 요하는 시간을 포함한다.

31) 체류시간(dwell time) : 침투액 및 현상제가 시험체에 덮혀 있는 시간을 말한다. 즉 침투액인 경우에는 침투시간이 되며, 현상제인 경우에는 현상시간(developer dwell time)이 된다.

32) 배액(drain) : 시험체 표면의 침투액이 균일하게 되도록 액체를 흘러내리게 하는 등의 조작을 말한다.

33) 현상시간(development time, developer dwell time) : 속건식 현상법에서는 현상제를 적용하고 나서 최종적인 관찰을 시작할 때까지의 시간. 습식현상법에서는 현상제가 건조된 때부터 최종적인 관찰을 시작할 때까지의 시간. 건식 현상법에서는 현상제를 시험체에 적용하고 있는 시간을 말한다.

34) 자외선조사등(black light) : 고압 수은등, 자외선 투과 필터 및 안정기로 구성되어 있으며, 파장 320~400nm (nanometer)의 자외선을 조사하여 형광물질을 발광시켜 결함 지시모양을 관찰하기 위해서 사용한다.

35) $\mu W/cm^2$: 단위 면적당 자외선의 강도를 에너지로 표시한 값.

36) 룩스(lux , lx) : 가시광선의 밝기. 즉 조도의 단위이다.

37) 형광 물질(fluorescent material) : 자외선을 조사하면 눈에 보이는 빛을 발광하는 물질을 말한다.

38) 대비시험편(comparative test block) : 탐상제의 성능 및 조작방법의 적합 여부를 조사하는데 사용하는 시험편.

39) 현상제(developer) : 침투탐상시험에서 결함 속에 들어 있는 침투액을 시험체의 표면으로 흡출시켜서 지시모양을 눈으로 볼 수 있게 확대하여 미세한 결함도 검출할 수 있게 하는 재료. 현재 건식 현상제, 습식 현상제, 속건식 현상제 3종류가 사용되고 있다. 건식 현상제는 건조한 상태에서 사용하는 백색 미세분말로써 주로 산화규소가, 습식 현상제는 벤토나이트(bentonite), 활성 백토 등에 습윤제 등을 혼합한 분말을 물에 현탁시킨 것을, 속건식 현상제는 산화 마그네슘, 산화 칼슘, 산화 티타늄 등의 백색 분말을 속건성 유기 용제에 현탁시킨 것이 사용된다. 속건식 현상제는 백색 미세분말을 휘발성이 높은 유기용제에 분산시킨 것으로, 일반적으로 에어로졸 용기에 넣어 사용되고 있다.

40) 수용성 현상제(water soluble developer) : 물에 분산시켜 사용하는 백색 미세 분말상태의 현상제. 일반적으로 건조된 농축물로 공급되어 물에 완전히 용해시켜 사용한다. 건조되면 흡착성(또는 흡수성)의 피복을 형성하는 현상제이다.

41) 수현탁성 현상제(water suspendible developer) : 일반적으로 건조된 분말 농축물로 공급되어, 물에 현탁시켜 사용한다. 건조되면 흡착성(또는 흡수성)의 피복을 형성한다.

42) 보수검사(maintenance inspection) : 안전성을 확인하여 기기·구조물을 원활하게 사용하기 위하여 수명기간 중 알맞은 때(정기 또는 수시)에 기기 및 설비를 분해하여 실시하는 검사. 운전을 정지하지 않고 실시하는 것은 가동 중 검사, 운전을 정지하고 실시하는 것을 일반적으로 개방검사. 이들 검사를 정기적으로 실시하는 것은 정기검사라 한다.

43) 배경(background) : 침투탐상시험에서 지시모양을 관찰할 경우에 지시모양의 배경이 되는 시험체 표면의 색 또는 밝기. 지시모양이 나타나는 시험체의 표면 또는 자연 상태의 표면이나 현상액이 뿌려진 표면일 수도 있다.

44) 현탁(顯濁, suspension) : 액체 속에 고체 입자가 분산되어 있는 상태를 말한다. 속건식 현상제는 유기용제 속에 현상제 분말을 충분히 분산시킨 것. 습식 현상제는 교반 봉(棒) 등으로 물 속에 충분히 분산시킨 것을 말한다.

45) 에칭(etching) : 화학적 또는 전기 화학적인 방법으로, 표층부(表層部)를 균일하게 제거하는 것.

46) 에어로졸 제품(aerosol product) : 공기 중에 액체나 분말이 미립자로서 분산되어 있는 상태를 에어로졸이라 부르며, 액화기체 등과 함께 탐상제를 통에 충전하여 분사(噴射)에 의해 분무모양으로 분출하는 에어로졸 상태로 된 제품을 말한다. 일반적으로 에어로졸 제품이라 부른다.

47) 시험(試驗, test, examination) : 시험이라 번역되는 단어는 test와 examination이 있으나 따로 따로 정의되고 있다.
   o test : 일련의 물리적 조건, 화학적 조건, 분위기 조건 또는 운전 조건하에서 대상물을 놓고, 대상물이 지니고 있는 능력이나 기능이 규정된 요구사항에 합치하는지를 결정 또는 평가하는 것으로, 주로 파괴적인 방법으로 행해지는 경우에 사용된다.
   o examination : 재료, 기기(component), 공급품 또는 현재 사용되고 있는 것과 똑같은 대상품을 조사하여, 미리 조사 연구를 하여 정해 놓은 요구사항에 합치하는지를 결정하기 위하여 행하는 방법으로, 검사(inspection)의 일부를 구성하는 것이다.

48) 검사(檢査, inspection) : 비파괴적 방법에 의하여 재료, 기기, 공급품, 부품, 부속품, 시스템, 과정(process), 구조가 미리 결정해 놓은 품질의 요구에 합치하는지를 결정하는 품질관리의 한 국면(局面)을 가리키는 용어이다.

49) 규격(規格, standard) : 공업 제품 등의 품질이나 치수 및 모양 등에 대한 일정한 표준. [예] 한국산업규격

50) 시방서(specification) : 설계·시공·주문품 등에 관하여 도면으로 나타낼 수 없는 사항을 적은 문서. 요구사항이 만족되는지 여부를 결정하는 절차와 방법을 나타내며, 제품, 재료, 제조법이 각각에 만족하지 않으면 안 되는 일련의 요구사항을 상세하게 세부항목에 대하여 기술한 문서.

51) 절차서(procedure) : 수주자가 발주자에 대하여 제시하는 기술문서로써, 발주자의 각 고객 요구사항에 대하여 어떻게 대처하는지의 내용을 구체적으로 정리한 문서로써, 사용할 방법, 장치와 재료 및 작업 순서가 포함된다.
   순서는 목적을 달성하기까지의 절차, 순서를 체계적으로 작성한 시험 행위의 계획서로써, 해당 승인기관(관, 공, 발주자)에 의해 승인된 경우에 비로소 유효한 기술문서가 된다. 따라서 이 문서에는 규격에서 다루지 않은 방법, 장치, 재료 등 사용할 것을 미리 승인을 받기 위하여 포함해도 된다. 다만, 이때에는 방

법, 장치, 재료를 사용한 결과가 규격에서 요구하고 있는 결과와 동등 또는 그 이상의 결과가 얻어지는 것을 확인한 결과나 앞으로 확인하기 위한 시험계획을 제시할 필요가 있다.

52) 지시서(instruction) : 이미 확실히 증명된 절차서나 규격, 기준 및 시방서에 따라 실시해야 하는 정확한 실시 절차를 문서화 한 것으로, 실제 시험작업에 임하는 검사원에게 절차서에는 특정되어 있지 않은 시험기기나 시험절차 등에 관하여 보다 구체적으로 상세하게 지시사항을 정리한 것이다.

53) 평가(評價, evaluation) : 지시모양을 판단한 후에 시험체의 합격여부를 결정하기 위한 지시의 조사나 해석.

54) 연성(延性, ductility) : 탄성한계를 넘는 힘을 가함으로써 물체가 파괴되지 않고 늘어나는 성질.

55) 수지상 결정(樹枝狀 結晶, dendrite) : 응고되는 금속 내부에서 응고에 따른 잠열의 방출 때문에 형성되는 나뭇가지 모양의 조직. 단조 또는 압연 후에 그 모양을 그대로 지니고 있는 것도 포함된다. 예를 들어 합금의 경우에는 먼저 응고하는 부분과 나중에 응고하는 부분의 조성이 다르므로, 먼저 응고한 부분의 나뭇가지 모양을 현미경으로 명확히 관찰이 가능하다.

56) 인발(引拔, drawing) : 선재(線材)나 가는 관(管)을 만들기 위한 금속의 변형 가공법으로, 드로잉이라고도 한다. 정해진 굵기의 소선재(素線材)를 다이(die)라는 틀을 통해서 다른 쪽에서 잡아 당겨서 다른 쪽으로 끌어내어 다이에 뚫려 있는 구멍의 모양에 따른 단면형상의 선재로 뽑는 작업이다. 압출과 유사하나, 압출에서는 압출력이 작용하는 반면에 인발에서는 인장력이 작용하는 것이 다르다.

57) 염욕로(salt bath) : 여러 가지 염(鹽)과 그의 혼합물 속에 전극을 설치하여 소재를 용해시킨 다음 그 속에 금속재료를 담가서 가열하는 열 설비이다. 용해 열 속에서 가열되므로 산화가 없고 균일하게 빨리 가열된다. 표면층의 산화, 탈탄을 피해야 하는 공구강, 정밀기계 부품 또는 고속도강 등에 사용되고 있다.

58) 탕계 (cold shut) : 주조 조건이 부적당할 때 주형 내에 두 용융 금속(탕)의 흐름이 합류하는 곳에 발생하는 것으로, 용탕의 튀김이나 냉금(internal chill) 등으로 인해서 그 경계면이 완전히 융합되지 않은 상태이다.

59) 핀홀 (pin hole, pinhole) : 얇은 제품에 생긴 관통된 미세한 구멍. 블로우 홀보다 작으며, 용탕 중에 함유되어 있던 수소가 응고 시에 방출되고 남은 미세한 기공으로, 바늘구멍 정도의 아주 작은 기공을 가리킨다. 2~3ϕ 정도는 핀홀, 그 이상은 블로우 홀이라 부른다.

【 익 힘 문 제 】

1. 침투탐상시험을 하는 목적을 설명하시오.

2. 침투탐상시험의 장·단점을 설명하시오(5가지 이상).

3. 침투탐상시험과 자분탐상검사를 비교하여 설명하시오(5가지 이상).

4. 침투탐상시험의 시험방법을 분류하시오.

5. 침투탐상시험의 원리를 설명하시오.

6. 표면장력과 침투액과의 관계를 설명하시오.

7. 침투탐상시험에서 침투액이 불연속부에 들어가는데 고려할 사항, 즉 침투에 영향을 미치는 중요한 요인에 대하여 설명하시오.

8. 침투탐상시험이 가능한 시험체와 곤란한 시험체에 대하여 설명하시오.

9. 적심성이 무엇인지 설명하고, 적심이 좋은 경우에 대하여 설명하시오.

10. 모세관 현상에 대하여 설명해 보시오.

11. 지각현상(知覺現象)에 대하여 설명하시오.

제 2 장 침투탐상시험 방법

제 1 절 침투탐상시험의 분류

침투탐상시험은 앞에서 설명한 **표 1-1** 과 같이 관찰방법, 세척처리 방법 및 현상 방법에 따라 여러 가지 방법으로 분류하며, 각각의 방법에 따라 적합한 성능의 탐상제를 조합하여 사용한다. 여기서는 각 방법에 따라 분류한 침투탐상시험의 종류에 대하여 간단히 설명한다.

1. 관찰방법(사용하는 침투액)에 따른 분류

침투탐상시험은 육안 관찰에 의해 결함 지시모양을 식별하므로, 사용하는 침투액이 적색(赤色) 염료(染料)를 함유한 염색 침투액(dye penetrant, color contrast penetrant)인지, 형광(螢光) 물질을 함유한 형광 침투액(fluorescent penetrant)인지를 가시성(可視性) 관점에 따라 분류한다.

가. 염색 침투탐상시험(Visual dye(Colour contrast) penetrant testing)

적색(赤色) 염료를 첨가하여 짙은 적색으로 착색된 침투액을 사용하는 시험으로, 자연광 또는 백색광 아래에서 관찰하는 방법이다. 이 방법에 의한 결함은 백색 현상제의 도막 위에 적색의 결함 지시모양으로 나타나는데, 현상제 도막의 백색 배경과의 대비(contrast)에 의해 지시모양이 식별된다. 이 때문에 밝은 곳이면 실내 및 실외, 주야(晝夜)를 불문하고 시험을 할 수 있는 장점이 있어서 시험에 대한 제약(制約)은 형광 침투탐상시험에 비해 적다.

나. 형광 침투탐상시험(Fluorescent penetrant testing)

형광 물질이 첨가되어 있는 침투액을 사용하여 어두운 장소에서 시험면에 자외선을 조사하며 관찰하는 방법이다. 자외선을 조사하면 결함 지시모양은 파장이 550nm(nanometer : 10^{-9} m) 부근의 황록색(黃綠色)이 빌꿩되므로, 어두움 속에서 지각에 의해 결함 지시모양이 식별된다. 이 방법을 실시하기 위해서는 시험장소를 어둡게 해야 하고, 반드시 블랙라이트라고 부르는 자외선조사장치(black light) 등을 필요로 한다.

다. 이원성 염색(형광) 침투탐상시험

이원성 침투액(dual mode liquid penetrant, dual purpose penetrant)은 염색 침투탐상시험과 형광 침투탐상시험 양쪽 모두에 사용되는 침투액으로, 가시광선 아래에서 관찰하면 적색으로 지시모양이 나타나며, 자외선을 조사하면 적색에 밝은 형광색의 지시모양을 나타낸다. 이원성 침투액을 사용하는 탐상시험은 밝은 장소와 어두운 장소 양쪽 모두에서 관찰할 수 있다. 다만, 밝은 장소에서 관찰할 필요성 때문에 적색의 형광 염료를 사용하므로, 황록색의 밝은 침투액을 사용하는 형광 침투탐상시험에 비하면 결함을 판독하는 경우 약간 검출성이 떨어진다.

KS B 0816-2005(침투탐상시험 방법 및 지시모양의 분류)에서는 사용하는 침투액에 따라 표 2-1 과 같이 분류하고 있다.

표 2-1 관찰방법에 따른 분류

시험방법	방법	기호
염색 침투탐상시험	염색 침투액을 사용하는 방법	V
형광 침투탐상시험	형광 침투액을 사용하는 방법	F
이원성 염색 침투탐상시험	이원성 염색 침투액을 사용하는 방법	DV
이원성 형광 침투탐상시험	이원성 형광 침투액을 사용하는 방법	DF

2. 잉여 침투액을 제거하는 방법(세척방법)에 따른 분류

침투탐상시험에서는 침투처리 후 세척처리 또는 제거처리에 의해 결함 내부에 침투해 있는 침투액은 그대로 둔 상태에서 시험면 위의 잉여 침투액(剩餘浸透液, excess penetrant) 만을 제거해야 한다. 이 목적을 달성하기 위하여 갖가지 수단(手段)이 강구되고 있지만, 그 수단의 차이에 따라 다음의 3가지로 분류한다.

가. 용제제거성 침투탐상시험(Solvent removable penetrant testing)

침투액에는 유화제가 첨가되어 있지 않아서 물로 세척하는 것이 곤란하므로, 유기용제의 세척제를 사용하여, 시험면 위의 잉여 침투액을 제거하는 방법이 사용된다. 잉여 침투액은 흡수성이 좋은 마른 헝겊이나 종이 수건 등을 이용하여 닦아낸 다음, 깨끗한 마른 헝겊이나 종이 수건에 유기용제를 적셔서 나머지 침투액을 닦아 세척한다. 시험면에 유기용제를 직접 적용해서는 안 되며, 또한 잘못하면 결함 내부의 침투액까지 제거해 버릴 위험이 많이 있으므로, 주의하여 잉여 침투액 만을 제거하도록 해야 한다.

나. 수세성 침투탐상시험(Water washable penetrant testing)

이 방법에서는 물 세척을 쉽게 하기 위해서 유화제를 첨가한 침투액을 사용하여 물을 끼얹거나 물 분무에 의해 침투액을 유화시켜서 표면의 잉여 침투액을 세척하는 방법이다. 또한 용제제거성 침투탐상시험과 비교하여 결함 내부의 침투액을 제거할 위험이 조금 적기 때문에 물 뿌림에 의한 세척이 가능하다. 따라서 복잡한 형상이거나 표면이 거친 시험체에 효과적이다.

다. 후유화성 침투탐상시험(Post emulsifiable penetrant testing)

수세성 침투액(Water washable (liquid) penetrant)과 비슷하지만 유화제(emulsifier)가 첨가되지 않은 침투액을 사용한다. 후유화성 침투액(post emulsifiable penetrant) 자체로는 물 세척이 곤란하므로 침투처리 후, 유화제를 침투액이 도포된 면 위에 겹쳐서 적용하여 유화제가 잉여 침투액에 더해져서(유화처리) 시험 면의 잉여 침투액 만을 물로 쉽게 세척할 수 있도록 한 후에, 물 세척을 하여 시험 면의 잉여 침투액을 세척하는 방법이다. 이 침투액을 사용하면 결함 속에 침투되어 있는 침투액에는 유화제가 작용하지 않아 세척이 되지 않으므로 그대로 유지되어 세척 단계에서 침투액이 씻겨 내려가지 않고, 과세척(over washing)의 염려가 적어서 미세한 결함 및 폭이 넓고 얕은 결함도 검출할 수 있다. 그러나 복잡한 형상이나 표면이 거친 시험체에는 적당하지 않다. 그렇기 때문에 이 방법을 적용하기 위해서는 미리 시험조건을 고려하고 실시 가능한지 여부를 검토해야 한다. 그리고 이 방법은 탐상제 및 탐상작업의 관리를 적절히 실시하지 않으면 그 특징을 발휘할 수가 없다.

후유화성 침투액과 조합하여 사용하는 유화제에는 기름 베이스(oil base)와 물 베이스(water base)의 2종류가 있다. 최근에는 물 베이스 유화제의 사용이 증가하고 있으며, 특히 항공기 엔진 등의 침투탐상시험에 많이 사용되고 있다.

1) 기름 베이스 유화제

기름에 계면활성제를 용해시킨 것이 기름 베이스 유화제(lipophilic emulsifier, oil base)이다. 유화제에는 점성이 다른 것이 있어서 점성에 따라 유화시간이 다르므로, 용도 별로 구분하여 사용한다. 후유화성 침투액에 유화제를 적용하는 방법으로 사용하며, 주로 담금법(dipping method)법으로 사용한다. 수세성 침투탐상시험보다 결함 검출감도가 높으므로 미세한 결함의 탐상에 사용된다.

2) 물 베이스 유화제

물에 계면활성제를 용해하여 사용하는 것이 물 베이스 유화제(hydrophilic emulsifier, water base)이다. 사용할 때 필요한 농도로 만들어 사용한다. 농도는 시험체의 형상, 표면상태, 대상으로 하는 결함의 종류에 따라 달리 한다. 농도는 35% 이하로 하여 사용하는 것이 일반적이다. 결함 검출감도는 기름 베이스 유화제와 거의 같거나 조금 높은 편이다.

KS B 0816-2005에서는 잉여 침투액(excess penetrant)의 제거방법에 따라 **표 2-2**와 같이 분류하고 있다.

표 2-2 잉여 침투액의 제거방법에 따른 분류

시험 방법	잉여 침투액의 제거 방법	기호
수세성 침투탐상시험	수세에 의한 방법	A
후유화성 침투탐상시험	기름 베이스 유화제를 사용하는 방법	B
용제 제거성 침투탐상시험	용제 제거에 의한 방법	C
후유화성 침투탐상시험	물 베이스 유화제를 사용하는 방법	D

3. 현상방법에 따른 분류

침투탐상시험에서는 세척처리 또는 제거처리 후 결함 속에 남아 있는 침투액을 어떠한 수단으로든 결함 밖으로 뽑아내어 눈으로 볼 수 있는 침투액에 의한 지시모양을 형성시키지 않으면 안 된다. 이 때문에 현상처리라고 하는 처리순서가 필요하며, 어떻게 결함 속의 침투액을 시험체 표면으로 드러나게 하여 결함 지시모양을 형성시키 는가에 따라 여러 가지 방법으로 분류한다.

KS B 0816-2005에서는 현상방법에 따라서 **표 2-3**과 같이 분류하고 있다.

현상방법에는 건조된 금속화합물 분말을 그대로 사용하는 현상법, 금속화합물 분 말과 물을 사용하는 현상법, 금속화합물 분말과 유기용제를 사용하는 현상법 그리고 현상제를 전혀 사용하지 않는 현상법의 4가지 방법이 있다.

각종 현상법의 처리방법과 그 특징은 다음과 같다.

표 2-3 현상방법에 따른 분류

명칭	방법	기호
건식 현상법	건식 현상제를 사용하는 방법	D
습식 현상법	수용성 현상제를 사용하는 방법	A
	수현탁성 현상제를 사용하는 방법	W
속건식 현상법	속건식 현상제를 사용하는 방법	S
특수 현상법	특수한 현상제를 사용하는 방법	E
무 현상법	현상제를 사용하지 않는 방법	N

가. 속건식 현상법에 따른 침투탐상시험

속건식 현상법은 휘발성이 높은 유기용제에 백색의 미세분말(탄산칼슘, 산화아연, 탄산바륨 등)을 분산시킨 현상제를 적용하는 방법으로, 분무법(spray method), 솔질 법(brushing method, 붓칠법이라고도 함) 등으로 적용한다. 일반적으로는 에어로졸 통에 넣고 봉입한 제품의 현상제가 많이 사용되고 있다. 이러한 현상제는 휘발성이 높기 때문에, 도포 후 자연 방치해도 휘발되어 백색의 미세분말의 도막이 형성되어 지시모양을 잘 나타내므로 미세한 결함의 검출에 알맞은 방법이다. 그러나 결함 지시 모양은 시간의 경과와 더불어 변화하므로, 관찰에 있어서는 이 점을 주의해야 한다. 또한 강제로 건조해서는 안 된다. 또한 에어로졸 통에 들어 있는 현상제를 분무하여 얼룩없이 균일하고 적절한 두께의 도막을 만드는 것은 쉽지 않으므로, 이 현상처리가 다른 방법에 비해 조금 어렵다. 속건식 현상제(non-aqueous wet developer)에 의해 형성되 는 현상제 도막은 백색의 배경을 형성시키므로, 일반적으로 용제제거성 염색 침투탐상시 험과 조합시켜 사용할 경우가 많다.

소형이며, 가볍고, 휴대성이 좋도록 편리한 용기에 넣어져 있어 취급하기도 쉽고, 작업성도 좋기 때문에, 큰 부품이나 대형 구조물의 용접부 시험에 가장 알맞은 방법이다. 다만 형상이 복잡하거나 표면이 거친 시험체에는 적합하지 않다.

적용하는 현상제의 양에 따라 도막(塗膜)의 두께를 변화시킬 수 있어서 염색 침투탐상시험과 형광 침투탐상시험에도 사용할 수 있는 편리한 점이 있으나, 습식 현상제(濕式現像劑, aqueous wet developer, water suspendible developer)와 같이 침투액을 흡출과 동시에 번지게 되므로, 근접해 있는 결함을 분리하여 나타내기는 곤란하다.

나. 습식 현상법에 따른 침투탐상시험

백색의 미세분말을 물에 현탁시킨 것을 사용하는 방법으로, 이와 같은 현상제를 습식 현상제라 부른다. 담금법(dipping method, 침지법이라고도 함), 분무법(spray method), 붓기법(pouring method) 또는 솔질법(brushing method) 등으로 적용하지만, 주로 개방형 용기를 이용하여 담금법으로 사용되고 있다. 이 현상법에서는 현상제를 적용한 후 수분을 증발시켜 현상제 도막을 형성시키기 때문에 시험체를 건조기에 넣거나 또는 열풍(熱風)을 뿜어주는 등으로 건조한다. 지시모양은 상당히 확대된 결함모양을 나타내므로, 관찰에 있어서는 속건식 현상제를 사용하는 경우와 똑같이 주의해야 한다. 이 방법은 다량의 시험체를 탐상할 때 알맞으며, 일반적으로는 수세성 형광 침투탐상시험과 조합시켜 사용한다.

다. 건식 현상법에 따른 침투탐상시험

건식 현상제(乾式現像劑, dry powder developer)를 사용하는 방법으로, 무기계(無機系) 산화물을 주성분으로 하는 매우 비중이 작은 백색 미세분말의 건식 현상제를 그대로 시험면에 뿌려서 적용하거나 시험체를 백색 미세분말 속에 매몰하는 매몰법(埋沒法, submerging method)으로 적용한다. 현상처리를 실시할 때에는 어느 경우라도 현상제 및 시험 면이 잘 건조되어 있어야 한다. 따라서 물 세척을 한 경우에는 현상처리 전에 건조처리를 해야 한다. 현상제는 결함부에만 부착하기 때문에, 시간이 경과해도 더 이상 현상이 진행되지 않는다. 그러므로 상(像)이 확대되거나 흐트러짐이 없어서 비교적 실제 결함 모습에 충실한 결함 지시모양이 얻어진다. 그리고 근접해 있는 결함을 분리하여 지시로 나타낼 수 있으며, 결함 지시모양의 크기와 형상이 변화하지 않으므로, 다른 현상제를 적용하는 경우보다 표면 결함의 형상을 비교적 정확히 알 수 있다. 그러나 백색의 배경이 얻어지지 않으므로, 적용은 형광 침투탐상시험만으로 한정되며, 염색 침투탐상시험에는 적용할 수 없다. 또한 이 방법에서는 미세분말이 비산(飛散)되므로 적절한 방진 대책을 세워야 한다.

라. 무(無) 현상법에 따른 침투탐상시험

현상제를 사용하지 않고 결함 지시모양을 형성시키는 방법으로, 현상제를 사용하여 현상처리를 하지 않기 때문에 무현상법(無現像法, self development method)이라 하지만, 본래는 무현상제법(無現像劑法)이며, 현상처리는 반드시 실시해야 한다.

다만, 이 방법은 결함 지시모양을 형성시키기 위하여 백색의 미세분말에 의한 모세관 현상을 이용하지 않고, 가열에 의한 결함 속의 침투액과 공기의 팽창, 침투액의 자기(自己) 확장 또한 시험체에 가해지는 기계적인 힘에 의해 결함부에 압축 응력이 가해지게 되면 결함 체적이 축소되어 침투액이 표면으로 넘쳐 나오는 현상 등을 이용한다. 이 방법은 결함 속의 침투액을 외부로 번져 나오게 하여 결함 지시모양을 형성시킬 뿐이므로, 지시모양을 형성시키는 침투액은 현상제를 이용하는 경우에 비해 아주 적으며, 확대가 적은 지시모양밖에 얻어지지 않기 때문에 결함의 검출능력은 다른 방법에 비해 낮다. 따라서 이 방법을 사용할 때에는 침투액의 성능이 저하되지 않도록 주의해야 하고, 지시모양을 못보고 빠뜨리는 일이 없도록 특히 주의사항을 잘 지켜 실시해야 한다. 이 방법도 건식 현상제를 사용하는 경우와 똑같이 백색의 배경이 형성되지 않으므로, 형광 침투탐상시험만으로 적용하며, 염색 침투탐상시험으로는 적용하지 않는다. 그리고 형광 침투액도 휘도가 높은 고감도 형광 침투액과 조합시켜 사용한다. 현상제를 사용하기가 곤란하거나 부식되기 쉬운 시험체 및 아주 큰 시험체의 시험에 사용한다.

이상 4 종류의 현상법에 대해 설명했지만, 이 중에서 가장 많이 사용되고 있는 것은 용제제거성 염색 침투액과 속건식 현상법을 조합시켜 사용하는 시험 그리고 수세성 형광 침투액과 습식 현상법을 조합시켜 사용하는 시험이다.

4. 시험방법의 분류

가. 침투탐상시험의 조합과 기호

침투탐상시험은 앞에서 설명한 것 같이 관찰방법(사용하는 침투액에 의한 분류)에 따라 크게 2종류, 세척처리 방법(잉여 침투액의 제거방법에 의한 분류)에 따라 3종류, 현상방법에 따라 4종류의 방법으로 분류한다. 그러므로 침투탐상시험은 이들의 방법 중에서 1가지씩을 선택하여 조합으로 이루어지며, 탐상순서도 당연히 조합에 따라서 다르게 된다.

KS B 0816-2005에서는 앞에서 설명한 것과 같이 사용하는 침투액의 종류, 잉여 침투액의 제거방법, 현상방법에 따라 시험방법의 분류가 편리하도록 기호를 붙여서 표시하고 있다. 이들 조합에 따라 기호를 사용하는 방법의 예는 다음과 같다.

o 용제 제거성 염색침투액과 속건식 현상제의 조합 : VC - S
              V   C   S
     염색 침투액 용제제거성   속건식 현상제

o 수세성 형광 침투액과 무현상법의 조합 : FA - N
              F   A   -   N
     형광 침투액   수세성   무현상법

o 용제제거성 이원성 염색 침투액과 속건식 현상제의 조합 : DVC - S
             DV   C   -   S
     이원성 염색 침투액   용제제거성   속건식 현상제

o 후유화성 형광 침투액과 물 베이스 유화제 및 건식 현상제의 조합 : FD-D
             F   D   -   D
     형광 침투액 물베이스 유화제(후유화) 건식 현상제 등‥

나. 시험방법의 분류

1) ASME SE-165(표준 침투탐상시험 방법)에서는 침투탐상시험 방법 및 종류를 표 2-4와 같이 분류하고 있다.

표 2-4 침투탐상시험 방법 및 종류의 분류

종류 1(Type Ⅰ) – 형광 침투탐상시험	
방법 A	수세성
방법 B	기름베이스 후유화성
방법 C	용제제거성
방법 D	물베이스 후유화성
종류 Ⅱ(Type Ⅱ) – 염색 침투탐상시험	
방법 A	수세성
방법 C	용제제거성

2) **KS B ISO 3452-2-**2007(비파괴검사-침투탐상검사-제2부 : 침투탐상제의 시험)
에서는 탐상제를 **표 2-5**와 같이 분류하고 있다.

표 2-5 탐상제

침투액		잉여 침투액 제거제		현 상 제	
형	종류	방법	종류	형	종류
I	형광 침투액	A	물	a	건식
II	염색 침투액	B	친유성 유화제	b	수용성 습식
			1. 기름베이스 유화제	c	수현탁성 습식
			2. 흐르는 물로 세척	d	용제형(비수성 습식)
III	이원성 침투액 (염색 및 형광 복합 침투액)	C	용매(액체)		
		D	친수성 유화제		
			1. 선택적 사전 행굼(물)	e	특정 용도의 수성 또는 용제형(벗겨지는 현상제)
			2. 유화제(증류수)		
			3. 최종 행굼(물)		
		E	물 및 용제		

※ 친유성 유화제(Lipophilic emulsifier, 기름 베이스 유화제)
친수성 유화제(Hydrophilic emulsifier, 물 베이스 유화제)

3) **ASTM E 1417-**2005(Standard practice for liquid penetrant testing)에서는 탐상
제를 **표 2-6**과 같이 분류하고 있으며, SAE AMS 2644(Inspection material,
penetrant)와 기존의 MIL-I-25135((Inspection materials, penetrants)의 탐상제 분류
와 같다.

표 2-6 탐상제의 분류

침투액					
종류 (Type)	종류	방법 (Method)	종류	감도[주) (Sensitivity)	종류
I	형광 침투액	A	수세성	레벨 1/2	최저 감도
II	염색 침투액	B	후유화성(기름베이스)	레벨 1	저 감도
		C	용제제거성	레벨 2	중 감도
		D	후유화성(물베이스)	레벨 3	고 감도
				레벨 4	최고 감도
주) 이 감도 레벨은 형광 침투액과의 조합에만 사용한다. 염색 침투액의 조합은 하나의 감도만을 가지나, 위 레벨의 어떤 하나를 의미하는 것은 아니다.					

현상제		용제 제거제	
형 (Form)	종류	등급 (Class)	종류
a	건식	1	할로겐 함유
b	수용성 습식	2	할로겐 비함유
c	수현탁성 습식	3	특정 용도
d	속건식(=비수성 습식) (형광 침투액 적용)		
e	속건식(=비수성 습식) (염색 침투액 적용)		
f	특정 용도		

제 2 절 침투탐상시험의 방법

1. 침투탐상시험의 탐상순서

　침투탐상시험은 앞에서 설명한 것과 같이 시험 면의 열린 결함 속에 침투된 침투액을 현상제 등을 이용하여 시험 면에 나타나도록 해서, 이것을 눈으로 지각하는 방법이다. 표면에 나타나는 침투액을 보기 쉽게 하기 위하여 배경(background)의 색과 식별성이 좋은 황록색의 형광 침투액 또는 적색의 염색 침투액을 사용하여 뚜렷하게 확대된 지시모양이 나타나도록 한다. 탐상은 탐상목적을 달성하기 위하여 일정한 순서에 따라 실시하며, 탐상순서는 전처리→침투처리→세척처리(또는 제거처리)→현상처리→관찰→후처리의 6 종류의 기본처리 작업으로 이루어진다. 그러나 탐상제의 성질에 따라 다른 처리가 추가되거나 혹은 생략될 수 있으며, 선택된 시험방법에 따라 처리의 종류와 순서가 다를 수 있다. 침투탐상시험의 탐상순서를 침투탐상시험의 종류별로 정리하면 다음과 같다.

가. 용제제거성 염색 침투탐상시험
　① 용제제거성 염색 침투액 - 습식 현상제(수현탁성)을 적용하는 경우

전처리 → 침투처리 → 제거처리 → 현상처리 → 건조처리 → 관찰 → 후처리

　② 용제제거성 염색 침투액 - 속건식 현상제를 적용하는 경우

전처리 → 침투처리 → 제거처리 → 현상처리 → 관찰 → 후처리

나. 용제제거성 형광 침투탐상시험
　① 용제제거성 형광 침투액 - 건식 현상제를 적용하는 경우

전처리 → 침투처리 → 제거처리 → 현상처리 → 관찰 → 후처리

　② 용제제거성 형광 침투액 - 습식 현상제(수현탁성 또는 수용성)를 적용하는 경우

전처리 → 침투처리 → 제거처리 → 현상처리 → 건조처리 → 관찰 → 후처리

　③ 용제제거성 형광 침투액 - 속건식 현상제를 적용하는 경우

전처리 → 침투처리 → 제거처리 → 현상처리 → 관찰 → 후처리

　④ 용제제거성 형광 침투액(고감도 침투액) - 무현상법을 적용하는 경우

전처리 → 침투처리 → 제거처리 → 가열건조처리 → 관찰 → 후처리

다. 수세성 형광 침투탐상시험

① 수세성 형광 침투액 - 건식 현상제를 적용하는 경우

전처리 → 침투처리 → 세척처리 → 건조처리 → 현상처리 → 관찰 → 후처리

② 수세성 형광 침투액 - 습식 현상제(수현탁성 또는 수용성)를 적용하는 경우

전처리 → 침투처리 → 세척처리 → 현상처리 → 건조처리 → 관찰 → 후처리

③ 수세성 형광 침투액 - 속건식 현상제를 적용하는 경우

전처리 → 침투처리 → 세척처리 → 건조처리 → 현상처리 → 관찰 → 후처리

④ 수세성 형광 침투액(고감도 침투액) - 무현상법을 적용하는 경우

전처리 → 침투처리 → 세척처리 → 가열건조처리 → 관찰 → 후처리

라. 수세성 염색 침투탐상시험

① 수세성 염색 침투액 - 습식 현상제(수현탁성)를 적용하는 경우

전처리 → 침투처리 → 세척처리 → 현상처리 → 건조처리 → 관찰 → 후처리

② 수세성 염색 침투액 - 속건식 현상제를 적용하는 경우

전처리 → 침투처리 → 세척처리 → 건조처리 → 현상처리 → 관찰 → 후처리

마. 후유화성 형광 침투탐상시험

1) 기름베이스 유화제를 사용하는 경우

① 후유화성 형광 침투액 - 건식 현상제를 적용하는 경우

전처리 → 침투처리 → 유화처리 → 세척처리 → 건조처리 → 현상처리 → 관찰 → 후처리

② 후유화성 형광 침투액 - 습식 현상제(수현탁성 또는 수용성)를 적용하는 경우

전처리 → 침투처리 → 유화처리 → 세척처리 → 현상처리 → 건조처리 → 관찰 → 후처리

③ 후유화성 형광 침투액 - 속건식 현상제를 적용하는 경우

전처리 → 침투처리 → 유화처리 → 세척처리 → 건조처리 → 현상처리 → 관찰 → 후처리

④ 후유화성 형광 침투액(고감도 침투액) - 무현상법을 적용하는 경우

전처리 → 침투처리 → 유화처리 → 세척처리 → 가열 건조처리 → 관찰 → 후처리

2) 물베이스 유화제를 사용하는 경우

① 후유화성 형광 침투액 - 건식 현상제를 적용하는 경우

전처리 → 침투처리 → 예비세척처리 → 유화처리 → 세척처리 → 건조처리 → 현상처리 → 관찰 → 후처리

② 후유화성 형광 침투액 - 습식 현상제(수현탁성 또는 수용성)를 적용하는 경우

전처리 → 침투처리 → 예비세척처리 → 유화처리 → 세척처리 → 현상처리 → 건조처리 → 관찰 → 후처리

③ 후유화성 형광 침투액 - 속건식 현상제를 적용하는 경우

전처리 → 침투처리 → 예비세척처리 → 유화처리 → 세척처리 → 건조처리 → 현상처리 → 관찰 → 후처리

④ 후유화성 형광 침투액(고감도 침투액) - 무현상법을 적용하는 경우

전처리 → 침투처리 → 예비세척처리 → 유화처리 → 세척처리 → 가열건조처리 → 관찰 → 후처리

바. 후유화성 염색 침투탐상시험

1) 기름베이스 유화제를 사용하는 경우

① 후유화성 염색 침투액 - 습식 현상제(수현탁성)를 적용하는 경우

전처리 → 침투처리 → 유화처리 → 세척처리 → 현상처리 → 건조처리 → 관찰 → 후처리

② 후유화성 염색 침투액 - 속건식 현상제를 적용하는 경우

전처리 → 침투처리 → 유화처리 → 세척처리 → 건조처리 → 현상처리 → 관찰 → 후처리

2) 물베이스 유화제를 사용하는 경우

① 후유화성 염색 침투액 - 습식 현상제(수현탁성)를 적용하는 경우

전처리 → 침투처리 → 예비세척처리 → 유화처리 → 세척처리 → 현상처리 → 건조처리 → 관찰 → 후처리

② 후유화성 염색 침투액 - 속건식 현상제를 적용하는 경우

전처리 → 침투처리 → 예비세척처리 → 유화처리 → 세척처리 → 건조처리 → 현상처리 → 관찰 → 후처리

2. 각종 침투탐상시험의 방법 및 특징

가. 용제제거성 염색 침투탐상시험

1) 시험방법

용제제거성 염색 침투탐상시험은 침투탐상시험 방법 중에서 가장 널리 사용되고 있는 방법으로, 침투액, 세척액(유기용제 사용) 및 현상액의 3가지를 사용

하여 탐상하며, 특히 속건식 현상법과 조합하여 사용한다. 일반적으로 용접부의 탐상에 널리 적용되고 있으며, 구조물과 기계부품 등의 부분탐상에 적합하여 가장 광범위한 분야에서 사용되고 있는 방법이다. 이 방법은 시험을 할 때 특별한 장치를 필요로 하지 않으며, 시험에 사용하는 탐상제도 대무분 에어로졸 제품을 사용하므로 취급이 간단하고, 휴대가 편리하며, 전원, 수도 등의 설비도 필요로 하지 않는다. 또한 암실 및 자외선조사등도 필요로 하지 않으므로, 실내는 물론 야외 등, 밝은 환경이면 어디에서도 적용할 수 있는 장점이 있다.

그러나 침투탐상시험 중에서 감도가 비교적 낮은 시험방법으로 결함의 검출능력은 뛰어나지 않다. 이는 잉여 침투액의 제거가 어렵기 때문인데, 시험면의 표면 거칠기가 비교적 매끄럽고, 형상이 단조로운 시험체의 경우에는 오히려 염색 침투탐상시험 중에서는 가장 감도가 높은 방법이다.

이 시험은 손으로 하는 작업이 많아서 검사원의 기량에 크게 의존하므로, 기본적인 지식을 갖추고, 표준 작업을 반복적으로 연습해야 정확한 탐상을 할 수 있다.

가) 전처리

전처리(pre-cleaning)는 침투탐상시험에서 가장 중요한 처리로써, 시험을 시작하기 전에 시험체 표면에 부착되어 있을 가능성이 있는 기계유, 방청유, 그리스(grease), 먼지 등의 오염을 제거하는 처리를 가리킨다. 이 처리를 통하여 표면을 깨끗이 세척해서 침투액이 시험체 표면에 잘 적시어져서 열린 결함 속으로 충분한 양이 침투할 수 있도록 한다.

전처리는 시험체의 재질, 경도(硬度), 표면상태, 시험체에 붙어있는 이물질(異物質)의 성질 등을 고려하여 적절한 방법으로 실시해야 하며, 결함의 열린 부분을 막을 우려가 있는 방법은 사용해서는 안 된다. 또한 세척 후에는 시험체를 건조시켜 결함 속에 수분이나 용제 등이 남아 있지 않음을 확인해야 한다.

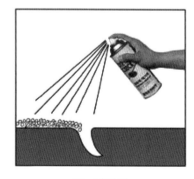

(1) 전처리

나) 침투처리

  에어로졸 제품으로 시험 면에 침투액을 분무법으로 적용할 때에는 가급적 분무 노즐을 시험면에 가까이 해서 불필요하게 비산되지 않도록 해야 하며, 필요한 최소한의 범위에 필요한 양의 침투액이 도포되도록 한다. 물론, 구조물 등의 복잡한 장소나 좁은 부위 및 용접부에는 시험 면의 폭에 해당하는 솔(brush)을 사용하여 침투액을 효과적으로 적용할 수도 있다. 이렇게 침투액이 시험 면을 적시도록 하는 조작을 침투액의 도포 또는 적용이라 하며, 침투액이 균일하게 적셔져서 결함 속으로 침투액이 충분하게 침투될 때까지의 방치해 두는 시간을 침투시간(penetration time) 또는 체류시간(dwell time)이라 한다. 이 시간은 특수한 시험을 제외하고 긴 시간을 줄 필요는 없으며, 일반적으로 5~20분 정도로 처리한다.

(2) 침투처리

다) 제거처리

  제거처리의 목적은 시험면을 적시고 있는 잉여 침투액의 제거에 있으므로, 제거를 할 때에는 복잡한 부분부터 시작하여 단순한 부분 순으로 제거한다. 우선 마른 헝겊 또는 종이 수건으로 가능한 한 시험면의 잉여 침투액을 2~3회 정도 제거하고, 마무리 세척으로 세척액을 적신 헝겊 또는 종이 수건으로 남아 있는 침투액을 제거한다. 이때 주의할 사항은 세척액을 너무 지나치게 사용하면 결함 속의 침투액을 씻어버릴 우려가 있으므로 과잉세척을 해서는 안 된다는 점이다. 따라서 제거처리는 세척액을 묻힌 헝겊 또는 종이 수건이 옅은 핑크색이 남아 있는 정도에서 끝내어야 한다.

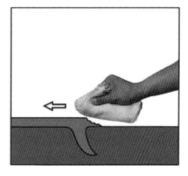

(3) 제거처리

이와 같이 세척을 잘하고 못하고는 처리에 사용하는 걸레(헝겊이나 종이 수건)의 오염 정도를 확인하면 정확한 처리여부를 알 수 있다. 그리고 세척액을 직접 시험체 표면에 분무하는 처리방법은 특별한 경우를 제외하고는 피해야 한다.

라) 현상처리

현상처리는 제거처리가 끝난 시험체 표면에 백색의 현상제를 도포하여 균일한 현상제 도막을 만드는 것을 말한다. 이 시험은 속건식 현상법으로 에어로졸 제품에 의한 분무법으로 적용한다. 이러한 속건식 현상제는 휘발성이 높은 용제를 사용하므로, 분무와 동시에 매우 미세한 입자가 비산(飛散)되어 시험 면을 적시면서 비교적 짧은 시간에 건조된다.

따라서 깨끗하고 균일한 얇은 현상제 도막을 형성시키기 쉬울 뿐만 아니라, 결함 속에 들어 있는 침투액을 흡출하는 작용이 빠르기 때문에 결함 지시모양의 형성이 빠르고, 결함의 검출 감도도 높다.

현상처리에 있어 중요한 점은 사용 전에 현상제를 잘 흔들어 주어야 하며, 현상제 도막이 시험 면에 균일하게 도포되도록 분무 노즐과 시험 면 간의 거리는 30cm 정도로 하여 시험 면과 일정한 각도(적어도 45~90°)를 유지하며 분무해야 한다는 것이다. 이때 현상 얼룩이 생기지 않도록 해야 하며, 높은 식별성이 얻어지도록 현상제는 조금 두껍게 도포할 필요가 있다.

이상적(理想的)인 현상 도막 면을 형성시키는 위해서는 숙련과 경험을 필요로 하며, 정확히 처리하면 분무된 순서에 따라 건조되는데, 현상제 적용 후 1분 전, 후로 건조된다.

(4) 현상처리

마) 관찰

속건식 현상법은 다른 현상법과 비교하여 지시모양의 형성이 비교적 빠르므로, 현상시간(developer dwell time) 중에도 지시모양의 상태를 주시하며 계속 관찰해야 한다. 즉 지시모양으로부터 확실한 결함상태를 판단하기 위해서는 현상을 시작하고 나서 바로 관찰을 시작하여 현상시간 중에도 지시모양을 관찰하여 지시모양이 형성되는 상황을 계속 관찰해야 한다. 결함 지시모양은 현상시간의 경과에 따라 급속하게 확대되어 실제 결함의 형상, 크기와는 차이가 크게 된다. 미세한 결함은 현상제의 도막 표면으로 빨려나오는 침투액의 양이 아주 적어 배경(background)과 대비 (contrast)가 약해서 발견하기 어려운 경우도 많이 있으므로 주의 깊게 관찰해야 한다.

지시모양에는 실제 결함에 의한 결함 지시모양과 결함 이외의 원인에 의해 나타나는 지시모양인 의사모양(false indication, non-relevant indication)이 있으므로 이를 분류하여 확인한 다음, 결함에 대하여 판정해야 한다.

(5) 관찰

현상시간은 일반적으로 10분(**KS B 0816**-2005에서는 현상시간이 7분임) 정도를 표준으로 하며, 현상시간이 경과하면 곧바로 최종 관찰을 한다. 정해진 현상시간을 지키는 것이 중요하다.

바) 후처리

후처리는 시험체 표면에 부착되어 있는 현상 분말을 떨어뜨리고 남아있는 침투액을 제거하는 것이 목적이다. 관찰에 의해 시험체에 대한 시험결과의 판단이 끝나면, 시험체는 재빨리 후처리를 해야 한다. 이것은 현상제가 아주 흡습성이 높은 분체(粉体)로 구성되어 있어서 주위의 습기를 빨아들여서 시험체를 부식시키기 때문이다. 특히 마그네슘, 알루미늄의 합금은 부식이 심하므로, 시험이 끝난 후 조속히 처리하는 것이 바람직하다.

(6) 후처리

그림 2-1에 용제제거성 침투탐상시험의 처리순서를 나타낸다.

1. 전처리

2. 침투처리

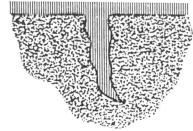

3. 제거처리

4. 현상처리

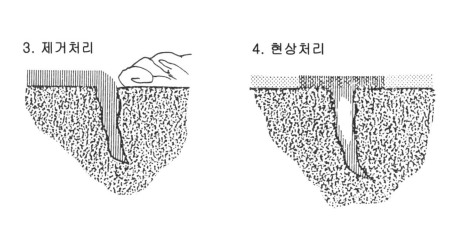

5. 관찰

염색 침투탐상검사법

형광 침투탐상검사법

(자외선 조사)

〔그림 2-1〕 용제제거성 침투탐상시험의 처리순서를 설명한 그림

2) 용제제거성 염색 침투탐상시험의 특징

가) 장점 :
① 밝은 곳에서 실시하는 경우는 전원과 수도 및 장치가 필요 없으며, 가장 휴대성이 좋은 방법이다.
② 대형 구조물이나 기계부품의 부분 탐상에 적합하다.
③ 조작 순서가 다른 방법에 비해 가장 간편하다.

나) 단점 :
① 표면이 너무 거친(표면 거칠기 50S 이상) 탐상면의 시험에는 적합하지 않다.
② 형상이 복잡한 시험체의 탐상에는 적합하지 않다.
③ 제거처리가 어렵다.
④ 대량 생산품의 탐상에 편리한 개방형의 침투액 탱크를 사용하지 않으므로, 대량 생산품의 탐상에는 적합하지 않다.
⑤ 시험비용이 다른 방법에 비해 비싸다.

나. 용제제거성 형광 침투탐상시험

1) 시험방법

형광 침투탐상시험의 높은 결함의 검출감도와 염색 침투탐상시험의 휴대성을 이용하는 좋은 점을 모두 구비한 방법으로, 에어로졸 제품의 탐상제를 사용한다. 이 방법은 형광 침투탐상시험 중에서는 취급이 가장 간편한 방법으로, 속건식 현상법과 조합시켜 사용한다. 일반적으로 휴대가 편리하여 대형 구조물이나 기계부품의 부분 탐상에 알맞다. 그러나 표면 거칠기가 거친 시험체에는 제거처리가 어려운 점 등의 단점이 있다. 탐상제 중 침투액은 일반적으로 후유화성 형광 침투액을 사용하므로, 탐상방법이 정확하면 감도가 높은 시험방법으로 활용할 수 있다. 또한 간편성이 있어 부분 탐상에 알맞기 때문에 다른 형광 침투탐상시험에서 의사모양의 확인 등의 이유로 부분적인 재시험을 할 때에도 알맞은 방법이다.

가) 침투처리

침투처리는 분무법으로 적용하지만, 때에 따라서는 일반 용기에 침투액을 넣어 솔질법으로 적용하기도 한다. 처리방법은 특별히 어려운 점은 없지만, 에어로졸 제품을 사용할 때는 가급적 시험 면 가까이에서 분무하여 외부로 비산되지 않도록 해야 하며, 부분 탐상을 할 때에는 침투처리에 필요한 최소한의 범위에만 침투액을 도포히여 처리하면 나음 공정의 제거처리가 쉽게 된다.

나) 제거처리

이 방법은 과세척이 되기 쉬우므로 침투탐상시험 중에서 가장 제거처리가 어려운 방법이다. 만일 이 방법으로 시험을 실시하여 높은 감도의 시험이 되지 않았다면, 세척방법의 부적절이 원인일 가능성이 많다. 제거처리에 사용하는 세척액은 침투액을 용해하는 성질이 높아 필요 이상으로 세척액을 사용하게 되면 과세척이 될 위험성이 높다. 그래서 감도가 높은 시험을 하기 위해서는 가급적 세척액의 과다 사용은 피해야 한다.

세척방법은 우선 마른 헝겊이나 종이 수건 등을 사용하여 잉여 침투액을 복잡한 부분부터 단순한 부분 순으로 제거하고, 그 후 마무리 세척으로 세척액을 적신 헝겊이나 종이 수건으로 남아 있는 것을 제거하면 된다. 세척액을 직접 시험 면에 분무해서는 안 되며, 세척 정도의 확인은 자외선조사등 아래에서 실시해야 한다.

다) 현상처리

이 방법은 건식법 또는 습식법을 적용하는 경우도 있지만, 일반적으로 에어로졸 제품으로 세트(set)화 되어 있는 속건식 현상법을 적용한다. 속건식 현상법은 현상법 중에서도 가장 검사원의 기량을 필요로 하는 방법이다. 형광 침투탐상시험에서는 현상제를 너무 두껍게 도포하면, 식별성이 현저하게 떨어져서 미세한 결함을 검출할 수 없게 되므로, 현상제를 적용할 때에는 시험 면으로부터 분무 노즐을 30cm 정도 떨어져서 시험 면과 일정한 각도(적어도 45~90°)를 유지하며 분무해야 한다. 현상제를 도포한 면이 1분 전후로 건조되도록 분무하는 것이 좋다. 그리고 현상 도막 면의 두께는 시험면의 바탕색이 보일 정도가 적당하다.

라) 관찰

속건식 현상법을 적용했을 때의 특징은 다른 현상법에 비하여 지시모양을 형성하는 시간이 빠르다는 것이다. 그러나 습식 현상법과 같이 현상 후 시간이 경과하면 지시모양이 번진다는 단점도 있다. 그래서 관찰의 시기는 다른 현상법보다도 몇 분 빠르게 하는 것이 중요하며, 보통 10분을 표준으로 한다. 또 이 방법은 현상제를 도포한 후 곧바로 지시모양이 나타나는 시험 면을 관찰할 수 있으므로, 현상시간 내에서도 지시모양이 나타나는 경향을 관찰하게 되면 미세한 결함도 상당히 정확하게 판단할 수 있는 장점이 있다.

2) 용제제거성 형광 침투탐상시험의 특징

가) 장점 :

① 형광 침투탐상시험 중에서 가장 휴대성이 좋은 방법이다.
② 용제제거성 염색 침투탐상시험에 비해 결함의 검출 감도가 높다.
③ 큰 기계 부품이나 구조물의 부분탐상에 적합하다.
④ 수도시설이 필요 없다.
⑤ 다른 방법에 비해 침투시간을 짧게 할 수 있다.
⑥ 시험체를 재시험할 수 있다.

나) 단점 :

① 제거처리가 어려워서 조작을 잘못하면 검출감도가 저하될 우려가 있으므로 숙련을 필요로 한다.
② 표면 거칠기가 거친 시험체에는 적용이 어렵다. 50S 이하의 중간 마무리 절삭한 면 또는 연마한 면까지는 가능하다.
③ 탐상장소를 어둡게 하는 설비 및 자외선조사장치 등이 필요하다.

다. 수세성 형광 침투탐상시험

1) 시험방법

이 방법은 형광 침투탐상시험 중에서 가장 일반적인 방법으로, 형광 안료를 넣은 유성(油性) 침투액에 유화제를 배합하여 수세성(水洗性)이 되도록 만든 침투액을 사용한다. 비교적 높은 감도의 시험을 요구하는 경우에 적용한다. 작은 부품에서부터 큰 부품까지 모두 적용 가능하며, 소형의 대량 생산부품에 대한 시험 및 주조품과 같이 표면이 거칠거나 비교적 복잡한 형상의 시험체에 적합하다.

그림 2-2에 수세성 형광 침투탐상시험의 처리순서를 나타낸다.

1. 전처리

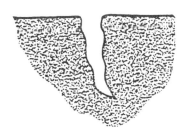

2. 침투처리

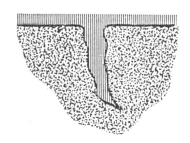

3. 세척처리

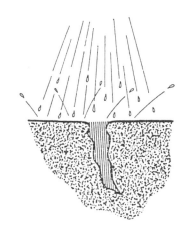

4. 현상처리

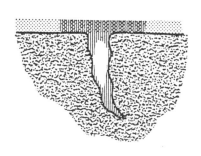

5. 관찰(자외선 조사)

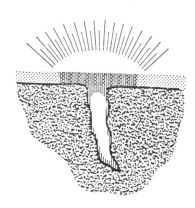

6. 후처리

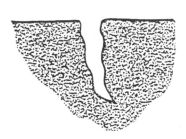

〔그림 2-2〕 수세성 형광 침투탐상시험의 처리순서를 설명한 그림

가) 처리순서

처리순서는 **그림 2-2**와 같다. 여기서는 처리순서 중 기본적인 처리공정을 중심으로 그 요점만을 설명한다.

나) 침투처리

침투액은 담금(dipping)법, 분무(spray)법, 솔질(brush)법으로 적용하며 시험체의 크기, 처리수량에 따라 적용방법을 선정한다.

이 방법은 과세척이 되기 쉬운 단점이 있으므로, 침투액이 시험 면에 균일하게 적용되도록 해야 한다. 따라서 일반적으로 침투액을 적용한 후에 배액처리를 하여 필요 이상으로 부착되어 있는 침투액을 자연스럽게 떨어뜨리도록 하는 등으로 침투액의 도막 두께를 균일하게 하는 처리가 필요하다.

※ **담금법(dipping method)** : 침지법(浸漬法)이라고도 함. 침적법은 잘못된 표현임.

다) 세척처리

과세척 및 세척부족을 방지할 목적으로 세척이 어느 정도 되었는지는 자외선조사등(ultraviolet lamp) 아래에서 확인하면서 처리해야 한다. 세척장치는 물의 분산이 좋은 분무 노즐을 사용하여 수온(물의 온도) 및 수압을 가능한 한 적절히 조절하여 처리해야 한다. 보통 수온은 30℃ 전후가 적당하며, 수압은 1.5~ 2.0kgf/cm²이다.

라) 현상처리

건식법, 습식법 및 속건식법 모두 적용 가능하며, 현상처리의 방법은 시험체의 크기, 처리수량 등에 따라 선정한다. 최근 항공기 등에 널리 적용되고 있는 고감도 수세성 형광 침투액을 사용하는 시험에서는 현상제를 사용하지 않는 무현상법도 적용되고 있다. 일반적으로 대량의 시험체를 처리하는 경우에는 습식 현상법을 적용하며, 매우 미세한 균열을 검출할 경우는 건식법으로 적용한다. 현상방법 중 습식 현상법을 적용할 경우에는 현상처리를 한 후에 건조처리를 해야 한다. 그리고 건조온도가 높고, 건조시간을 길게 하면 형광 휘도가 저하되어 결함 검출도가 나빠지므로 주의해야 한다. 일반적으로 건조처리는 열풍 건조로를 사용하여 단시간에 처리하며, 건조 온도는 90℃를 초과하지 않도록 해야 한다. 특히 고감도 수세성 형광 침투액은 온도의 영향을 받기 쉬우므로 주의가 필요하다.

마) 관찰

자외선을 시험 면에 조사하면서 관찰해야 하므로, 자외선조사등의 조작법이 결함 검출에 영향을 미칠 때가 많이 있다. 자외선의 강도는 시험 면에서 $1,000\mu W/cm^2$ (KS B 0816-2005에서는 $800\mu W/cm^2$) 이상이 필요하며, 자외선조사등은 이동하면서 시험 면을 관찰해야 한다.

습식 현상법, 속건식 현상법을 적용하는 경우는 시간 경과와 더불어 지시모양이 번지기 때문에 관찰시기에 주의해야 한다. 특히 습식 현상법은 현상처리 과정에서 관찰할 수 없으므로 현상시간이 경과하면 곧바로 지시모양이 있는지 없는지를 확인해야 한다.

관찰에서 지시모양이 진짜 결함에 의한 지시모양인지, 결함 이외의 원인에 의한 지시모양인지를 판단할 수 없을 때가 있으나, 의사모양 여부의 분별은 의사모양의 발생원인과 각각 지시모양의 경향을 잘 이해하고 있으면 정확하게 판단할 수 있다.

2) 수세성 형광 침투탐상시험의 특징

가) 장점 :

① 표면 거칠기가 70S 정도의 주물 표면 등 비교적 표면이 거친 시험체에도 적용할 수 있다.

② 열쇠의 홈이나 나사부와 같이 형상이 복잡한 시험체도 탐상이 가능하다.

③ 넓은 면적의 시험 면을 한 번의 조작으로 탐상할 수 있다.

④ 물로 쉽게 씻어지므로 다른 방법에 비해서 시험비용이 적게 든다.

⑤ 개방형 침투액 탱크를 사용하므로, 소형 기계부품의 대량 탐상에 가장 적합하다.

⑥ 고감도 침투액을 사용하면 얕고 미세한 결함을 탐상할 수 있다.

나) 단점 :

① 얕고 미세한 결함의 탐상이 어렵다.

② 과세척이 되기 쉽다.

③ 침투액에 수분이 혼입되면 성능이 현저히 떨어진다.

④ 전원 및 수도시설, 암실 및 자외선조사장치 등이 필요하다.

라. 수세성 염색 침투탐상시험

1) 시험방법

이 방법은 적색(赤色)의 가시(可視)염료를 넣은 수세성 침투액을 사용하는 침투탐상시험법으로, 소형 부품의 대량 탐상 및 시험 면이 거친 시험체의 탐상에 알맞으며, 형광 침투탐상시험에 비해 세척처리가 쉽고, 암실 설비 및 자외선조사등이 필요하지 않는 점 등의 장점이 있다. 그러나 결함의 검출 감도는 형광 침투탐상시험보다 떨어지므로, 높은 감도를 요구하는 시험에는 적당하지 않다. 일반적으로 주조품의 제조 공정 및 판재(板材)의 압연 가공 공정 등의 시험에 적용되고 있다.

가) 처리방법

처리방법은 수세성 형광 침투탐상시험과 거의 같으나, 현상처리 방법에서 건식법은 적용할 수는 없다. 염색 침투탐상시험은 지시모양의 색깔이 적색으로 나타나므로 식별성을 높이기 위하여 바탕에 백색의 도막 면을 만들어야 한다. 그리고 습식 현상법이나 속건식 현상법으로 처리할 경우라도 현상제의 도막 면의 두께는 형광 침투탐상시험을 할 경우보다 두껍게 하여 침투액의 적색과 현상제의 백색 색깔의 차이가 많이 나도록 처리해야 한다.

2) 수세성 염색 침투탐상시험의 특징

가) 장점 :

① 표면 거칠기가 거친 시험체의 탐상에 적합하다.
② 대형 부품의 탐상, 소형부품에 대한 전체 탐상, 나사부, 작은 구멍이나 좁고 깊은 홈의 내부, 날카로운 구석부 등 복잡한 형상의 시험체의 탐상에 적합하다.
③ 암실 및 자외선조사장치가 필요하지 않다.
④ 세척처리가 다른 방법에 비해 쉽다.

나) 단점 :

① 검출 감도가 다른 방법보다 낮기 때문에 특히 미세한 결함의 검출은 어렵다.
② 세척처리를 위한 수도설비와 건조를 시키기 위한 설비가 필요하다.

마. 후유화성 형광 침투탐상시험

1) 시험방법

이 방법은 유성 침투액을 침투시킨 다음 시험체 표면에 유화제를 뿌려 표면에 있는 침투액 만을 유화시키고 물 세척(수세)을 하는 시험방법이다. 결함 속에 있는 침투액은 유성이므로 유화제가 작용하지 않아 세척이 되지 않기 때문에 침투탐상시험 방법 중에서 가장 감도가 높은 방법이다. 그러나 탐상제의 관리 및 시험조건의 관리를 확실하게 하지 않으면 안 된다.

이 방법은 세척의 단계에서 씻겨 내려가서 검출되지 않는 얕은 결함이나 폭이 넓은 결함은 물론 미세한 결함을 검출하는데 적합하지만, 시험체가 대형 구조물이거나 탐상면의 표면 거칠기가 거친 경우에는 적용하기가 어렵다.

그림 2-3 에 후유화성 형광 침투탐상시험의 처리순서를 나타낸다.

가) 침투처리

침투액의 적용방법은 앞에서 설명한 수세성 형광 침투탐상시험의 경우와 동일하지만, 후유화성 형광 침투탐상시험은 특히 배액처리를 정확히 하여 침투액의 적용 얼룩이 없도록 해야 한다. 침투액이 균일하게 도포되지 않으면 다음 유화처리에서 유화제를 적용해도 유화제가 균일하게 적용되지 않아 결과적으로 세척부족 또는 과세척을 초래하게 되기 때문이다.

나) 유화처리

유화제의 적용방법으로는 담금법, 붓기(pouring)법, 분무법 등이 있으며, 시험체의 크기, 처리수량에 따라 적용방법을 선정한다. 일반적으로 유화제의 적용은 크기, 처리수량에 관계없이 담금법으로 처리하는 것이 가장 무난하다. 유화처리에서 유화시간의 길고 짧음은 세척성에 영향을 미치기 때문에, 유화시간이 짧게 되면 세척부족이 되고, 유화시간이 길게 되면 과세척이 된다. 그래서 유화처리를 할 때는 시계를 보기 쉬운 곳에 두고 정확히 처리해야 한다.

담금법의 경우 유화제는 침투액의 혼입에 의해 유화제의 처리능력이 저하되어 유화시간을 조정할 필요가 생기므로 주의해야 한다.

대형 부품은 세척과정에서 유화제의 적용 얼룩이 생길 수 있으므로, 이런 경우 유화정지 처리로서, 세척처리 전에 시험체 전체를 물 속에 몇 초 동안

1. 전처리

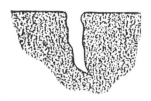

2. 침투처리

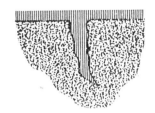

3. 유화처리(1) 유화제의 적용

4. 유화처리(2) 유화시간 경과 후

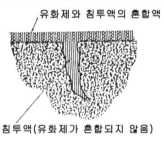

5. 세척처리(침투액과 유화제의 혼합액이
물 세척에 의해 유화되어 세척된다.)

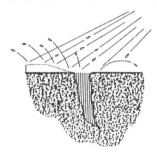

6. 현상처리

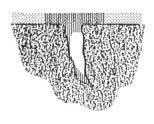

7. 관찰(자외선 조사)

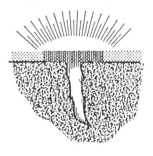

〔그림 2-3〕 후유화성 형광 침투탐상시험의 처리순서를 설명한 그림

담그는 방법을 적용한다. 유화정지(emulsification stop) 처리를 하면 일시적으로 유화제가 침투액 속으로 혼합되는 속도가 억제되므로, 결과적으로는 세척 얼룩을 없앨 수 있는 효과가 있다.

다) 세척처리

후유화성 형광 침투탐상시험은 유화처리를 확실히 실시하게 되면 거의 과세척이 되지 않는 장점이 있다. 따라서 세척처리의 기법으로는 수세성 형광 침투탐상시험에 비해 실패는 적다. 그래서 세척 요령으로는 비교적 높은 수압($2\sim3kgf/cm^2$)으로 단시간에 신속하게 세척처리를 하는 것이 좋다. 그러나 큰 시험체에서는 부분적으로 유화의 촉진이 고려되므로, 가능한 한 신속하고 균일하게 실시되도록 주의해야 한다. 그 때문이라도 유화정지 처리는 유효한 방법이다.

라) 현상처리

후유화성 형광 침투탐상시험에서 현상처리는 수세성 형광 침투탐상시험의 경우와 유사하지만, 일반적으로는 건식 현상법으로 적용한다. 건식 현상법에서 현상제의 적용방법에는 매몰법(埋沒法, submerging method), 분무법(spray method) 및 공기 교반법(air flying method)이 있으며, 이 중 공기 교반법이 널리 적용되고 있다. 이 방법은 완전히 밀폐할 수 있는 장치를 필요로 해서 설치비가 다소 높지만, 장치만 안전하면 특히 사람의 기량을 필요로 하지 않으므로 효과적이고 또한 확실한 현상처리를 할 수 있다.

2) 후유화성 형광 침투탐상시험의 특징
가) 장점 :
① 정확하게 유화처리를 하면 과세척이 될 염려가 적다.
② 미세한 결함이나 비교적 폭이 넓고 얕은 결함의 검출에 알맞다.
③ 일반적으로 다른 방법에 비해 침투시간이 짧다.
④ 침투액은 수분의 혼입이나 온도의 영향에 의한 성능의 저하가 적다.
⑤ 침투액의 증발이 적기 때문에 개방형 침투액 통의 사용이 가능하다.

나) 단점 :
① 유화처리를 필요로 하기 때문에, 탐상조작이 약간 복잡하여 숙련을 요한다.

② 표면 거칠기가 거친 시험체에는 적용하기 어렵다. 6S 이하의 매끄러운 정밀 주조의 연삭 면 또는 연마 면과 같은 시험체 외에는 적용하기 어렵다.

③ 열쇠 홈이나 나사부와 같이 형상이 복잡한 시험체의 탐상에는 적합하지 않다.

④ 대형 부품의 탐상은 곤란하다.

⑤ 이 시험에 사용하는 유화제는 수분, 침투액의 혼입에 의해 성능이 변화하기 때문에 관리가 복잡하다. 특히 유화시간의 조정이 어려워서 탐상제의 관리체계가 확립되어 있는 경우에만 사용하는 것이 바람직하다.

⑥ 물 베이스 유화제를 적용하는 경우는 기름 베이스 유화제를 적용하는 경우에 비해 침투액의 혼입에 의한 피로가 심하다. 이는 농도가 엷을수록 빨리 피로된다.

⑦ 전기, 수도설비, 암실 및 자외선조사장치 등이 필요하다.

바. 후유화성 염색 침투탐상시험

1) 시험방법

이 방법은 염색 침투탐상시험 중에서 가장 감도가 높은 방법으로 알려져 있다. 후유화성 형광 침투탐상시험보다는 감도가 낮지만, 폭이 넓고 얕은 결함을 검출하는데 적합하다. 지나치게 복잡한 형상이거나 대형 시험체에는 적합하지 않으나, 소형이며, 비교적 탐상 면이 매끄러운 시험체이면 적용이 가능하다. 그리고 형광의 경우와 같이 탐상제의 관리 및 시험조건의 관리를 확실하게 해야 한다. 일반적으로는 고급의 단조품 및 주조품의 제조공정에서 중간시험으로 적용하는데 침투탐상시험 방법 중에서는 많이 활용되지는 않는 방법이다. 이 방법도 암실설비와 세척 및 관찰에 자외선조사등을 필요로 하지 않는다.

가) 처리방법

현상처리를 할 때 습식 현상법 및 속건식 현상법밖에 적용할 수 없으며, 또한 식별성을 높이기 위하여 형광 침투탐상시험에 비하여 현상제를 약간 두껍게 도포해야 한다. 침투액과 유화제가 같은 계통의 색이기 때문에 유화제 적용의 정도를 확인하기 어려워서, 유화제를 적용할 때 적용 얼룩이 생기지 않도록 주의해야 한다.

2) 후유화성 염색 침투탐상시험의 특징

가) 장점 :

① 정확히 유화처리를 하면 과세척(over washing)이 될 염려가 적으므로, 비교적 미세한 결함이나 폭이 있는 얕은 결함을 남상할 수 있다.

② 침투액은 수분의 혼입이나 온도의 영향에 의한 성능의 저하가 적다.

③ 암실이나 자외선조사장치가 필요하지 않다.

나) 단점 :

① 유화처리를 필요로 하기 때문에, 탐상조작이 약간 복잡하여 숙련을 요한다.

② 표면 거칠기가 거친 시험체에는 적용할 수 없다.

③ 열쇠 홈이나 나사부와 같은 형상이 복잡한 시험체의 탐상에는 적합하지 않다.

④ 대형 부품의 탐상은 곤란하다.

⑤ 이 시험에 사용하는 유화제는 수분, 침투액의 혼입에 의해 성능이 변화하므로 관리가 복잡하다. 특히 유화시간의 조정이 어렵다.

3. 각종 침투탐상시험의 선정 기준

침투탐상시험은 자성(磁性)이나 비자성(非磁性) 그리고 금속이나 비금속 여부에 관계없이 흡습성(吸濕性)이 있는 재료 이 외의 모든 제품에 적용할 수 있어서 제조 및 보수(補修)할 때의 검사에도 다양하게 적용되고 있다. 그러나 침투탐상시험에는 여러 가지 시험방법이 있기 때문에 시험할 대상품, 시험의 목적과 시험환경 그리고 시험법이 가지는 특성을 잘 검토하여 가장 적절하다고 생각되는 시험방법을 선택하여 적용해야 한다.

침투탐상시험의 방법은 크게는 염색 및 형광 침투탐상시험의 2가지 방법이 있으나 침투액의 세척처리 방법에 따라 세분하면 6가지의 방법으로 분류한다.

이 중 어느 시험방법을 선정하여 적용하는 것이 좋은가는 시험체의 중요성, 시험체의 재질과 크기 및 처리 수량, 시험면의 표면 거칠기와 예측되는 결함의 종류와 크기, 시험체의 용도와 사용조건, 전기와 수도시설의 유무, 탐상제의 성능, 작업성, 경제성 등을 고려하여 종합적으로 평가하여 결정한다.

표 2-6 침투탐상시험법의 선정 기준(예)

기본 항목	조건		형광 침투 탐상시험			염색 침투 탐상시험		
			수세성	후유화성	용제제거성	수세성	후유화성	용제제거성
결함의 종류와 크기	얕은 미세한 균열, 폭이 넓고 얕은 균열			○			○	
	피로균열, 연마균열 등 폭이 아주 좁은 균열		○	○	○		○	○
	균열, 블로우 홀, 모래 개재물 등 공동상(空洞狀)의 결함		○	○	○	○	○	○
시험체	소형 대량 생산부품	많을 때	○	○		○	○	
		적을 때	○	○	○	○	○	○
	나사나 열쇠 홈 등 각(角)이 날카로운 부분		○			○		
	시험체의 표면 거칠기	주물표면, 매우 거친 표면	○			○		
		거친 표면	○		○			○
		매끄러운 표면	○	○	○	○	○	○
	대형 부품 또는 구조물	부분 탐상하는 경우				○		○
		전면, 넓은 범위의 탐상	○			○		
환경 조건	어두운 검사장소	곤란한 경우				○	○	○
		가능한 경우	○	○	○	○	○	○
	수도설비	없는 경우			○			○
		있는 경우	○	○	○	○	○	○
	전기시설	없는 경우				○	○	○
		있는 경우	○	○	○	○	○	○

침투탐상시험의 대상이 되는 결함 중 가장 중요한 것은 균열(crack)이므로 침투탐상시험법을 선정할 때에는 우선적으로 균열의 검출을 가장 중요한 과제로 생각해야 한다.

침투탐상시험에 의한 균열의 검출은 가장 검출하기 쉬운 결함의 하나이지만 또한 쉽게 빠뜨리기 쉬운 결함의 하나이므로, 시험법을 선정할 때에는 미리 시험체의 표면상태와 시험환경이 갖추어져 있는지를 검토해야 한다.

표 2-6에 일반적인 적용범위의 "예"를 나타내지만, 이것은 어디까지나 한 "예"이며, 시험체의 상태, 시험 환경조건을 고려하고, 최선의 목적을 달성하기 위하여 가장 알맞은 탐상제를 조합시켜 선택하도록 해야 한다. 침투액의 종류는 어느 것을 선택해도 가급적 결함을 빠뜨리지 않고 검출하기 위해서는 현상제를 사용하는 방법을 잘 선택해야 한다.

제 3 절 기타 침투탐상시험의 방법

1. 필터효과를 이용한 침투탐상시험 방법

그림 2-4 와 같이 콘크리트, 내화물, 분말금속, 도자기(ceramics) 등과 같은 다공성 재질(porous material)에 잘 침투하는 석유계 용제, 물 등의 액체에 색깔이 있는 아주 작은 입자의 분말(極微粒子) 또는 형광을 발하는 작은 입자를 현탁시킨 액체를 시험체 표면에 균일하게 적용하면, 균열과 같이 열린 부분이 있으면 액체는 속으로 들어가고 표면에는 건전부에 비해 보다 많은 미립자 분말이 잔류하며 쌓이게 된다. 이 쌓인 작은 입자에 의해 형성된 지시모양을 육안 또는 자외선조사등으로 관찰하여 결함의 위치 및 크기를 확인하는 방법이다.

이 방법은 도자기의 제조과정에서 소성(燒成) 전에 균열의 발생 유무나 콘크리트의 균열 등의 시험에 사용된다.

대상 결함은 균열(crack) 및 기공(porosity)이며, 검출 가능한 결함의 치수는 열린 폭이 $100\mu m$ 정도의 균열까지 가능하다. 이 방법은 입자 여과법(粒子濾過法, filtered particle penetrant testing)이라고도 한다.

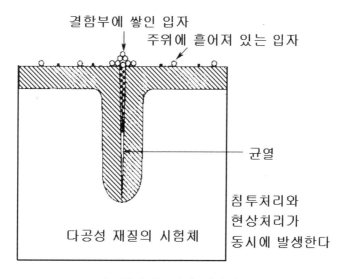

〔그림 2-4〕 입자 여과법

2. 하전입자의 흡착성을 이용한 침투탐상시험 방법

그림 2-5 와 같이 비전도성(非傳導性) 재료인 유리, 도자기, 플라스틱 등과 같은 시험체의 열려있는 결함에 낮은 전도도의 액체(침투액)를 침투시킨 후, 표면의 액체는 제거하고 선조시킨다. 그 다음, 경질의 고무 노즐을 사용하여 탄산칼슘의 미립자 분말을 뿜어주면 입자는 양전하를 띠게 되고, 이 전하(電荷)에 의해 액체 속의 음전하를 띤 이온은 액체 표면으로 이동하여 균열에는 양전하를 띤 탄산칼슘 분말입자가 쌓여 지시모양이 형성되는 것을 이용하여 결함을 검출하는 방법이다. 즉 정전기(靜電氣) 현상을 이용하여 절연체(insulator) 표면에 존재하는 미세한 균열을 검출하는 방법이다. 이 방법은 미국의 Magnaflux사에서 육안으로는 보이지 않을 정도로 작은 유리병의 균열을 검출하기 위하여 개발한 것으로, Magnaflux사에서는 Statiflux라는 상품명으로 부르는 것이다. 유리나 도자기 등의 전기 절연물(絶緣物)의 결함 검출에 응용되고 있다.

대상 재료는 비다공질(非多孔質) 및 비전도성(非傳導性) 재료인 유리, 도자기 및 플라스틱 등이다. 대상 결함은 균열 및 핀홀(pin hole)이며, 검출 가능한 결함의 치수는 열린 폭이 $0.1\mu m$ 정도의 결함까지 가능하다.

하전 입자법(荷電粒子法, electrostatic testing, electrified particle method) 또는 정전기(靜電氣) 탐상시험이라고도 한다.

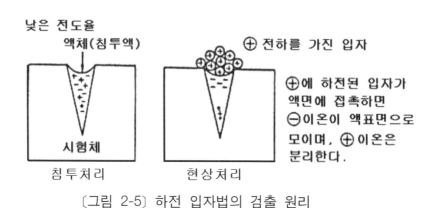

〔그림 2-5〕 하전 입자법의 검출 원리

3. 휘발성의 침투액을 이용한 침투탐상시험 방법

휘발성이 있는 액체(일반적으로 알코올이 사용된다)를 시험체 표면에 균일하게 도포하면 액체는 결함 속으로 침투하지만 시험체 내 건전부에는 침투하지 않는다.

따라서 결함이 있는 곳과 없는 곳에서는 균일하게 휘발되지 않으므로 결함이 있는 곳은 얼룩모양이 되게 된다. 이러한 것을 이용하여 결함의 존재를 알 수 있는 방법이다. 대상재료는 다공질(多孔質) 재료이며, 배경(background)이 건조되기 어렵거나 색이 있는 것은 시험이 불가능하다.

대상이 되는 결함은 기공(porosity)이며, 검출 가능한 결함의 치수는 지름이 $100\mu m$ 이상의 결함이다. **그림 2-6** 은 이 방법의 개략도이다.

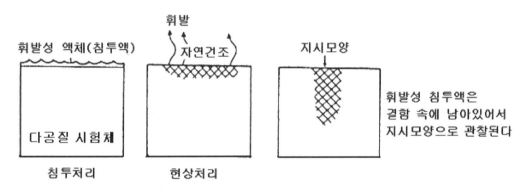

〔그림 2-6〕 휘발성 액체(침투액)를 이용한 침투탐상시험 방법

4. 기체 방사성동위원소를 이용한 침투탐상시험 방법

그림 2-7 과 같이 기체(氣体) 방사성동위원소 크립톤 85(krypton, Kr-85)를 표면이 열린 결함 속에 침투시키고 필름을 부착하면 방사성동위원소로부터 방사되는

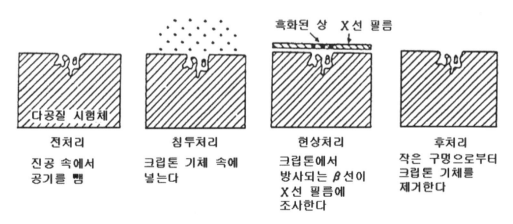

〔그림 2-7〕 기체 방사성동위원소를 이용한 침투탐상시험 방법

β-선이 필름을 흑화시킴에 따라 결함을 검출하는 방법으로, 결함의 분포와 크기를 알 수 있다.

대상 재료는 금속 및 비다공질(非多孔質)로 비흡수성(非吸收性)의 시험체이며, 대상 결함은 균열 및 기공(porosity)이다. 검출 가능한 결함의 치수는 열린 폭(지름)이 $0.01\mu m$ 정도의 결함까지 가능하다.

【 익 힘 문 제 】

1. 침투탐상시험을 관찰방법, 잉여 침투액의 제거방법, 현상방법에 따라 분류하시오.

2. 용제제거성 형광 침투액-속건식 현상제를 사용할 때의 탐상순서를 설명하시오.

3. 용제제거성 염색 침투탐상시험의 장, 단점을 설명하시오.

4. 후유화성 형광 침투탐상시험에서 기름 베이스 유화제를 사용할 경우 각각의 현상제를 적용할 때의 탐상순서를 설명하시오.

5. 수세성 형광 침투탐상시험의 장, 단점을 각각 설명하시오.

6. 후유화성 형광 침투탐상시험의 장, 단점을 각각 설명하시오.

7. 얕은 미세한 균열을 검출하는 경우 가장 알맞은 침투탐상시험은?

8. 대형 시험체의 부분시험에 알맞은 침투탐상시험 방법은?

9. 무현상법에 대해서 설명하시오.

10. 침투탐상시험의 시험방법을 선정하는데 고려할 사항을 설명하시오.

11. 필터작용을 이용하는 입자 여과법에 대해서 설명하시오.

12. 하전입자의 흡착성을 이용하는 하전입자법의 검출 원리를 설명하시오.

13. 기체 방사성동위원소를 이용한 침투탐상시험 방법에 대하여 설명하시오.

제 3 장 침투탐상시험 장치 및 재료

제 1 절 탐상제

침투탐상시험에 사용되는 탐상제에는 침투액, 유화제, 세척액 또는 제거액 및 현상제가 있으며, 각각의 특징을 갖고 있다. 그리고 탐상제에는 속하지 않지만, 침투탐상시험을 실시함에 있어서 매우 중요한 역할을 하는 시험 준비용의 전처리제가 있다.

1. 전처리제

오물, 유지(油脂) 등을 제거할 때 전처리용으로 전처리제를 사용한다. 전처리는 시험체 표면의 유지류를 제거할 목적으로 기름에 대해 용해성이 높은 석유계 용제, 시너(thinner), 아세톤(acetone) 등도 사용하지만 대부분 용제제거성 염색 침투탐상시험에서 사용하는 세척액(에어로졸 제품)을 많이 사용한다. 대표적인 전처리제에는 다음과 같은 것들이 있다.

①물 : 물에 녹는 것, 흙, 모래 등 제거하기 쉬운 것에 가장 알맞다.

②계면활성제를 첨가한 세척수 : 유기질 등 물에 용해 가능한 것에 사용한다.

③유기용제(organic solvent) : 고분자(高分子)화합물이나 유지류를 제거하기 위하여 유기용제를 사용한다. 각각의 유지류를 용해하는데 알맞은 유기용제를 사용하는 것이 좋다.

2. 침투액

침투액은 관찰방법의 차이에 따른 형광 침투액과 염색 침투액의 2 종류가 있으며,

각각에는 용제제거성, 수세성 및 후유화성이라 부르는 세척에 대한 성질이 다른 3 종류의 침투액이 있다. 이들 침투액의 주성분은 침투성이 강한 용제에 형광 또는 가시색(실제로는 적색)의 염료를 첨가한 것을 기본으로 하여, 각각 침투액에 특징이 있도록 필요에 따라 계면활성제를 첨가하거나 유성물질 등을 더 첨가하여 사용한다. 어떠한 물질을 어느 정도 포함시키는가는 각 제조자에 따라 다르다.

침투액에 요구되는 일반적인 성질 및 성능은 다음과 같다.

① 침투성(permeability)이 좋아야 한다. : 미세한 결함(폭 또는 지름이 적은 것) 속으로 쉽게 침투할 수 있는 능력이 있어야 한다. 침투액의 표면장력이 클수록 침투성은 떨어지지만 시험체 표면과의 접촉각이 증가하여 접촉 면적은 적어진다.

② 형광 휘도가 높거나 적색(赤色)의 색상이 밝아 선명도가 높아야 한다. : 염료를 많이 넣어 색조(色調, colour harmony)가 높거나 형광 휘도가 높은 것이어야 한다. 즉 배경(background)과 높은 대비(contrast)를 나타내는 색 또는 형광을 갖고 있어야 한다.

③ 세척성 또는 제거성이 좋아야 한다. : 계면활성제의 종류 및 양(量)으로 세척성을 높인 것이어야 한다. 그러나 잉여 침투액의 제거 또는 세척처리를 해도 결함 속에는 남아 있는 능력이 있어야 한다.

④ 중성으로 부식(腐蝕) 및 변색(變色)이 없어야 한다. : 침투액은 일반적으로 유성(油性)이므로 부식성은 없지만, 수분의 혼합에 의해 시험체를 부식 및 변색시킬 수 있으므로 주의하여야 한다.

⑤ 인화점(引火點, flash point)이 높아야 한다. : 70℃ 이상의 높은 인화점을 갖고 있어야 한다. 인화점이 낮으면 시험장소 주위의 열에 의한 온도의 상승 등으로 화재를 일으키기 쉽기 때문이다.

⑥ 독성(toxicity)이 적고, 저장(貯藏) 보관 중에 안전성이 높아야 한다. : 인체에 대한 영향이 적고, 밀폐용기에 넣어 정해진 온도 범위 내에서 보관할 때도 안전성이 유지되어야 한다.

⑦ 온도의 안전성이 좋아야 한다. : 온도변화와 빛에 대하여 안전성이 있어야 한다. 즉 저온 및 고온의 반복 사용에도 견딜 수 있는 것이어야 한다.

⑧ 점성이 낮아야 한다. : 점성은 침투력 자체에는 그다지 영향을 미치지 않으나, 점성이 높으면 침투속도는 저하한다. 일반적으로 액체는 온도가 낮아질수록 점성이 높아지기 때문에 낮은 온도에서 탐상할 때에는 침투속도가 저하되므로 충분한 침투시간을 더 주어야 한다.

⑨ 냄새가 없고 작업성이 좋아야 한다.

⑩ 폐액 및 세척폐수의 처리가 쉬워야 한다.

가. 관찰방법에 의한 분류

1) **형광 침투액(fluorescent penetrant)** : 형광 침투탐상시험에 사용하는 침투액으로, 그 형광휘도는 첨가되어 있는 유기 형광염료의 특성에 따라 정해지지만, 사용하는 동안에 여러 가지 원인으로 성능이 저하되게 한다. 형광 침투액은 자외선을 조사하면 황록색의 형광을 발하는데, 성능 저하에 의해 결함의 검출능력이 저하되지 않도록 해야 한다.

2) **염색 침투액(colour contrast penetrant)** : 염색 침투탐상시험에 사용하는 침투액으로, 색상(色相)의 열화(劣化)는 고려하지 않아도 되지만, 지시모양의 색은 백색의 현상 도막과 침투액 색과의 조합에 의해 정해지므로, 적색의 색조(色調)가 선명하고 밝기가 밝은 것이 얻어지도록 올바른 탐상조작을 해야 한다. 지시모양은 일반적으로 가시광선 아래에서 적색으로 나타난다.

3) **이원성 침투액(dual purpose penetrant, dual mode penetrant)** : 이원성 침투액은 밝은 장소와 어두운 장소의 양쪽에서 관찰할 필요가 있는 경우에 사용한다. 이 침투액은 가시광선 아래에서는 염색 침투액과 같은 색을 나타내고, 자외선 아래에서는 침투액에 사용되는 염료 자체 특유의 색을 나타낸다. 일반적으로는 가시광선 아래에서는 적색(赤色)을 나타내는 것이 많고, 자외선 아래에서는 오렌지(orange, 주황)색이나 핑크(pink, 연분홍)색을 나타내는 것이 많다. 밝은 곳에서 관찰해야 할 필요성 때문에 적색의 형광 염료를 사용하므로, 형광 침투액에 비해서 결함의 검출성능은 떨어진다. 이원성 침투액을 사용하는 침투탐상시험은 국내에서는 거의 사용되지 않고 있다.

나. 세척방법에 따른 분류

1) **용제제거성 침투액(solvent removable penetrant)** : 침투성이 높은 유성(油性) 침투액으로 물에 불용성(물에 녹지 아니하는 성질)의 유기용제 및 형광염료 또는 적색 염료를 기름에 용해시킨 것이다. 이 침투액은 점성을 낮추어 침투성을 높이고 침투속도를 빠르게 하며, 현상 도막 속에서 지시모양의 번짐을 방지하여 지시모양이 순도가 높은 적색으로 나타날 수 있도록 휘발성의 유기용제가 첨가되어 있다. 이 침투액을 개방형 용기에서 사용하면 용제의 증발로 점성이 증가하여 침투액의 물리적 성질이 변화할 수 있으므로 주의해야 한다.

이 침투액은 용제의 영향으로 세척액을 적신 헝겊 등으로 쉽게 잉여 침투액을 제거할 수 있으므로 용제제거성 침투액이라 한다. 또 경우에 따라서는 유화제를 사용하여 유화처리를 실시해서 잉여 침투액을 물 세척으로 제거하는 후유화성 침투탐상시험의 침투액으로도 사용한다.

2) **수세성 침투액(water washable penetrant)** : 물 세척이 가능하도록 유성 침투액에 계면활성제(유화제)가 첨가되어 있어서 잉여 침투액을 물 세척에 의해 제거할 수 있다. 물론 용제로도 제거 가능하다. 그리고 계면활성제가 첨가되어 있어 다른 침투액에 비해 조금 점성이 높으므로, 침투시간을 결정할 때는 이 점을 고려해야 한다. 이 침투액은 어느 정도 양의 수분이 혼입되면 젤리 모양(gel 화)이 되어 침투액의 침투성능이 열화(劣化)되므로 관리에 주의해야 한다.

3) **후유화성 침투액(post emulsifiable penetrant)** : 기본적으로는 용제제거성 침투액과 성능이 동일하지만, 개방형 용기에 넣어서 사용하는 경우가 많으므로, 용제제거성 침투액에 비해 휘발되기 어려운 용제가 사용되고 있다. 침투액의 성분은 기본적으로 유성(油性)이기 때문에 유화제를 사용하여 유화처리를 하지 않으면 물 세척이 불가능하다. 이 때문에 세척처리 전에 항상 유화처리를 실시하는데, 이 유화처리가 후유화성 침투탐상시험의 특징인 중요한 탐상조작의 하나이다. 유화처리는 결함의 검출능력에 관계되는 중요한 처리로써 유화처리를 바르게 실시하지 않으면 세척부족 또는 과세척이 되어 지시모양의 검출을 현저하게 저하시키므로, 유화시간 및 유화제의 열화 관리를 엄격히 실시해야 한다.

3. 유화제

유화제는 후유화성 침투액(유성 침투액)을 물 세척이 가능하도록 하는 탐상제이다. 유화제의 주성분은 계면활성제이며, 기름 베이스 유화제(lipophilic emulsifier, oil base)와 물 베이스 유화제(hydrophilic emulsifier, water base)가 있다. 백색광 또는 자외선조사 등 아래에서 침투액과 다른 색조(色調)를 가진 것이 요구되므로 오렌지색이나 핑크색으로 착색되어 있다. 기름베이스 유화제는 시험체 표면의 후유화성 침투액에 직접 적용하며, 물베이스 유화제는 제조자가 지정한 농도로 물에 희석하여 적용한다.

적용방법은 담금(dipping)법, 흘림(flooding)법, 분무(spray)법 등으로 실시한다. 담금법으로 유화제를 적용할 때 유화제 또는 시험체를 천천히 흔들어 주면 부드럽게 유화제와 침투액이 섞인다. 또한 분무법에서는 농도를 5% 이하로 하는 것이 좋다.

유화제에 요구되는 성질은 다음과 같다.
① 침투액과 서로 섞이는 성질이어야 한다.
② 소량의 수분이 혼입되어도 열화되지 않아야 한다.
③ 중성으로 부식성이 없어야 한다.
④ 인화점이 높아야 한다.
⑤ 인체에 해가 없어야 한다.

4. 세척액 또는 제거액

세척액이란 용제제거성 침투탐상시험에서 표면의 잉여 침투액 제거를 위해 사용하는 휘발성 유기용제의 세척액을 가리킨다. 제거액으로 사용하는 유기용제는 전처리제로 사용되는 세척액과 동일한 것이 사용된다. 세척액은 주로 휘발성이 강한 가연성(可燃性)의 유기용제를 사용하며, 인화성이 강한 석유계 용제, 알코올류, 시너(thinner) 그리고 불연성(不燃性)의 유기용제인 할로겐계 용제(염소계 용제, 비소계 용제)가 있다. 유기용제는 휘발성이 높고, 독성이 있으므로 그 성질을 잘 이해하고 사용해야 한다.

일반적으로 세척액에 요구되는 성질은 다음과 같다.
① 세척성이 좋아 잉여침투액 등을 쉽게 제거할 수 있어야 한다.
② 휘발성이 적당해야 한다.
③ 부식성이 적어야 한다.
④ 독성이 적어야 한다.
⑤ 인화점이 높아야 한다.
⑥ 냄새(악취)가 적어야 한다.

5. 현상제

현상제는 결함 속에 침투되어 있는 침투액을 표면으로 흡출(bleed out)되도록 하고, 동시에 확대시켜 침투액에 의한 지시모양이 형성되도록 하기 위하여 사용하는 것으로, 속건식 현상제(non-aqueous wet developer), 건식 현상제, 습식 현상제 등의 현상제가 있다. 현상제는 화학적으로 안정된 백색 금속 산화물의 미세분말이 사용되며, 각각 현상방법에 적합한 액체 또는 기체를 분산매로 하여 사용한다.

염색 침투탐상시험은 적색과 백색의 대비(contrast)를 높이기 위하여 은폐력이 강한 (白色度가 높은) 백색의 미세분말을 사용한다. 그리고 형광 침투탐상시험에서는 자외선의 투과 효과를 높이기 위하여 투명도(透明度)가 높은 백색의 미세분말을 사용한다. 시험체에 적용할 때에는 현상법이 가지는 각각의 특징을 살리기 위하여 용제나 물에 현탁시켜 사용하거나 건조된 분말 그대로를 적용한다. 이들 현상제는 공기 중의 수분을 빨아드리는 성질이 있다.

가. 건식 현상제

건식 현상제로는 입자 직경 0.01~0.04 μm 정도의 아주 가벼운 백색의 초미세 분말(규산)이 사용되며, 가능한 한 입이나 코로 흡입되지 않도록 적절한 방진대책을 강구해야 한다. 적용하는 방법에는 다음의 3가지가 있다.

① 매몰(submerging)법 : 시험체를 가볍게 건식 현상제 속에 매몰시켜서 시험면(시험체) 전체가 건식 현상제와 접촉되도록 하여 현상처리를 하는 방법이다.

② 분무(spray)법 : 건식 현상제를 진동시키거나 가볍게 두드려서 시험면에 뿌려서 현상처리를 하는 방법으로, 한정된 부분을 시험하는데 적합하다.

③ 공기 교반(air flying)법 : 완전히 밀폐된 현상장치 속에서 공기를 이용하여 건식 현상제를 비산시켜 시험체 전체에 뿌리는 현상처리 방법이다.

나. 습식 현상제

습식 현상제에는 현상제를 물에 일정량 용해시키는 수용성 현상제와 현상제를 물에 일정량 분산시키는 수현탁성 현상제가 있다.

① 수용성 현상제(water soluble developer) : 물에 용해되어 있는 형태의 현상제로 물에 용해된 시점에서는 투명한 액체이지만, 현상제 도포면을 건조시키게 되면 백색의 얇은 현상막이 된다. 수용성 현상제는 물에 일정량의 분말(용해하는 분말의 양은 제조사의 지시에 따름)을 용해시켜 사용하며, 주로 형광 침투액과 조합하여 사용한다.

② 수현탁성 현상제(water suspendible developer) : 일반적으로 습식 현상제라 하면 수현탁성 현상제를 말한다. 이 현상제는 백색의 미세 분말(bentonite)에 습윤제(濕潤劑), 분산제(分散劑) 등을 혼합시킨 것으로, 적당한 양의 물에 적정한 농도(물 1 ℓ중에 미세 분말 60g의 비율로 배합하는 것이 표준)로 현탁시켜 사용한다. 사용할 때에는 잘 흔들어서 일정 농도로 사용해야 한다. 사용방법은 현상제 속에 시험체를 담그는 방법이 많이 사용된다.

다. 속건식 현상제

유기용제에 분산성과 현탁성이 좋은 백색의 미세 분말(산화마그네슘, 산화칼슘, 산화티타늄 등)을 혼합하여 사용한다. 유기용제에는 알코올류 등 가연성(可燃性)이 있는 것과 염소, 불소계 용제를 사용한 불연성(不燃性)의 용제가 있지만, 모두 휘발성 용제이므로, 현상액을 시험체에 적용하면 단시간 내에 용제는 휘발하여 현상 도막이 형성된다. 따라서 개방형 장치에서는 취급하기가 어렵고, 주로 에어로졸 제품, 분무제품 (can) 등으로 사용되고 있다.

일반적으로 현상제에 요구되는 성질은 다음과 같다.
① 침투액의 흡출(bleed out) 능력이 강한 미세 분말이어야 한다.
② 분산성(分散性)이 좋아야 한다.
③ 화학적으로 안정되어야 한다.
④ 중성으로 시험체에 대한 부식성이 없어야 한다.
⑤ 시험면 또는 결함부에 부착성이 좋아야 하고, 적용된 현상제 도막은 제거하기 쉬워야 한다.
⑥ 자외선에 의해 형광을 발하지 않아야 한다.
⑦ 독성이 적어야 한다.
⑧ 속건식 현상제 및 습식 현상제의 경우는 재(再) 분산성이 좋아야 한다.
⑨ 염색 침투탐상시험에 사용하는 현상제는 바탕색을 숨길 수 있는 백색이어야 한다.
⑩ 건식 현상제는 투명도가 있는 것이어야 한다.

6. 기타 탐상제

가. 고감도 형광 침투액

고감도 형광 침투액도 침투액의 한 종류로 사용되고 있다. 수세성, 후유화성 및 용제제거성의 3 종류의 침투액이 있으며, 각각 높은 형광 휘도가 얻어지는 침투액이다. 수세성은 보통 감도의 후유화성 형광 침투탐상시험보다도 미세한 결함 검출에 알맞으며, 후유화성 및 용제제거성 고감도 형광 침투액을 사용하는 경우에는 수세성 고감도 형광 침투액보다도 미세한 결함 검출에 알맞다. 이 침투액은 미세한 결함의 검출을 중요시하므로, 보통 감도의 형광 침투액보다도 세척 성능은 조금 나쁘다. 그러므로 시험 면이 거친 시험체나 형상이 복잡한 시험체에 적용하는 경우는 세척처리에 주의해야 한다. 이 침투액은 무현상법을 채택하는 침투탐상시험에도 사용되고 있다.

나. 수형 에어로졸

수형(水型) 에어로졸은 물과 에어로졸의 분사(噴射) 압력으로 잉여 침투액을 세척하는 방법이다. 즉 이 탐상제는 수세성 침투탐상시험의 세척처리에 사용하는 물을 에어로졸 통에 충전(充塡)한 것이다. 수형 에어로졸을 사용하는 수세성 침투탐상시험에서는 물의 양(量)을 적게 해서 잉여 침투액을 세척할 수 있고, 과세척이 되기 어려운 점, 그리고 세척한 물은 헝겊 등으로 닦아 건조시킬 수 있기 때문에 많은 물을 사용하는 수세성 침투탐상시험보다도 미세한 결함의 탐상에 알맞다. 휴대성이 좋고, 수도 및 건조설비가 필요없는 등 장점이 많으나 에어로졸을 사용하므로 가격이 비싼 것이 단점이다.

다. 고온 탐상제

일반적으로 사용하는 염색 탐상제는 시험체 온도가 100℃ 정도의 고온부(高溫部)에 적용하면 침투액의 염료가 퇴색(褪色)되거나 증발하게 된다. 이러한 고온부에 적용하는 탐상제를 고온 탐상제라 하는데, 이 탐상제는 일반적으로 용제제거성 염색 침투탐상시험에 적용하며, 100~250℃ 정도의 고온에 적용 가능하다.

제 2 절 침투탐상장치 및 기구

1. 침투탐상장치의 구비 조건

침투탐상시험에 사용하는 장치는 시험체의 형상과 크기, 처리수량, 검출해야 할 결함의 종류와 크기, 작업환경에 따라 다르며, 또한 규격 등에서 정해진 경우는 규격에서 요구하는 것을 선정해야 한다. 또 시험방법 및 탐상제의 적용방법에 따라 다르며, 에어로졸 제품과 같은 매우 간편한 장치에서부터 대량의 부품을 처리하기 위한 대형의 설치형 탐상장치까지 종류도 다양하다.

침투탐상시험은 그 처리의 순서 및 조건을 잘못 적용하지 않는 한, 간편한 장치로도 충분히 목적을 달성할 수 있기 때문에 결함을 확실히 검출할 수 있고, 작업성이 좋으며, 가능한 한 간편하게 취급할 수 있는 장치를 선택해야 한다.

침투탐상장치가 갖추어야 할 최소한의 조건은 다음과 같다.

① 결함을 확실히 검출할 수 있어야 한다.
② 조작이 쉽고, 안전하며 작업성이 우수하여야 한다.
③ 시험을 신속하고, 또한 정확히 실시할 수 있는 기능이 있어야 한다.
④ 장치와 사용하는 탐상제의 관리가 쉬워야 한다.
⑤ 내구성(耐久性)이 있으며, 가격이 싸야 한다.
⑥ 설치형 장치에서는 설치 면적이 불필요하게 크지 않은 것이어야 한다.

위의 조건을 만족하는 것으로 현재 사용하고 있는 침투탐상장치와 기구를 크게 나누면 다음과 같다.

① 분무법과 솔질법 등에 사용하는 기구.
② 담금법(탱크, 저장탱크)에 사용하는 장치 및 기기.
③ 규격 등에서 요구되는 조건을 만족하는 기기.
④ 특수한 방법에 사용하는 장치 및 기구.

2. 휴대용 기구 및 장치

휴대용은 일반적으로 침투액 및 현상액을 분무법이나 솔질법으로 적용하는 경우에 사용한다(예 : 용제제거성 염색 침투탐상시험 또는 용제제거성 형광 침투탐상시험). 분무나 솔질 등의 단순한 수(手)작업으로 각 처리를 하는 경우에 사용하는 간단한 기구에는 에어로졸 제품과 탐상제를 담는 용기와 적용하는 붓(솔) 그리고 닦을 마른 헝겊 또는 종이 수건 등이 있다.

가. 분무법에 사용하는 장치(에어로졸 제품)

침투탐상시험에서 분무법으로 탐상제를 적용하는 경우에는 에어로졸 제품이 사용된다. 용제제거성 침투탐상시험에는 에어로졸 제품을 주로 사용하며, 전처리 및 세척처리에 사용하는 세척액(3통)과 침투처리에 사용하는 침투액(1통) 그리고 지시모양의 형성에 사용하는 현상제(2통)를 조합시켜 세트(set)화된 탐상제가 활용되고 있다. 아주 간편하게 취급할 수 있어서 공장 및 구조물 내의 탐상시험은 물론 야외에서의 탐상 등 넓은 분야에서 사용되고 있다. 이들 제품은 탐상제와 고압가스인 액화석유가스, 디메틸에테르(dimethyl ether), 탄산가스 등의 가스를 충전한 것으로, 충전가스에는 인화성이 있는 가연성(可燃性)가스와 인화성이 없는 불연성(不燃性) 가스가 있으므로 취급할 때에는 주의해야 한다. 에어로졸 제품은 노즐부의 버튼을 누름에 따라 바닥부분까지 늘어져 있는 스탠드 파이프의 앞쪽에서 액화가스의 압력에 의해 노즐로부터 탐상제가 분무되도록 되어 있다. 에어로졸 제품의 내부 압력은 온도, 충전가스의 종류, 탐상제의 종류 및 그 조합에 따라 다르며, 대체로 25℃에서 290~490kPa(3.0~5.0kgf /cm²) 정도이지만, 특히 온도변화에 따른 내부 압력의 변화가 현저하므로, 온도가 높은 장소에서는 취급에 주의해야 한다.

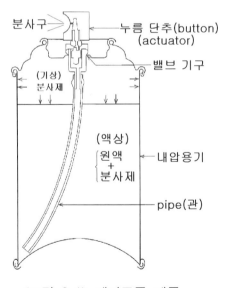

〔그림 3-1〕 에어로졸 제품

에어로졸 제품을 취급할 때 주의할 사항은 다음과 같다.

① 에어로졸 제품을 취급할 때는 가연성 및 불연성에 관계없이 불에 주의해야 한다. 특히 불의 부근 또는 불을 사용하고 있는 장소에서는 사용해서는 안 된다.

② 보관할 때에는 직사광선 및 불을 멀리해야 하며, 많은 양을 보관하지 말아야 한다.

③ 온도가 낮아서 압력이 낮아졌을 때에는 분사가 약해지므로, 이러한 때에는 더운 물 속에 넣어서 온도를 높인 다음 사용해야 한다.

④ 온도가 50℃ 이상이 되면 에어로졸 제품 내의 압력이 상승하여 폭발할 우려가 있으므로 주의해야 한다.

⑤ 인체에 사용해서는 안 된다.

⑥ 환기 및 통풍이 잘되는 곳에서 사용해야 한다.

⑦ 사용한 제품은 반드시 구멍을 뚫고 폐기해야 한다.

⑧ 에어로졸 제품 중 현상제는 알코올계의 용제와 비중이 높은 현상제 가루가 혼합되어 충전되고, 통 속에는 교반을 돕기 위한 여러 개의 유리구슬이 들어 있으므로 사용할 때에는 이 소리를 들으면서 잘 교반해야 한다.

나. 솔질법에 사용하는 기구 및 장치

분무법으로 적용할 때에는 간편한 에어로졸 제품이 사용되지만, 솔질법으로 적용할 때에는 탐상제를 담는 통(beaker 등)이나 바트(vat) 등과 같은 개방형 용기가 필요하다. 그리고 이밖에 형광 침투탐상시험의 경우에는 휴대용 자외선 조사장치 및 간이 암실용 커튼, 휴대용 건조기(hair dryer) 등이 필수품이다. 이들 장치는 쉽게 이동 가능하여 현장 또는 출장 작업 등으로 대형 구조물이나 대형 부품의 부분 탐상, 공장 또는 실험실 내에서 적은 량을 처리하는 경우에 주로 사용되고 있다.

3. 설치형 침투탐상장치 및 기구

담금법으로 사용하는 침투탐상장치는 일반적으로 후유화성 형광 침투탐상장치를 일 컫는 것이지만, 자외선조사장치만 제외하면 수세성과 후유화성 염색 침투탐상용으로도 사용된다. 용제제거성 형광 및 염색 침투탐상시험에는 사용되지 않는다.

탐상장치에는 간편한 소형에서 대형의 설치형 장치까지 다양하지만, 그 형식과 크기는 시험할 시험체의 형상과 크기, 처리 수량, 탐상제의 종류, 작업의 목적, 작업의 실시 조건, 경제적 제약 등에 따라 결정한다.

설치형 장치의 기본적 구성은 전처리 장치(화학적, 기계적 처리장치), 침투장치(침투액 탱크와 배액대), 유화장치(유화 탱크와 배액대), 세척장치(세척탱크, 필요에 따라 가압 펌프, 온도를 높일 수 있는 장치 등), 건조장치(열풍 순환식), 현상장치(습식 현상장치, 건식 현상장치), 검사실(자외선조사장치, 암실용 커튼, 백열등, 환풍기, 회전 테이블 등), 후처리 장치(세척 탱크)로 되어 있으며, 시험법의 종류에 따라 불필요한 부분은 빼고 작업순서에 따라 배열하면 된다. 장치의 성능에 대해서는 세척장치의 수압, 물의 온도 및 흐르는 양, 열풍 순환식 건조기의 온도와 바람의 양(풍량), 검사실의 어둡기 및 자외선조사장치의 자외선 강도 등이 규격에 규정되어 있으므로,

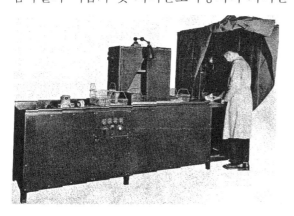

적용하고자 하는 시험방법에 따라 규격의 요건을 만족하는 필요한 최소한의 장치를 선택하여 사용해야 한다. **그림 3-2**에 수세성과 후유화성 침투탐상시험에 사용되는 소형의 설치형 침투탐상장치, **그림 3-3**에 중형, 그리고 **그림 3-4**에 대형의 설치형 침투탐상장치의 구조도를 나타낸다.

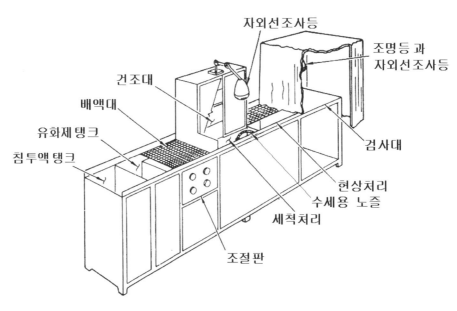

〔그림 3-2〕 소형의 설치형 침투탐상장치

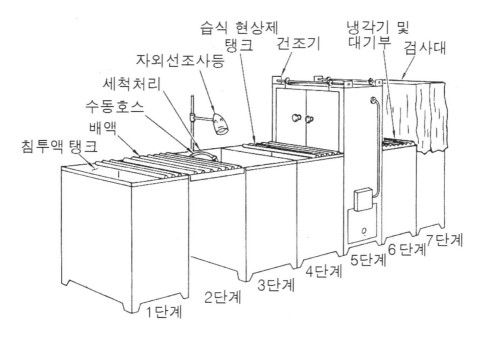

〔그림 3-3〕 중형의 설치형 침투탐상시험 장치

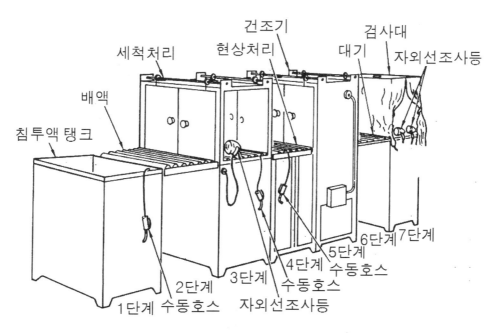

〔그림 3-4〕 대형의 설치형 침투탐상시험 장치

가. 전처리 장치

침투탐상시험을 하는 검사원이 실시하는 전처리는 시험체 표면에 붙어있는 유지류(油脂類)의 제거이므로, 전처리 장치는 이들을 제거하기 위한 화학적 처리장치를 말한다. 탈지(脫脂)의 방법은 유지(油脂)의 종류에 따라 다르지만, 대표적인 전처리 장치로는 트리클로로 에틸렌[trichloroethylene, 트리클렌(trichlene)이라고도 함] 증기세척기가 있다.

전처리 장치는 일반적으로 침투탐상장치에는 속하지 않으나, 탐상조작을 위해서는 필요하기 때문에 침투장치 옆에 탈지장치를 설치하거나 규모가 큰 경우에는 안전위생 면에서 시험체의 표면처리를 하는 별도의 장소에 설치하기도 한다.

어떤 세척제를 사용하여 전처리를 할 것인지는 시험체의 상황에 따라 선택해야 한다. 일반적으로 에어로졸 제품을 사용하여 세척액으로 유지, 먼지 등 오물을 제거하는 경우에는 전처리 장치는 필요하지 않다.

나. 침투처리 장치

침투처리 장치는 침투액 탱크와 배액대로 되어 있다. 침투처리는 보통 담금법으로 실시하지만, 필요에 따라 담그지 않고 시험체에 침투액을 분무하는 산포장치가 부착되어 있는 것도 있다. 대부분 설비가 자동화되어 있으며, 장치도 상당히 크다.

담금법에서는 배액대가 설치된 개방형 침투탱크를 이용하며, 붓기(pouring)법 또는 정전 도포(electrostatic spraying)법 등의 경우에는 환기장치가 있는 침투탱크에서 실시한다. 부품이 작은 경우에는 담금법이 가장 안전하고 확실하게 침투액을 도포할 수 있기 때문에 배액대(排液臺, drain station)가 설치된 침투액 탱크를 이용한다. 탱크를 사용하는 형광 침투액 탱크에는 수세성, 후유화성 및 고감도 수세성 침투액 등이 있으며, 이들을 여러 개 사용하는 경우에는 침투액 탱크를 각각 나란히 배치해 놓고, 세척처리 장치와 일련의 장치로서 조합시켜 사용한다.

다. 유화처리 장치

유화제에는 기름베이스 유화제와 물 베이스 유화제가 있어서, 양쪽의 유화제를 사용하는 경우에는 각각 유화제 탱크를 나란히 설치하여 사용한다. 유화장치의 부속설비로서 물 베이스 유화제의 경우는 예비 물 세척장치를 유화제 탱크 앞에 설치하며, 그곳에는 잉여 침투액을 제거하기 위한 물 분무장치가 설치되어 있다. 예비 물 세척장치는 별도로 설치하지 않고 뒤에 설명하는 세척처리 장치와 겸용으로 사용하기도 한다.

기름 베이스 유화제를 적용하는 경우에는 유화시간을 정지시키기 위하여 유화제 탱크 다음에 물 또는 30℃ 이하의 온수(溫水)를 채운 물 탱크를 설치하여 유화 정지 탱크로 사용하기도 한다. 유화정지 탱크는 형상이 똑같고 시험체의 양이 많을 때 주로 사용하며, 소량의 시험체인 경우에는 세척처리 장치를 사용해서 유화시간이 경과한 후 바로 물 분무로 유화정지를 하는 방법이 사용된다.

라. 세척처리 장치

수세성 또는 후유화성 침투액(기름 베이스유화제)을 적용하는 경우, 수세성은 침투액 탱크의 다음에, 후유화성은 유화제 탱크 또는 유화정지 탱크 다음에 세척 장치를 설치한다. 이 장치는 물 세척을 할 때 가압된 물의 입자를 시험 면에 뿌려 잉여 침투액을 제거하는 것으로, 시험체를 얹어 놓는 고정 테이블 또는 회전 테이블과 세척용 노즐, 그리고 세척 정도를 확인하기 위한 자외선조사등이 부착되어 있으며, 필요에 따라 수압 및 수온을 조절하는 장치가 부속설비로 갖추어져 있다. 수동으로 세척할 때는 회전 테이블에서 세척하는데, 이러한 경우에 인접한 처리장치에 세척물이 튀어 들어가지 주의해서 세척해야 하며, 또한 세척하는 물은 압력을 가하고 온도를 높일 수 있는 펌프와 열을 공급하는 탱크를 사용하여 수압(水壓)과 수온(水溫)의 조절이 자동으로 조절되도록 되어 있다. 이러한 것을 가온가압장치(加溫加壓裝置, **그림 3-5 참조**)라 하는데, 보통 세척할 때의 수압은 물을 흘려보낼 때의 압력으로 147~294kPa(1.5~3.0kgf/cm²)로 조절되며, 수온은 16~38℃ 범위로 설정하여 1분간 연속적으로 물을 흘려보내도 온도변화가 별로 일어나지 않는 성능을 갖고 있어야 한다.

세척장치는 분무 노즐의 좋고 나쁨이 세척처리 효과에 강한 영향을 미친다.

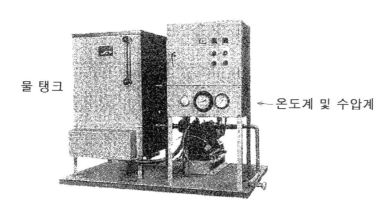

물 탱크 ← 온도계 및 수압계

〔그림 3-5〕 가온 가압장치

분무 노즐에는 원추형과 원통형이 사용되고 있는데, 어느 것을 사용하여 분사하더라도 전체적으로 균등하게 분무가 이루어지는 것이어야 한다. 노즐과 시험체와의 거리는 과세척을 방지하기 위하여 30cm 이상 떨어져서 사용할 수 있도록 노즐 호스(hose)는 길이가 긴 내압(耐壓) 호스가 비치되어 있다.

세척장치의 위쪽에는 세척의 정도를 확인하기 위한 자외선조사등이 부착되어 있으며, 이 자외선조사등에 사용되는 투과필터는 손에 접촉되어서는 안 될 정도의 고온(高溫)이기 때문에 세척시의 물 튀김에 의해 파손되지 않도록 주의해야 한다.

마. 건조처리 장치

세척처리 또는 습식 현상처리 후에 시험체를 건조시키기 위한 장치로, 일반적으로 건조온도를 제어할 수 있는 열풍 순환식 건조기를 사용한다.

장치는 캐비닛(cabinet), 히터(heater), 송풍기, 자동온도 조절기 등으로 구성되며, 히터로 가열된 열풍은 캐비닛의 아래쪽에서 위로 올라가며 순환한다. 캐비닛 안에는 금속으로 된 판을 2단 또는 3단으로 조절하게 되어 있다.

건조기의 성능은 시험체에 부착되어 있는 세척 수(물기) 또는 습식 현상제를 신속히 건조시키기 위하여 열풍을 사용하며, 특히 수분이 고이기 쉬운 복잡한 형상의 시험체를 건조시킬 경우는 시험체를 건조기에 넣기 전에 약한 공기 분사[172kPa (1.75kgf/cm²) 이하]로 고여 있는 수분을 날려 보내는 설비가 설치되어 있기도 하다.

건조기에는 건조기 내의 온도를 200℃ 정도까지 상승시킬 수 있는 열원(熱源)이 있고, 건조기 내의 습한 공기를 빨리 건조기 밖으로 방출되도록 하는 팬 모터(fan motor)가 설치되어 있어서, 1분간에 건조기 내 용적의 2배 이상의 공기를 교체할 수 있도록 설정되어 있다. 건조기 내 공기의 환기(換氣)량은 공기의 흡입 닥트(duct)로 조절할 수 있는데, 건조기 내의 온도를 빨리 규정 온도로 상승시키고 싶을 경우는 닥트 구멍을 좁게 하고(겨울철인 경우), 기온(氣溫)이 높은 경우는 닥트 구멍을 넓혀서 건조기 내의 온도 상승을 조절한다. 그리고 시험체의 반출입으로 인하여 문을 열게 되면 일시적으로 건조기 내 온도가 저하되기 때문에 문을 닫은 후 재빨리 설정온도로 되돌리는 것이 필요하게 되는데, 이를 온도 회복이라 한다.

가열(加熱) 히터는 온도 상승 및 온도 회복이 잘 되도록 하기 위해서 베이스 히터(base heater)와 조절 히터(control heater)의 2개의 히터가 부착되어 있는 것이 일반적이다. 다만, 여름철에는 조절 히터만으로 단시간에 필요한 온도까지 상승시키기 때문에 베이스 히터는 사용하지 않는다.

건조기 내의 온도 분포는 시험체가 균일하게 건조되도록 하는 것이 중요하므로,

온도의 불규칙한 분포가 없도록 건조기 내의 사방(四方)에 온도계를 설치하여 측정하는데, 이것을 온도 분포 측정이라 하며, 측정방법에 대해서는 **제 7 장**에서 설명하기로 한다.

건조기 내의 온도는 일반적으로 70℃ 이하로 사용한다. 이것은 고온에 의해 지시모양의 색상이 열화되거나 건조되는 것을 방지하기 위해서이다. 또한 시험체의 표면 온도는 50℃ 이하가 되도록 하고 있다. 건조에 필요한 시간은 건조기의 열 풍량, 시험체의 크기 및 수량에 따라 다르기 때문에, 일률적으로 결정할 수는 않지만, 기본적으로는 시험체의 수분이 건조되는 최소시간으로 한다.

바. 현상처리 장치

현상장치를 필요로 하는 현상법은 건식 현상법과 습식 현상법이다. 속건식 현상법은 환기가 되는 장소에서 에어로졸 제품을 사용하며, 무현상법은 열풍 건조기만을 사용하므로, 여기서는 건식 및 습식 현상법에 사용하는 장치에 대하여 설명한다.

1) 건식 현상장치

건식 현상장치는 일반적으로 시험체를 매몰시키기 위한 현상제 탱크 또는 공기 중에 현상제의 미세한 분말을 비산시켜 현상처리를 할 수 있는 밀폐형 현상실로 구성되어 있다. 앞에서 설명하였듯이 건식 현상제의 적용방법에는 매몰법, 공기 교반(air flying)법 및 분무법이 있다. 건식 현상제는 비중이 가벼운 미세 분말을 사용하기 때문에 어느 방법으로 적용하더라도 시험 중에 현상제가 입이나 코로 흡입되지 않도록 환기설비가 갖추어져 있어야 한다. 일반적으로 매몰법 및 분무법은 국소(局所) 배기(排氣)에 따른 방진(防塵)대책이 필요하며, 공기 교반법은 밀폐형 현상실에서 현상실 안에 시험체를 넣고 공기를 불어 넣어 현상제가 현상실 안에 꽉 차게 한 다음, 현상시간 중에 시험체를 현상실 안에 방치시킨다. 그 후 집진기(集塵器)를 이용하여 남아있는 현상제를 제거하기 때문에 현상실과 집진기는 연결되어 있다. 시험면에 남아있는 여분의 현상제를 떨어뜨리도록 약하게 공기(5kPa 이하)를 분사(air blowing)할 수 있는 기구도 갖추고 있다.

2) 습식 현상장치

습식 현상제의 적용방법은 담금법 및 위에서 부어주는 붓기(pouring)법이 사용되고 있다. 습식 현상법을 사용할 경우는 무기질의 미세한 분말과 물을 현탁시킨 것을 사용하므로, 습식 현상장치는 화기(火氣) 및 좋지 않은 냄새에 대한 대책은 필요없다. 습식 현상장치는 일반적으로 개방형 탱크를 사용한다. 습식 현상제는 가만히 두면 현상제가 바닥에 침전(沈澱)되기 때문에 사용할 때에는 반드시 필요한 현상제 농도가 되도록 잘 교반(攪拌)한 후에 사용해야 한다.

교반 기구는 펌프로 현상제를 순환시키거나 공기를 내보내어 교반한다. 현상제 속에는 분말을 물에 분산시키기 위한 수용성 계면활성제가 포함되어 있어서 거품이 발생하는데, 이 거품은 탐상시험을 방해하므로 주의가 필요하다. 기계적인 교반 대신에 수동(手動)으로 교반 막대 등을 사용하여 교반하기도 한다.

3) 건조장치와 현상장치의 배치

건조장치와 현상장치의 배치(配置)는 현상법에 따라 다르다. 건식 현상제를 사용하는 경우는 시험체 표면의 수분이 탐상시험에 영향을 미치므로, 세척한 물을 건조시키고 나서 현상처리를 해야 한다. 따라서 건조장치 다음에 현상장치를 배치한다. 습식 현상제를 사용하는 경우는 현상제의 수분을 건조시켜야 하기 때문에, 현상장치 다음에 건조장치를 배치한다.

사. 검사실

검사실은 형광 침투탐상시험을 할 경우에 필요하다. 검사실은 주위의 가시광선을 차단할 수 있는 암실용 커튼이 설치되어 있으며, 실내에는 시험체 전체를 관찰하기 위한 설치형 자외선조사장치가 부착되어 있다(**그림 3-7 참조**). 그리고 국부적인 관찰을 하기 위한 휴대용 자외선조사장치도 마련되어 있다. 다만 검사실의 크기 또는 시험체의 크기에 따라서는 휴대용 자외선조사장치만 설치하기도 한다.

그 밖에 지시모양을 확인하기 위한 조명등, 자외선조사등에서 발열하는 열기를 환기시키는 환풍기, 10배 정도의 확대경 및 검출된 지시모양이 결함인지 의사모양인지를 확인하기 위한 용해성이 낮은 유기용제와 건식 현상제를 적용하는 경우에 사용하는 가는 붓 등이 준비되어 있다. 그리고 검사대(table) 등을 설치하여 시험체에 직접 손을 대지 않고, 시험체 전면을 쉽게 관찰할 수 있도록 된 것도 있다.

검사실의 어둡기는 아주 어두운 상태에서 시험을 하는 것은 안전상 바람직하지 않기 때문에 아주 어두운 것 보다는 시험체가 보일 정도가 좋다.

일반적으로 검사실의 어두움의 정도는 20룩스(lx) 이하로 되어 있다. 그리고 시험체 표면에서의 자외선 강도는 $1,000\mu W/cm^2$(KS B 0816-2005 에서는 $800\mu W/cm^2$) 이상을 필요로 하지만, 최근에는 고압 수은등의 변화로 메탈 할라이드 램프(metal halide lamp)를 사용한 자외선조사장치가 많이 사용되고 있다. 이 램프를 사용하는 자외선조사장치는 $5,000\mu W/cm^2$ 이상의 매우 높은 강도를 나타낸다. 이러한 높은 강도의 자외선조사장치를 사용하면 다소 주위가 밝아도 지시모양의 지각에 영향을 미치지 않는 장점이 있다.

지시모양의 합부판정을 정확히 하기 위해서는 검사대 또는 시험체를 잡는 손이 형광체에 오염되어서는 안 된다.

아. 후처리 장치

시험이 끝난 후 결함 지시모양이 검출된 시험체는 지시모양에 표시를 하거나, 어떠한 방법으로든 지시모양을 기록한 후 합격품과 섞이지 않도록 구분하여 배치한다. 그리고 합격품은 신속히 현상제 및 침투액을 제거해야 하므로, 후처리 장치는 검사실 가까이에 설치하는 것이 필요하다.

후처리 장치는 탐상제의 종류에 따라 조금 다른데, 수세성 형광 침투액-습식 현상제의 경우는 30~40℃의 온수(溫水)에 시험체를 담글 수 있는 물 세척통을 사용하여 탐상제를 제거한다. 현상제가 부착되어 있는 그대로 다음 공정에 들어가는 경우에는 물 세척을 할 필요는 없지만, 일반적으로 물 세척, 건조, 방청처리 또는 가공 공정은 필요하다.

후유화성 형광 침투액-건식 현상제를 사용한 경우는 솔(brush)로 현상제를 제거한 후 유기용제 속에 시험체를 넣어 침투액을 제거할 수 있는 통을 설치하여 사용한다. 다만 후처리 장치는 시험체가 제품인지, 반제품인지 또는 보수검사인지에 따라서도 다르며, 후처리 장치를 생략 또는 전처리 장치와 겸용으로 사용하기도 한다.

4. 자외선 조사장치

형광 침투탐상시험을 할 때 사용하는 자외선 조사장치는 블랙라이트(black light)라고도 부르는 것으로, 파장이 320~400nm의 자외선을 조사한다. 보통은 고압 수은등에 자외선투과 필터를 부착한 자외선조사등과 안정기로 구성되어 있다.

자외선조사등에서 조사되는 자외선 강도는 조사되는 중심에서 옆으로 떨어진 위치에서는 필터의 렌즈효과에 의해 급격히 감소하며, 필터의 앞면에서도 떨어지면 감소한다. 따라서 자외선조사등을 사용할 때는 그 위치와 시험면과의 거리에 주의해야 한다.

관찰에 필요한 자외선 강도는 보통 시험체 표면에서 $1,000\mu W/cm^2$(KS B 0816-2005에서는 $800\mu W/cm^2$)이상으로 규정되어 있다.

자외선 조사장치의 램프 수명은 사용조건에 따라 차이가 있지만, 사용시간과 더불어 자외선 강도는 서서히 저하한다. 점등시간에 따른 자외선 강도의 저하는 일반적으로 약 1,500시간의 점등에서 초기의 60% 정도까지 자외선 강도가 저하하기 때문에, 정기적으로 자외선 강도를 측정하여 필요시 새 램프로 교체하는 것이 바람직하다. 또한 필터는 장시간 사용해도 대부분 자외선 투과율은 저하되지 않지만, 실제로 작업 현장에서는 필터의 표면, 뒷면, 램프의 앞면 및 반사판 등에 부착된 먼지로 인하여 자외선의 방사(放射)가 현저하게 감소하는 경우가 많으므로, 그 사용빈도에 따라 철저한 청소가 필요하다. 그리고 자외선조사등은 점등 후 상당시간이 경과하지 않으면 일정한 휘도가 얻어지지 않으므로, 사용 중에는 전원 스위치를 꺼서는 안 된다. 사용 중에 전원 스위치를 끄게 되면 스위치를 바로 켜도 수은등(水銀燈)이 냉각될 때까지 점등되지 않으며, 점등되는데 5~6분이 걸린다. 그러므로 자외선조사등은 빈번히 스위치를 껐다 켰다를 하지 않아야 한다. 이와 같이 고압 수은등(mercury arc lamp, mercury vapor lamp)은 시간의 경과와 더불어 성능이 저하되므로, 자외선 조사등은 정기적으로 그 자외선 강도를 측정하여 관리해야 한다.

고압 수은등은 아주 광범위한 파장의 광선을 방사한다. 이들의 광선 중 400nm를 초과하는 파장의 가시광선은 형광 지시모양의 식별성을 나쁘게 하며, 또한 320nm 미만 파장의 광선은 인체에 해롭다고 알려져 있다. 그러므로 이들 파장의 광선을 차단할 필요가 있기 때문에, 그 앞면에 자외선 투과 필터가 부착되어 있다.

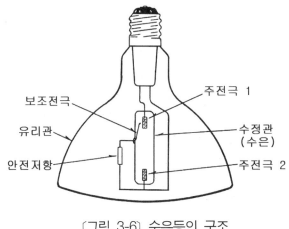

〔그림 3-6〕 수은등의 구조

1) 설치형   2) 휴대용

〔그림 3-7〕 자외선 조사장치

고압 수은등과 같은 방전등(放電燈)은 점등하면 전류가 무제한으로 흐르고자 하는 성질이 있다. 자외선 조사장치의 안정기는 이 전류를 일정한 값에 머물게 하는 역할을 하며, 동시에 1차 전압의 변동에 의한 영향을 방지하는 역할도 겸한다. 고압 수은등은 발광물질로 수은(水銀)을 사용하고 있지만, 메탈 할라이드 램프(metal halide lamp)는 할로겐화 금속(보통 요오드화 물)을 사용하여 수은등의 1.5배 이상의 높은 광량을 내고 있다. 이 램프를 사용한 고강도의 자외선 조사장치는 내부 회로 등은 약간 다르지만, 보통의 자외선 조사장치와 똑같이 램프와 자외선 투과 필터를 부착한 자외선조사등 및 안정기로 구성되어 있다. 그 취급은 보통의 자외선 조사장치와 거의 똑같다.

자외선 조사장치는 세척처리 과정에서 세척 정도의 확인, 관찰 과정에서 결함 지시모양의 검출 및 확인 등의 목적으로 사용하며, 사용목적에 따라 비교적 큰 설치형과 손으로 조작이 가능한 휴대용이 있다.

자외선 조사장치가 구비해야 할 조건은 다음과 같다.
① 필터 내외면, 고압 수은등, 조사등 내부을 간단히 청소할 수 있는 구조이어야 한다.
② 자외선의 파장 범위와 강도가 안정된 것으로, 장시간 사용에 견디는 것이어야 한다.
③ 자외선 조사범위가 넓고, 휴대용은 한 손으로 조작할 수 있는 가벼운 것이어야 한다.

5. 자외선 강도계(ultraviolet meter, black light meter)

형광 침투탐상시험에서 결함 지시모양의 밝기(휘도)는 조사되는 자외선조사등의 강도에 따라 변화한다. 이 자외선조사등은 백색광과 달라서, 육안으로 세기를 감지할 수 없으므로, 그 세기를 측정하는 시기를 필요로 한다. 이 세기는 빛을 전기로 변환하는 소자(素子)인 광전지(光電池)를 사용하여 측정하며, 셀레늄(selenium) 광전소자(光電素子, photoelectric element), 실리콘(silicon) 광전소자가 이용된다. 이들은 육안으로는 지각할 수 없는 320~400nm의 근자외선에 대하여 높은 감도를 갖고 있으므로, 수광부(受光部) 위에 가시광선을 차단하고 근자외선만을 투과하는 필터를 장착하면 탐상에 유효한 자외선조사등의 강도만을 측정할 수 있다. 이 강도는 단위 면적 당의 에너지($\mu W/cm^2$)로서 표시하고 있다.

6. 조도계

형광 침투탐상시험에서는 결함 지시모양을 검사실 등의 어두운 곳에서 육안으로 관찰한다. 이때 검사실에 외부로부터 가시광선이 들어오거나 검사실 자체가 밝거나 하면 배경(background)이 밝아져서 대비(contrast)가 현저히 저하되어 결함 검출감도도 저하하게 된다. 기본적으로 형광 침투탐상시험을 실시한 후의 지시모양의 가시도(可視度)는 결함 지시모양의 밝기 B와 배경의 밝기 B_o 와의 차 ΔB 에 의한 대비(contrast)에 의존하기 때문에, 배경(B_o)이 밝으면 대비는 저하하므로 형광 침투탐상시험에서 관찰을 하는 경우는 가능한 한 배경을 어둡게 해야 한다. 이 때문에 관찰하는 환경의 밝기(어둡기)를 측정하여 일정한 값 이하가 되도록 해야 한다. 이 가시광선의 밝기를 측정하는 기기로 조도계(照度計, illumination meter·lux meter, 조명도계라고도 함)가 사용되고 있다.

조도계에는 인간의 시감도 곡선(視感度 曲線, luminosity curve ; 빛에 대한 인간의 눈이 감각하는 밝기의 정도를 나타내는 곡선)에 가까운 특성을 지닌 광전소자 가 이용되고 있다.

염색 침투탐상시험은 백색광 아래에서 육안으로 관찰이 행해지므로, 알맞은 백색광의 밝기가 필요하다. 이 가시광선의 양을 계측하는 장치로도 조도계가 사용된다. 일반적으로 형광 침투탐상시험에서는 20룩스(ℓx) 이하, 염색 침투탐상시험에서는 500룩스(ℓx) 이상의 밝기가 요구된다.

제 3 절 대비시험편

침투탐상시험에서 신뢰성이 높은 시험을 실시하기 위해서는 성능이 우수한 탐상제와 탐상장치를 사용하고, 일정한 결함 검출도가 얻어지도록 적정하고 또한 안정된 탐상조작을 해야 한다. 따라서 침투탐상시험에서는 탐상조작에 대한 적합여부와 탐상제 및 설비의 성능을 정량적(定量的) 또는 정성적(定性的)으로 평가하기 위한 목적으로 대비시험편(comparative test block, comparative reference panel)을 사용한다.

현재 많이 사용되고 있는 대비시험편에는 알루미늄 담금질 균열시험편(KS B 0816-2005에서는 A형 대비시험편이라 함)이라 부르는 것과 침투탐상장치의 설비 및 탐상제의 중요한 변화를 점검하는 PSM-panel(별모양 균열 시험편)이 있으며, 국제규격(ISO)의 부합화(global standardization)를 도모하기 위하여 2006년에 번역 제정된 KS B ISO 3452-3-2006 "대비시험편"에는 1형 대비시험편(도금 균열시험편)과 2형 대비시험편(세척능력 및 별모양 결함 시험편)이 규정되어 있다. 또한 KS B 0816-2005에서 규정하고 있는 도금 균열시험편인 B형 대비시험편도 사용되고 있다.

이들 대비시험편은 목적에 따라 사용하지만 어디까지나 어떤 것과 비교하기 위하여 사용하는 것이며, 탐상 가능한 결함의 치수나 탐상조건을 결정하기 위한 표준시험편이 아니라는 점에 주의해야 한다. 여기서는 대비시험편의 사용목적, 구조 및 사용방법에 대하여 설명하기로 한다.

1. 대비시험편의 사용목적

침투탐상시험의 실시에 있어 가장 중요한 것은, 탐상결과는 항상 일정해야 한다는 것이다. 크기가 같은 결함을 어떠한 때는 검출되고, 다시 시험하면 검출되지 않는다면 그 시험 결과는 믿기 어려워지며, 시험을 통하여 확보된 시험체의 품질 또한 신뢰성을 잃게 된다.

침투탐상시험 방법은 손으로 하는 작업이 많기 때문에 결함의 검출 능력을 수치적(數値的)으로 표현하는 것은 매우 곤란하다. 그러므로 탐상결과에 대한 신뢰성을 확보하기 위해서는 검출 감도에 직접 영향을 미치는 탐상제의 성능이나 탐상조작의 적합 여부를 항상 확인하여 탐상제의 성능이 저하되었으면 폐기하고, 조작방법에 잘못이 있었으면 재시험을 해야 한다. 따라서 침투탐상시험에서 항상 일정한 결함 검출도가 유지되고 있음을 보장받기 위하여 인공적으로 표면을 만든 판(시험편)을 탐상하여 그 결과와 비교 평가하기 위하여 사용하는 것이 대비시험편이다.

대비시험편의 표면에 발생시킨 균열은 엄밀히 말하면 실제 시험체에 존재하는 균열과 동일하지는 않다.

대비시험편에 실제 시험체에 존재하는 결함과 동일한 결함을 만드는 것이 가장 좋은 방법이지만, 이러한 자연결함을 인공적으로 만드는 것은 매우 곤란하며, 또한 가능하더라도 제작비용이 많이 들기 때문이다. 따라서 공업적으로 널리 사용하기 위해서는 어느 정도 정밀성을 희생하더라도 비교적 재현성이 좋고, 장시간 사용에 견디며, 타당한 가격으로 대량으로 만들 수 있어야 한다. 이런 이유로 대비시험편에는 인공적으로 만든 결함을 주로 사용하고 있다.

대비시험편은 각각의 사용목적에 따라 다음과 같이 사용한다.
① 사용 중인 각종 탐상제의 품질과 성능의 유지 및 관리.
   탐상제를 장기간에 걸쳐 연속하여 사용하면 개방형 용기 속의 탐상제는 이물질(異物質)의 혼입 및 유효성분이 증발되어 탐상성능이 떨어질 것이 예상되므로 정기적으로 탐상장치의 성능 점검을 하지 않으면 안 된다.
② 같은 상표의 탐상제를 구입했을 때의 성능 비교시험.
   같은 상표의 탐상제라 하더라도 이전에 구입한 것과 새로 구입한 것과의 품질에 차이 여부를 확인하기 위한 점검이 필요하다.
③ 탐상제를 새로 선정하여 구입할 때의 성능 비교시험.
   여러 개의 탐상제 중 탐상성능이 어느 것이 좋은지의 기준을 얻기 위한 성능 점검이 필요하다.
④ 탐상조건이 변화했을 때, 표준 조건과 비교 확인하기 위한 성능 점검.
⑤ 규격에서 요구하는 침투액의 감도 레벨을 결정하기 위한 성능 점검.
⑥ 조작방법의 적합여부 조사.
   자동 침투탐상장치에 설정된 탐상조작의 적합여부를 확인하기 위해서도 점검이 필요하다.
⑦ 각종 침투탐상시험의 결함 검출 성능 비교시험.
⑧ 탐상제의 연구와 개발.
⑨ 탐상 현장에서의 적절한 탐상조건의 추정.
⑩ 검사원의 교육과 훈련.

2. 대비시험편의 종류와 특성

가. 알루미늄 담금질 균열 시험편

알루미늄 담금질 균열 시험편(Aluminum comparator block)은 ASME(미국 기계 학회), JIS(일본 공업규격) 및 KS(한국 산업규격)에서 채택하고 있는 시험편으로, 알루미늄 합금 판의 표면에 담금질 균열을 발생시킨 것이다. ASME에서는 "침투탐상용 대비시험편"(liquid penetrant comparator block) 또는 간단하게 "알루미늄 시험편"(Aluminum test block)이라 부르며, **KS B 0816-2005**에서는 A형 대비시험편이라고 한다. 이 시험편의 재질은 ASTM(미국 재료 시험협회) B 209에서 규정하는 Type 2024 알루미늄(Al)이며, 크기는 2인치(50mm) X 3인치(75mm) X $\frac{3}{8}$인치 (10mm) 로 되어 있으나, 수치는 절대적인 것이 아니라 지침일 뿐이다.

이 알루미늄 시험편을 제작하기 위해서는 510℃에서 녹는 온도 지시용 크레용[템필스틱(Tempilstik) 등]이나 페인트를 사용하여 시험편의 중앙에 대략 25mm 정도로 칠하고, 시험편의 아래쪽에서 가스 버너(gas burner)나 토치 (torch)를 사용하여 510~524℃로 가열한다. 이때 불꽃은 중앙에 있어야 하고, 가열하는 중에 옮겨서는 안 된다. 칠한 곳이 녹으면 가열된 면에 흐르는 물을 뿌려 담금질하여 급냉(急冷)에 의한 미세한 균열이 발생되게 한다. 그리고 같은 조작을 뒷면에도 반복한다. 이렇게 균열을 발생시킨 시험편을 약 149℃에서 건조시킨 후에 반으로 절단한다. 이때 이들 시험편의 균열 형태는 비슷해야 하며, 절단한 각각의 시험편에 "A" 및 "B"로 표시(각인)한다(**그림 3-9 참조**).

〔그림 3-8〕 온도 지시용 템필스틱

※ **템필스틱(Tempilstik)**은 미리 알고 있는 융점(melting point)을 가진 화학품을 배합한 크레용 모양의 제품으로, 겉 표면에 표시된 온도에 도달하면 융해(melting)하게 됩니다.

사용방법은 원칙적으로 시험편을 "A" 및 "B"로 구분하여 1조로 사용하며, 하나는 기준, 다른 하나는 비교를 하기 위한 것이다.

KS와 JIS에서는 홈을 기준으로 사이에 둔 양쪽 면을 1조로 하여 사용한다. 그리고 A형 대비시험편에 대한 기호는 PT-A로 표시한다. 홈은 각각의 면에 적용한 탐상제기 혼합되지 않도록 하기 위한 것으로, 경우에 따라서는 표시를 한 후에 위에서 설명한 것과 같이 홈을 기준으로 절단한 2개의 같은 쪽 면을 1조로 사용해도 된다고 규정하고 있다.

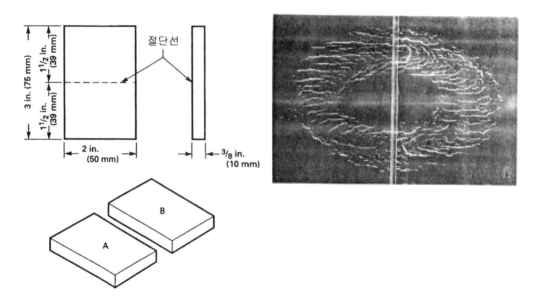

〔그림 3-9〕 알루미늄 시험편　　　　　〔그림 3-10〕 알루미늄 시험편의 지시모양

알루미늄 담금질 균열시험편(A형 대비시험편)의 특징은 다음과 같다.

1) 장점
① 시험편의 제작이 간단하다.
② 비교적 미세한 균열이 얻어지며, 시험편에는 다양한 깊이와 폭의 균열이 발생하므로, 균열의 폭과 깊이에 따른 성능의 차이에 대해서도 어느 정도 알 수 있다.
③ 시험편의 균열 형상이 자연(自然) 균열에 가깝고, 또한 재질적으로도 경금속재료에 사용하는 탐상제의 성능을 조사하는 대비시험편으로 적합하다.

2) 단점

① 가열(加熱) 및 급냉(急冷)을 이용하므로, 균열의 치수를 조정하기가 어렵다.

② 재질이 알루미늄 합금이기 때문에, 반복하여 사용하면 균열의 파면(破面)이 산화(酸化) 등에 의해 재현성(再現性)이 점차적으로 나빠지므로 장시간 반복하여 사용할 수 없다.

나. 침투탐상 시스템 모니터 패널(PSM-Panel, 별모양 균열 시험편)

침투탐상 시스템 모니터 패널(penetrant system monitor panel, PSM-panel)은 Pratt & Whitney 항공사에서 개발한 것으로, "Star Burst" penetrant testing and monitoring panel(TAM-panel) 또는 "별모양 균열 시험편"이라고도 부른다.

이 PSM-패널은 수세성과 후유화성 침투탐상시험의 형광 및 염색 침투탐상 시스템(탐상장치의 설비 및 탐상제 등)의 주요 변화를 점검하기 위하여 사용한다. 일반적으로 각 탐상작업을 시작할 때에 사용하며, 침투탐상 시스템이 신뢰할 수 없는 특성을 나타내거나 그 기능이 의심스러울 때도 탐상 시스템의 성능을 확인하기 위하여 사용한다.

PSM-패널은 **그림 3-11**과 같이 두께 2.3mm(0.09인치)인 스테인리스 강(stainless steel)으로 제작하며, 길이와 폭은 100×150mm(4×6인치)인 직사각형이다. 모니터 패널 중 길이방향으로 이등분한 반쪽 면 위에 크롬 도금(chromium plating)을 하고, 그 중심부에 경도 시험기를 사용해서 압입(壓入)하여, 간격이 같은 5개의 별모양의 균열을 발생시킨다. 이 5개의 균열은 경도 시험기의 하중 또는 받침을 변화시켜서 큰 것부터 작은 순서로 배열한다. 이 반쪽 면은 결함 검출 감도를 확인할 목적으로 사용하며, 가장 큰 균열은 저감도 탐상제로도 쉽게 식별되지만, 가장 작은 균열은 고감도 탐상제를 사용해도 검출하기 어렵다. 다른 반쪽 면은 산화물 그리트 블라스팅(grit blasting)을 하여 중간 정도의 거칠기를 갖게 만들고, 바탕색 또는 형광을 확인하여 세척 특성을 감시하기 위하여 사용한다. 침투탐상 시스템의 성능은 요구되는 균열 개수를 검출함으로써 확인할 수 있으며, 세척 특성은 조작 후의 그리트 블라스팅한 면의 외관으로 확인한다.

침투탐상 시스템의 변경은 다음과 같은 경우에 그 성능에 유해한 영향을 미칠 수 있다.

① 침투액의 성분(또는 오염)

② 유화제의 성분(또는 오염)

③ 현상제의 현상능력

④ 침투시간 및 침투처리 방법

⑤ 유화시간 및 유화처리 방법

⑥ 수압, 온도, 세척시간

⑦ 건조온도 및 건조시간

PSM-panel(TAM-panel)의 특징은 다음과 같다.

1) 장점

① 침투액의 제거성을 정성적(定性的)으로 평가할 수 있다.

② 크기가 다른 결함이 있기 때문에 결함의 크기와 검출성의 비교가 어느 정도 가능하다.

③ 장시간 반복하여 사용할 수 있다.

2) 단점

① 시험편의 표면 및 결함 성상(性狀)이 실제의 시험체와 동 떨어진다.

② 도금과 블라스팅(blasting) 처리 등에 기술을 필요로 하며, 제작이 어렵다.

※ **그리트 블라스트(grit blast)** : 그리트(날카로운 모가 있는 알맹이)를 압축 공기, 기타의 방법으로 금속 표면에 분사하여 스케일, 녹, 도막 등 표면에 부착되어 있는 오염물을 제거하는 공법.

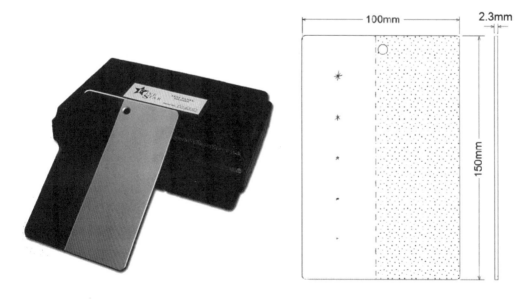

〔그림 3-11〕 침투탐상 시스템 모니터 패널(별모양 균열 시험편)

다. ISO 대비시험편

1) 1형 대비시험편

1형 대비시험편(도금 균열 대비시험편)은 **KS B ISO 3452-3-**2006(비파괴검사-침투탐상검사-제 3 부 : 대비시험편)에서 규정하고 있는 것으로, 모양은 직사각형이며, 치수는 35 × 100 × 2mm 이다(**그림 3-12 참조**).

이 시험편은 금속가공의 표면처리법의 일종인 도금 층에 균열을 발생시킨 것으로, 제조방법은 얇은 황동판(黃銅板, brass) 위에 전기 도금 등의 방법에 의해 균일한 니켈-크롬(Ni-Cr)의 도금 층을 만든 다음에 시험편을 길이방향으로 하고, 도금 면을 바깥쪽으로 굽혀 펴기를 해서 각각의 시험편에 횡(가로) 균열을 만든다. 니켈-크롬 도금의 두께는 각각 10, 20, 30, 50μm의 4개 1조로 되어 있다. 균열의 깊이가 도금 층의 두께와 거의 같으므로 도금 층의 두께를 조정함으로써, 깊이가 일정한 균열을 만들 수 있어 알루미늄 담금질 균열 시험편(A형 대비시험편)과 비교하여 보다 미세한 균열을 만들 수 있는 특징이 있으나, 표면이 매우 매끄러워서 실제 시험체 표면과 너무 차이가 나며, 도금 두께에 따라 다수의 균열이 근접하여 만들어지기 때문에 관찰하기 어려운 경우도 있다. 그러나 침투탐상시험에서 검출 가능한 결함의 한계에 가까운 미세한 균열을 만들 수 있고, 또한 치수(깊이)가 이미 알려져 있으므로 침투액의 결함 검출 기능을 평가하기 위하여 사용되고 있다. 각 균열의 폭 대 깊이의 비는 대략 1 : 20 이 바람직하다.

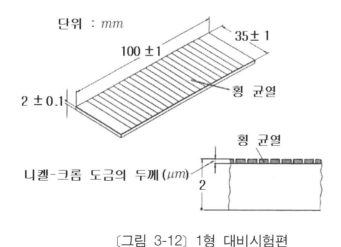

〔그림 3-12〕 1형 대비시험편

용도는 형광 및 염색 침투탐상제 그룹의 감도 레벨을 결정하기 위하여 사용한다. $10\mu m$, $20\mu m$, $30\mu m$의 판은 형광 침투탐상시험의 감도를 결정하는데 사용하며, 30 μm, $50\mu m$의 판은 염색 침투탐상시험의 감도를 결정하는데 사용한다.

2) 2형 대비시험편

2형 대비시험편(세척능력 및 별모양 결함 대비시험편)도 **KS B ISO 3452-3** **-2006**에서 규정하고 있는 것으로, 시험편의 모양은 직사각형이며, 치수는 155 × 50 × 2.5mm 이다.

그림 3-13과 같이 이 시험편의 반쪽 면은 니켈과 얇은 층의 크롬 도금으로 되어 있고, 나머지 반쪽 면은 특정한 거칠기를 갖는 1개의 금속판으로 되어 있다. 도금된 면은 5개의 별모양의 불연속을 나타낸다. 용도는 형광 및 염색 침투 탐상 설비와 부분 사용된 용기의 성능을 일상 평가하기 위해 사용된다.

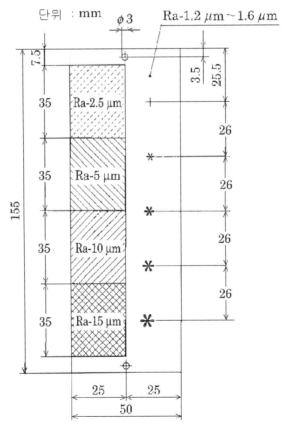

〔그림 3-13〕 2형 대비시험편

이 시험편의 제조방법은 모재를 스테인리스 강(stainless steel)을 사용하여 반쪽 면씩 나누어 세척능력 측정부(세척도 영역)와 결함 측정부(결함영역)를 나누어 만든다. 세척능력 측정부는 침투액의 세척능력을 시험하기 위한 부분으로 크기가 25mm x 35mm인 측정부를 서로 인접하여 4개를 만들고, 이 4개 측정부의 표면 거칠기(Ra)는 각각 $2.5\mu m$, $5\mu m$, $10\mu m$, $15\mu m$로 한다. Ra $2.5\mu m$의 측정영역은 샌드 블라스트(sand blast)를 하고, 나머지 영역은 방전가공(放電加工, electro-erosion)으로 제작해도 된다. 그리고 결함 측정부(영역)는 시험편의 세척능력 측정부를 제외한 반쪽 부분이다. 이 결함 측정부는 시험편의 시험표면위에 두께 $60\mu m \pm 3\mu m$의 니켈 도금과 그 위에 두께 $0.5\sim1.5\mu m$의 얇은 층의 크롬 도금을 한다. 다음에 시험편은 정해진 경도 값(비커스 경도 HV 0.3 : 900~0.3 : 1000)을 얻기 위해 시험편을 열처리한다. 크롬 도금면의 표면 거칠기(Ra)는 $1.2\sim1.6\mu m$으로 한다. 이 시험면(도금된 영역)의 반대 면에서 2~8kN 범위의 하중을 가하여 일정 간격으로 5개의 압흔(壓痕)을 만드는데, 그 모양은 5개의 별모양 불연속으로 나타난다. 5개의 인공결함의 상태는 **표 3-1**을 이용하여 만들어도 된다. 5개의 압흔은 균일한 간격 및 크기 순서로 되어 있다. 또한 대표적인 결함의 지름은 **표 3-2**에 나타낸다. 결함의 크기는 교정된 자를 사용하여 그 최대 지름을 광학적으로 측정한다.

표 3-1 결함 번호

결함	1	2	3	4	5
적용하중 힘(kN)	2.0	3.5	5.0	6.5	8.0

표 3-2 대표적인 균열 영역의 지름

결함 번호	1	2	3	4	5
대표적인 치수(지름), mm	3	3.5	4	4.5	5.5

이 시험편의 사용방법은 ① 수세성 침투액의 세척성시험에 사용한다.

이 방법은 20 ± 5℃에서 시험할 침투액을 도포하여 가볍게 물 분무로 세척했을 때 Ra : $5\mu m$, Ra : $10\mu m$의 거칠기 부분에 잔류된 침투액이 동일조건에서 세척한 표준 침투액보다 많이 남아 있어서는 안 된다. 형광 침투액에서의 시험은 $3W/m^2$이상의 자외선조사등 아래서 실시해야 한다.

② 공정관리 시험 시스템의 성능시험에 사용된다.

결함이 있는 시험체(불합격품)의 결함 검출상태로 확인하는 것이 가장 좋지만 이런 시험체가 없는 경우에 이 시험편을 사용한다.

시험방법은 통상 사용하는 조건으로 시험을 하여 그 결과를 사진 또는 다른 적정한 수단으로 기록하고, 시험하기 전에 이 시험편으로 시험을 하여 기록으로 남겨진 지시모양과 같은 수에서 같은 모양을 나타내는 지를 확인한다. 똑같이 배경의 레벨은 기록에 남겨진 것과 같은 모양을 나타내는지를 확인한다. 또한 실제로는 시험편의 이상을 확인할 수 있도록 예비로 거의 같은 지시와 거칠기를 가진 시험편을 준비해둘 필요가 있다.

라. 도금 균열 시험편(B 형 대비시험편)

이 시험편은 도금 균열을 이용하므로 "도금 균열 시험편"이라는 부르는 것으로, KS와 JIS에서 채택하여 사용하며 B형 대비시험편이라 부른다.

이 시험편에 사용하는 재료는 황동판(黃銅板, brass)을 사용하며, **그림 3-14**와 같이 길이 100mm, 폭 70mm의 황동판 위에 두껍게 니켈 도금을 하고, 그 위에 보호막으로 얇은 크롬 도금(0.5)을 한 후, 도금 면을 바깥쪽으로 굽혀서 도금 층에 미세한 균열을 발생시킨 다음 굽힌 면을 원래대로 평평하게 한 것이다.

이렇게 균열을 발생시킨 시험편은 원칙적으로 판의 중앙에서 균열에 직각인 방향으로 절단하여 2등분 또는 중앙에 테이프를 붙여서 좌우로 구분한 2개의 면을 1조로 하여 사용한다. 판 두께에 대해서는 특별히 규정하고 있지 않다.

이 시험편의 기호는 PT-B로 표시하며, **표 3-4**와 같이 4종류를 규정하고 있다.

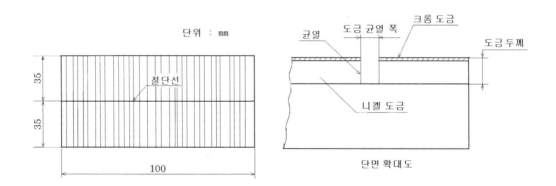

〔그림 3-14〕 도금 균열 시험편(B형 대비시험편)

표 3-4 도금 균열 시험편의 종류　단위 : μm

기호	도금 두께	도금 균열 폭(목표 값)
PT - B 50	50 ± 5	2.5
PT - B 30	30 ± 3	1.5
PT - B 20	20 ± 2	1.0
PT - B 10	10 ± 1	0.5

도금 균열 시험편(B형 대비시험편)의 특징은 다음과 같다.

1) 장점

① 균열의 깊이가 도금 층의 두께와 같으므로, 도금 층의 두께를 조정하면 깊이가 일정한 균열을 재현성 있게 만들 수 있다.

② 장시간 반복하여 사용할 수 있다.

2) 단점

① 표면이 매우 매끄러워 실제의 시험체 표면과 큰 차이가 난다.

② 도금과 곡률 가공 등에 기술을 필요로 하며, 제작이 어렵다.

3. 대비시험편의 사용 방법

가. 탐상제의 비교

탐상제에는 세척액, 침투액, 유화제, 제거액 및 현상제가 포함되는데, 이들 성능을 조사하는 방법을 다음의 2가지의 경우에 대하여 설명한다.

1) 새로운 탐상제를 선정할 경우 또는 새로 구입한 탐상제의 성능 확인

탐상제의 성능 차이를 비교할 때에는 탐상제, 즉 침투액, 유화제 및 현상제 등의 종류가 달라서 비교 검토하는 경우와 제조자가 달라서 성능의 차이를 비교하는 경우의 2가지가 있다. 그러나 이 중에서 탐상제의 종류와의 조합은 어떤 시험체를 시험하는가에 따라 결정되므로, 어떠한 종류의 침투액을 사용할 것인지의 비교를 하는 경우는 거의 없고, 일반적으로 제조자 간의 제품 성능을 비교하기 위하여 실시한다. 또한 탐상제 중 어느 하나라도 결정되면 다른 탐상제의 조합은 대부분 결정되므로, A사의 침투액에 B

사의 유화제를 실제로는 사용하지 않는다. 이런 탐상제의 비교는 대비시험편을 사용하여 실시하는데, 비교할 2개의 탐상제를 1조의 시험편의 면(**그림 3-9** 또는 **그림 3-14** 의 홈을 사이에 둔 양쪽의 면)에 적용하고, 각각 동일 또는 지정된 처리조건으로 탐상하여 어느 것이 신명한 시시모양을 나타내는지를 비교하여 적합여부를 결정한다.

그림 3-15 는 종류가 다른 탐상제를 비교한 결과를 나타낸 것이다.

또한 현재 사용 중의 탐상제와 보충 또는 교환하기 위하여 구입한 탐상제의 성능을 비교할 경우에는 처음 구입했을 때에 일부 시료로 채취(採取)해 두었던 탐상제로써, 성능이 저하되지 않게 관리 보관한 것을 기준 탐상제로 하여 이것과의 비교에 의해 실시한다. 그러므로 새로운 탐상제를 구입한 때에는 반드시 기준 탐상제를 채취하여 보관해 두어야 한다.

2) 사용 중인 탐상제의 성능 점검

탐상제는 오랫동안 보관하면 경년변화(經年變化)를 일으켜서 성능이 저하하게 된다. 특히 개방형 용기에 넣어 사용하고 있는 탐상제는 다른 물질에 의한 오염 및 성능이 떨어져서 탐상성능을 저하시키므로, 정기적으로 성능을 측정하여 오염 및 성능의 저하 정도를 점검해야 한다. 점검방법은 위의 1)의 방법과 동일한 방법으로 실시한다. 그러므로 앞에서 설명한 것과 같이 반드시 기준 탐상제를 채취하여 보관해 두어야 한다.

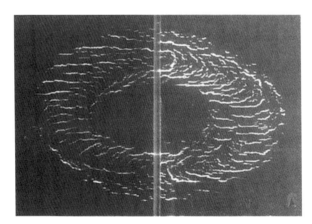

수세성 형광 침투액   고감도 수세성 형광 침투액

〔그림 3-15〕 종류가 다른 탐상제의 지시모양

나. 탐상제 성능의 점검방법

탐상제의 성능 점검은 침투액, 세척액, 유화제, 현상제 등 여러 종류의 탐상제를 한 번에 비교하는 것이 아니라, 성능을 점검하고자 하는 한 종류의 탐상제만을 비교하여 성능을 점검해야 한다.

아래에 탐상제의 성능 점검방법에 대하여 구체적인 예를 들어서 설명한다.

1) 침투액의 성능 점검

그림 3-16(a)에 수세성 형광 침투액과 건식 현상법을 조합시킨 경우의 성능 점검방법성능 점낸다. 점검은 그림과 같이 우선 기준 침투액을 대비시험편(그림 3-9 또는 그림 3-14의 홈을 사이에 둔 양쪽의 면)의 한쪽 면닐. 용하고, 점검하고자 하는 침투액을 다른 면닐. 용한다. 그리고 기타의 탐상제는 별도로 보관되어 있는 기준 탐상제를 사용하여 침투시간, 배액처리, 현상시간은 물론이고 그 밖의 일체의 탐상조작을 전부 동일하게 실시하여, 양쪽의 경우의 성능비교한다. 즉 사용 중인 침투액의 성능 점검방법을 정리하면 다음과 같다.

가) 사용 중인 침투액의 성능점검은 1조의 대비시험편의 각 면에 비교할 침투액 (기준 침투액과 점검할 침투액)을 각각 적용하여 동일 조건으로 시험해서 얻어진 결함 검출능력 및 침투 지시모양의 휘도를 비교하여 휘도의 저하 또는 색상이 변화되었을 경우는 보충하거나 폐기한다.

나) 사용 중인 침투액의 외관검사(visual inspection)는 사용 중인 침투액을 시험관 또는 비커(beaker)에 채취해 넣고 육안 및 자외선조사등 아래에서 검사를 하여 현저한 흐림이나 침전물이 생겼을 경우 및 형광 휘도의 저하, 색상의 변화, 세척성의 저하 등이 인정되었을 경우는 폐기한다.

그림 3-16 은 수세성 형광 침투액과 건식 현상법을 조합시켰을 경우의 성능을 점검한 것으로, 도금 균열시험편(B형 대비시험편)을 사용하여 수세성 형광 침투액에 수분이 혼입되어 성능이 저하된 침투액과 기준 침투액과를 비교한 결과이다. 성능이 저하된 침투액은 미세한 균열을 충분히 검출할 수 없음을 알 수 있다.

2) 유화제의 성능 점검

그림 3-16(b) 와 같이 비교하고자 하는 유화제 이외의 탐상제는 모두 기준 탐상제를 사용하고, 탐상조건 및 탐상조작은 모두 동일하게 실시하여 대비

(a) 침투액의 성능 점검

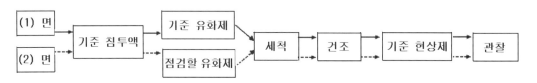

(b) 유화제의 성능 점검

〔그림 3-16〕 탐상제의 성능점검방법의 예

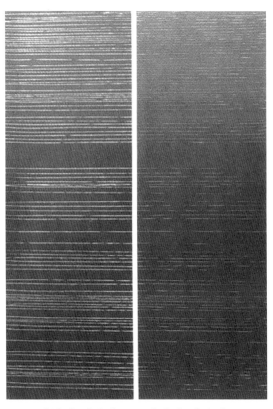

신품의 침투액　　　열화된 침투액

〔그림 3-17〕 도금 균열 시험편에 의한 수세성 형광 침투액의 성능 비교

시험편의 2면의 지시모양을 비교한다. 유화제의 성능 열화는 세척처리를 곤란하게 하여 시험체 표면에 잔류하는 침투액을 많게 하며, 이것이 배경의 휘도 또는 색상을 높여서 결함에 의해 발생하는 지시모양의 대비(contrast)를 저하시키므로 미세한 결함의 검출을 곤란하게 한다. 따라서 다른 탐상제와 함께 잘 관리를 해야 한다. 침투액, 세척액, 현상제 등도 위와 똑같이 알루미늄 담금질 균열 또는 도금 균열 시험편을 사용하여 관리를 잘하면 엄밀(嚴密)한 정량성은 얻어지지 않아도 현장에 맞는 성능 점검을 실시할 수 있다.

사용 중인 유화제의 성능 점검방법을 정리하면 다음과 같다.

가) 유화제의 성능점검은 1조의 대비시험편의 각 면에 비교할 유화제(기준 유화제와 점검할 유화제)를 각각 적용하여 동일 조건으로 시험해서, 유화 성능이 저하되었을 경우는 폐기한다.

나) 유화제의 외관검사는 사용 중인 유화제를 시험관 또는 비커에 채취해 넣고 육안으로 검사하여 현저한 흐림이나 침전물이 생겼을 경우 및 점도의 상승으로 인하여 유화 성능의 저하가 인정되었을 경우는 폐기한다.

3) 현상제의 성능 점검

사용 중인 현상제의 성능 점검방법도 위와 같은 방법으로 실시한다.

가) 현상제의 성능점검은 1조의 대비시험편의 각 면에 비교할 현상제(기준 현상제와 점검할 현상제)를 각각 적용하여 동일 조건으로 시험해서, 현상제의 부착상태가 균일하지 않은 경우 및 침투 지시모양의 식별성이 떨어지고 현상성능이 저하되었을 경우는 폐기한다.

나) 건식 현상제의 외관검사는 사용 중인 건식 현상제를 비커에 채취해 넣고 육안 및 자외선조사등 아래에서 시험하여 현저한 형광의 잔류가 생겼을 경우 및 응집(凝集)입자가 생기고 현상성능의 저하 등이 인정되었을 때는 폐기한다.

다) 습식 현상제의 외관검사

물 분산형의 습식 현상제는 현상제 가루를 물에 현탁시킨 액이므로, 사용 중에 농도변화나 오염에 의한 변질을 일으켜서 시험체의 현상처리 시에 부착성이 변화하여 관찰 시 올바른 판정을 하는데 장해가 되기 쉽다. 사용 중인 현상제를 비커에 채취해 넣고 육안 및 자외선조사등 아래에서 검사하여 현저한 형광의 잔류가 생겼을 경우 및 적정 농도가 유지되지 않으며, 현상제의 성능 저하가 예상될 때에는 교환 또는 추가한다.

다. 사용 후 대비시험편의 후처리

대비시험편은 한 번 사용하면 균열 속에 침투액이나 현상제가 잔류하게 된다. 특히 현상제는 균열 속으로 들어가 메워져서 반복하여 사용한 경우에는 대비시험편으로서의 기능이 현저히 저하된다. 따라서 대비시험편은 사용 후 곧 바로 세척하고, 잔류물을 제거하여 보관해야 한다.

잔류물을 제거하는 방법에는 용제를 사용하는 방법과 화학반응을 이용하는 방법 그리고 가열하는 방법 등이 있으나, 시험편의 재질 및 결함의 성질에 따라 적절한 방법을 선택하여 사용한다. 여기서 주의할 사항은 결함 폭을 넓게 하는 산(酸) 세척 등은 피해야 한다.

가장 일반적으로 사용되고 있는 것이 유기용제(organic solvent)를 사용하는 증기세척(vapor degreasing)과 담금 그리고 초음파 세척(ultrasonic cleaning)이 있으며, 사용횟수와 세척의 빈도에 따라 단독 또는 조합시켜 이용한다.

【 익 힘 문 제 】

1. 침투탐상시험에 사용되는 탐상제의 종류에 대하여 설명하시오.

2. 침투액에 요구되는 일반적인 성질 및 성능에 대하여 설명하시오.

3. 세척액에 요구되는 성질에 대하여 설명하시오.

4. 유화제에 요구되는 성질에 대하여 설명하시오.

5. 현상제에 요구되는 성질에 대하여 설명하시오.

6. 에어로졸 제품을 취급할 때 주의할 사항에 대하여 설명하시오.

7. 침투탐상장치가 갖추어야 할 최소한의 조건에 대하여 설명하시오.

8. 대비시험편의 사용목적에 대하여 설명하시오.

9. 대비시험편의 구비조건에 대하여 설명하시오.

10. PSM-panel(TAM-panel)의 특징에 대하여 설명하시오.

11. 알루미늄 (담금질 균열)시험편(A형 대비시험편)의 제작방법에 대하여 설명하시오.

12. 도금 균열 시험편(B형 대비시험편)의 제작방법 및 특징에 대하여 설명하시오.

13. 탐상제(침투액, 유화제, 현상제)의 성능 점검방법에 대하여 설명하시오.

제 4 장 침투탐상시험의 실시방법

제 1 절 침투탐상시험의 절차

여기서는 침투탐상시험의 각 순서에 따른 처리방법에 대하여 설명한다. 이들 탐상 순서 중 어느 하나라도 적합하지 않으면 시험능력을 충분히 발휘하지 못하여 신뢰성 있는 시험을 할 수 없게 된다. 침투탐상시험의 결함 검출능력(detectability)은 탐상 제의 성능과 시험조작의 적합여부에 따라 결정되는데 우수한 탐상제를 사용하더라 도 탐상순서에 따른 조작이 적합하지 않으면 높은 검출능력을 기대할 수 없게 된다. 그러므로 시험의 신뢰성은 비파괴검사원에 의해 결과가 좌우된다고 해도 과언이 아 니다. 따라서 비파괴검사원은 시험목적을 달성하기 위해서 정해진 방법에 관한 충분 한 지식을 갖추어야 하며, 각 순서대로 정확하게 시험을 실시해야 한다.

참고로 **그림 4-1** 에서 **그림 4-4** 까지 **ASTM E 165/ASME SE 165**-2007의 형광 및 염색 침투탐상시험의 일반적인 처리공정 순서도를 나타낸다.

1. 전처리

침투탐상시험을 실시하려면 우선 시험체의 표면상태가 탐상시험에 적합하게 준비되 어 있어야 한다. 시험체의 표면에는 녹, 산화 스케일 및 도장(塗裝) 등과 같이 침투액 이 결함 속으로 침투하는 것을 방해하거나 결함의 열린 부분을 막을 우려가 있는 이물 질(異物質)이 없어야 한다. 이들을 제거하는 방법에는 표면처리와 표면세척 또는 표면 청소가 있다.

표면처리는 금속 표면의 일부를 연삭기(grinder) 등으로 실시하는 기계적 처리를 하 거나 에칭(chemical etching)과 같은 화학적 처리로써 금속 표면을 부식시켜 새 금속 표면이 노출되도록 만드는 것이다.

표면 세척 또는 표면 청소는 시험체에 부착되어 있는 유지류(油脂類)나 수분을 제거 하는 것으로, 표면처리와 같이 새로운 금속 표면이 노출되게 만드는 것은 아니다. 따라 서 표면처리는 좁은 뜻으로 금속의 표면 상태를 바꾸는 것이기 때문에 기계 가공면이

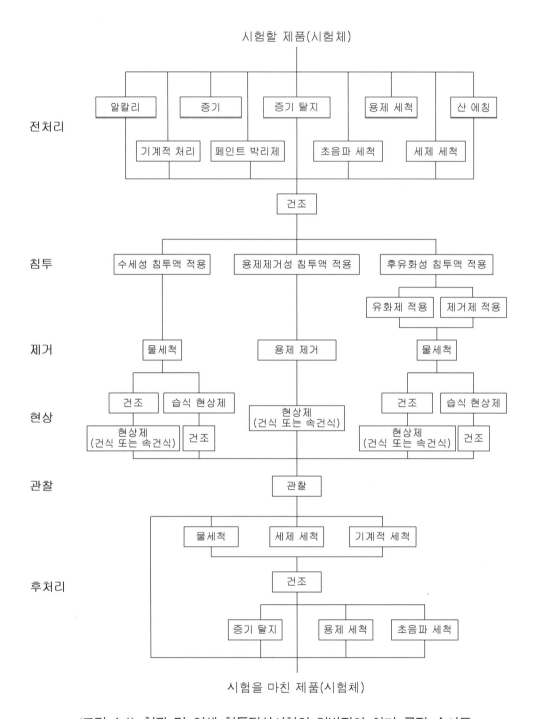

〔그림 4-1〕 형광 및 염색 침투탐상시험의 일반적인 처리 공정 순서도
(ASTM E 165 /ASME SE 165)

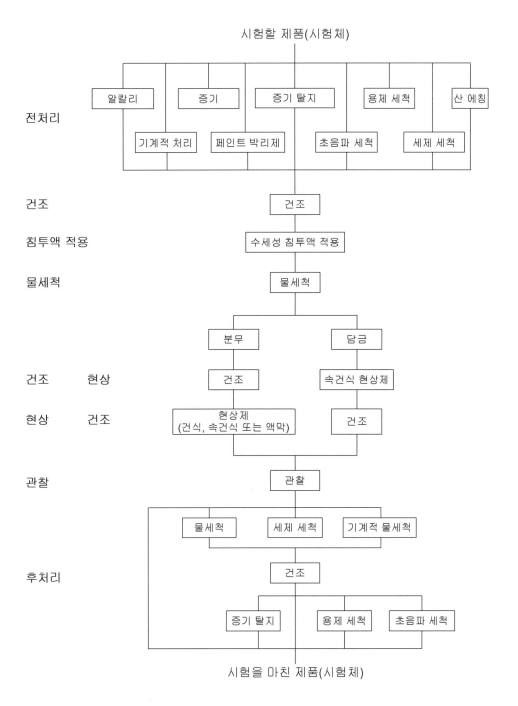

〔그림 4-2〕 수세성 침투탐상시험의 일반적인 처리 공정 순서도
(형광 침투탐상시험은 ASTM E 1219 /염색 침투탐상시험은 ASTM E 1220 참조)

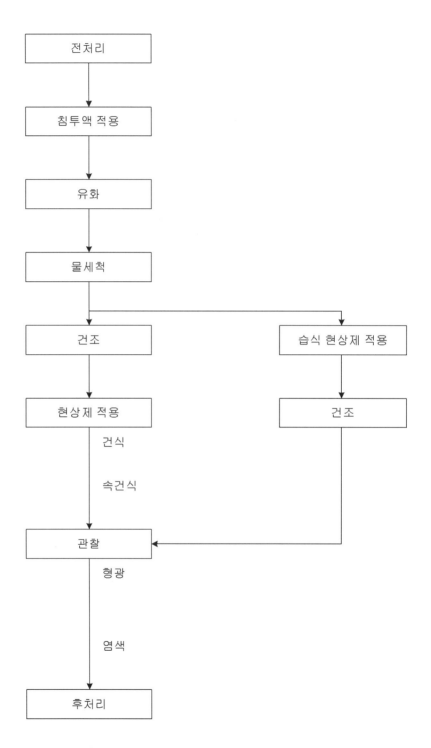

〔그림 4-3〕 후유화성 침투탐상시험의 처리 공정 순서도(형광 및 염색)

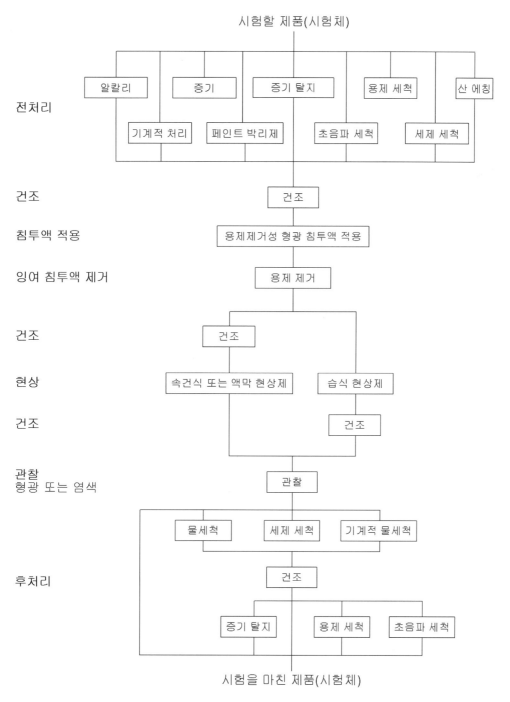

〔그림 4-4〕 용제제거성 침투탐상시험의 일반적인 처리공정 순서도
(형광 침투탐상시험은 ASTM E 1219 /염색 침투탐상시험은 ASTM E 1220 참조)

있는 시험체에는 적용하기 어렵다. 표면처리는 일반적으로 침투탐상시험을 하는 비파괴검사원이 할 수 있는 것이 아니기 때문에 시험준비(또는 시험전 준비)라 하고, 전처리와 구별하고 있다. 표면세척이나 표면청소(이하 표면세척이라 함)는 시험체 표면이나 결함 내부에 존재하는 유지류(油脂類), 무기물질(無機物質) 또는 수분(=물기)에 의한 오물을 제거하는 것으로, 대부분의 전처리는 이 처리를 말한다.

전처리는 침투탐상시험에서 가장 중요한 처리로써, 정확하게 전처리를 해야만 성공적으로 탐상시험을 할 수 있는 필수적인 단계이다. 따라서 알맞은 방법을 선정하여 실시해야 하는데 어떠한 전처리 방법을 사용할 것인지는 시험체의 재질, 경도(硬度), 표면상태 및 시험체에 부착되어 있는 이물질의 성질 등을 고려하여 선정해야 한다.

가. 오물의 종류에 따른 제거방법

시험체를 더럽히는 오물(汚物)의 종류에는 유기물질(有機物質)과 무기물질 그리고 고형물(固形物)의 오물 및 수분(水分)으로 크게 나누는데, 이들 오물의 종류에 따른 제거방법에 대하여 설명한다.

① 유기질의 오물 : 주로 유지류(油脂類)의 오물이다. 기계 가공에 따른 기계유, 절삭유 등과 같이 점성이 낮은 유지류의 오물은 세척액(cleaner)과 유기용제(organic solvent)로 세척한다. 그리고 소형의 시험체들은 초음파 세척(ultrasonic cleaning) 장치로 깨끗이 한다. 그리스(grease)와 같이 점성이 높은 오물은 유기용제로는 간단히 탈지(脫脂)되지 않으므로, 유기용제를 사용하는 증기 세척(vapor degreasing)이나 계면활성제를 용해하는 물을 분무하여 세척하거나 유기용제를 사용하는 초음파 진동에 의한 세척 또는 에칭 등으로 탈지(脫脂)한다. 이들 세척방법은 시험체 표면을 세척하는 것이므로, 결함 내부의 세척은 세척액과 유기용제에 의해 2중으로 세척해야 한다.

② 무기질의 오물 : 먼지, 점토(粘土), 진흙 이외에 현상제의 부착 등은 솔질이나 수용성 계면활성제를 사용한 세제(detergent)나 물 세척으로 제거한다. 세제는 시험체에 부식성이 없는 세제를 사용해야 한다. 세제를 사용하는 세척법은 모든 시험체에 사용 가능하다.

③ 고형물의 오물 : 녹, 산화 스케일, 도료(paint, varnish 등) 등은 기계적 처리와 화학적 처리방법으로 제거한다. 녹이나 도료와 같은 고형물의 오물 이외에 기름과 윤활유(slush)가 섞인 점성이 높은 유지류의 오물들이 있는 경우는 샌드 블라스트(sand blast) 등으로 처리 요청하고, 블라스트 처리 후에는 연삭 마무리를 해야 한다. 또한 쇠솔(wire brush), 연삭기(grinder) 등으로 처리했을 때에도 결함의 열

려 있는 부분을 막을 우려가 있으므로, 기계적 처리방법은 가능한 한 사용하지 않는 것이 바람직하다. 기계 가공부는 유기용제로 충분히 탈지되는 방법으로 처리한다. 화학적 처리방법에는 산 세척(acid cleaning), 알칼리 세척(alkaline cleaning) 및 용제에 의한 증기 탈지(vapor degreasing), 용제 세척(solvent cleaning) 등이 있으며, 산세척 및 알칼리 세척은 표면을 부식시켜 고형물을 제거하는 방법이기 때문에 결함 속의 이물질도 세척이 되므로 효과는 가장 좋다. 그러나 기계 가공면에는 적용해서는 안 된다. 시험체 표면이 페인트로 도장되어 있을 때에는 페인트 제거제(paint remover)나 도막 박리제 등을 사용하여 제거한다. 도장의 피막은 시험체의 표면이 완전하게 노출되도록 완전히 제거해야 한다. 제거 후에는 물로 시험체를 충분히 세척한 후 건조시켜야 한다.

④ 수분(水分) : 유기용제를 다량(多量) 사용하여 유지류를 제거한 후나 습도가 높은 경우에는 시험체 표면 및 결함 내부에 수분이 남아 있을 수가 있으므로 건조가 필요하다. 건조는 건조기(dryer) 등에 의한 열풍 건조가 효과적이지만, 용제 세척을 했을 때에는 자연 건조시킨다. 또한 온풍으로 시험체를 뜨겁게 하는 것도 다음 공정인 결함 속으로 침투액을 침투시키는 것을 도와주기 때문에 중요한 처리라 할 수 있다. 기온이 0℃ 이하에서 침투탐상시험을 해야 하는 경우는 시험 면이 얼어 있을 수도 있으므로, 시험체를 따뜻하게 하고 나서 침투처리를 해야 한다.

나. 주의할 사항

① 시험체 표면의 전처리는 자분탐상시험 이상으로 엄격하게 실시해야 한다. 자분탐상시험은 시험체 표면에 얇은 비자성의 도막이 있어도 두께가 얇은 경우는 그대로 시험이 가능하지만, 침투탐상시험은 어떠한 얇은 막이라도 표면을 덮고 있으면 시험이 곤란하다. 또한 표면이 열려있는 결함이라도 그 결함 속이 이물질로 막혀 있으면 침투액이 침투할 수 없어서 결함 검출은 불가능하다. 시험체 표면에 이물질이 부착되어 있으면 배경(background)이 좋지 않아서 의사모양(non-relevant indication)을 발생시키는 원인이 되며, 부적절한 전처리로 많은 양의 이물질이 부착되어 있으면 침투액을 오염시키므로 전처리는 확실하게 해야 한다.

② 산 세척이나 전해연마(electrolytic polishing), 화학연마(chemical polishing) 등의 화학적 방법으로 처리한 경우에는 그 후 부식의 진행을 막기 위하여 시험

면 및 결함 내부를 중화(中和, neutralization)시킨 다음 충분한 물로 세척하고 건조시켜야 한다.

③ 용제 세척제(solvent cleaner, solvent remover)를 사용한 경우는 용제가 증발 후 시험체 표면에 수분(水分) 막(膜)이 형성되므로, 용제 세척 후에는 시험체 표면 및 결함 속을 반드시 건조시켜야 한다. 일반적으로 자연 건조로는 5분 이상, 열풍 건조기를 사용하는 경우는 몇 초 정도면 된다.

④ 수용성 세척제를 사용한 경우는 다음에 반드시 물을 사용하게 되므로 건조가 부족하면 전처리제에 의해 침투액이 열화된다. 특히 강산(强酸)이나 강 알칼리가 표면에 남아있으면 다음 공정에서 침투액을 적용했을 때 액의 조기(早期) 피로를 가져오고, 또한 결함 속의 침투액에 침범해서 적절한 지시모양을 얻을 수 없게 한다. 따라서 강산이나 강 알칼리로 전처리를 실시한 경우는 반드시 중화와 물 세척을 하고나서 건조시켜야 한다.

⑤ 용제 증기 탈지법을 사용한 경우는 그 용제가 염소계 용제인 경우는 빛과 습기의 작용에 의해 용제가 분해되어 염산, 기타 부식성 물질을 발생시켜 녹이 발생할 위험이 있으므로 주의하지 않으면 안 된다.

2. 침투처리

침투처리는 전처리로 깨끗하게 청소된 시험체의 표면에 침투액을 적용하여 결함 속으로 충분히 침투액이 스며 들어갈 수 있게 하는 처리를 말한다. 침투처리의 방법에는 담금법(dipping method), 분무법(spray method), 솔질법(brushing method) 및 정전기를 이용하는 정전 도포법(electrostatic spray method) 등이 있으며, 가끔 붓기법(pouring method)과 샤워법(shower method)이 사용되기도 한다. 침투처리를 할 때에는 시험체 표면의 어느 부분에 결함이 있는지를 알 수 없으므로, 시험할 모든 부분의 표면이 침투액으로 잘 적셔지게 해야 한다. 시험할 표면을 침투액으로 완전히 적실 수 있으면 위의 어떠한 방법을 사용하더라도 상관은 없다.

침투처리는 시험체의 크기(전체 또는 국부)와 수량, 형상 그리고 환경조건(옥외, 옥내, 환기, 화기의 존재 등), 가격 및 반복 사용여부 등에 따라 가장 적합한 방법을 선택하여 사용한다.

침투처리는 침투액의 적용과 침투시간으로 나눌 수 있으며, 여기서 가장 중요한 것은 침투액이 결함 속으로 스며들어가는 침투시간(penetration time)이다.

가. 침투액의 적용방법

1) 담금법

담금법은 시험체를 침투액 속에 담그어 침투처리를 하는 방법으로, 시험체의 전체 면을 침투액으로 한 번에 적실 수 있어서 가장 안정되게 침투처리를 할 수 있다. 이 방법은 일반적으로 수세성 형광 침투탐상시험과 후유화성 형광 침투탐상시험에 많이 적용되고 있지만, 침투액 통에 많은 량의 침투액을 사용함에 따라 소형의 대량 생산부품의 시험에는 적합하지만, 대형 부품의 시험 및 출장시험 등에는 적합하지 않다. 또한 개방형 통에 든 침투액을 반복해서 사용하기 때문에 침투액의 성능이 저하될 수 있으므로, 성능이 일정하게 유지되도록 관리가 필요하다. 침투처리를 할 때 시험체 전체가 침투액에 담그어져야 하는데 침투시간 동안 시험체를 침투액 속에 담그어 둘 필요는 없고, 한번 담그었다가 꺼내어 배액대 위에 얹어두면 여분(餘分)의 침투액이 밑으로 떨어져서 제거된다. 이러한 처리를 배액(drain)이라 하며, 다음 처리공정인 유화처리나 세척처리의 효과를 높이기 위한 중요한 처리공정 중의 하나이다. 담금법은 어떠한 침투액에도 적용할 수 있지만 용제제거성 침투액과 같이 휘발성이 강한 침투액은 시간 경과에 더불어 침투액 속의 용제가 휘발되어 침투액의 특성에 변화를 일으킬 우려가 있으므로, 이러한 침투액을 담금법으로 적용할 때는 침투액 통에 밀봉되는 뚜껑을 사용하여 휘발(揮發)을 방지하도록 해야 한다.

2) 분무법

분무법은 압축공기 또는 충전(充填)된 가스 압력(에어로졸 제품)을 이용하여 분무노즐을 통하여 침투액을 분사시켜 시험체에 침투액을 도포하는 방법이다. 이 방법은 각종 침투액에 적용 가능하며, 특히 대형 부품 또는 대형 구조물의 부분탐상에 가장 적합한 침투처리 방법이지만, 넓은 범위의 적용은 불편하므로 대량 생산부품, 대형부품 또는 구조물 등의 전면탐상에는 적합하지 않다. 부분 탐상할 때에도 필요 이상으로 넓은 면적까지 침투액이 분무되어 주위를 오염시키는 단점이 있다. 분무법으로 적용하면 압축공기 또는 에어로졸 통의 가스 압력으로 침투액이 분무 노즐에서 미세한 입자모양 또는 안개모양으로 분사되기 때문에 침투액의 일부가 공기 중으로 날아가 흩어지게 된다. 따라서 분무법의 도포효과는 담금법 또는 솔질법에 비해 매우 낮다. 특히 침투탐상시험 중에서도 가장 광범위하게 활용되고 있는 용제제거성 염색 침투탐상시험은 거의가 에어로졸 방식에 의한 분무법으로 침투액을 적용하므로, 침투액을 도포할 경우는 공기 중으로의 침투액의 비산(飛散)을 최대한 줄여 효과적인 처리가 되도록 해야 한다.

3) 솔질법

솔질법은 붓 또는 자루가 달린 솔 등에 침투액을 묻혀 시험 면에 침투액을 바르는 방법이다. 이 방법은 일반적으로 대형 부품 또는 대형 구조물의 부분탐상에 가장 적합한 방법으로 활용되고 있으나 대량 생산부품 및 대형 부품, 구조물 등 복잡한 형상을 하고 있는 시험체의 전면탐상에는 적합하지 않다.

4) 정전 도포법

정전 도포법(electrostatic spray method)은 페인트 도장에 사용하는 정전 도장(靜電塗裝)방법을 응용한 것으로, 종래의 분무법과는 달리 정전기(靜電氣)를 이용하므로 모양이 복잡한 시험체나 넓은 면적에 고르게 침투액을 도포할 수 있는 방법이다.

정전 도포법에 사용하는 분무 총(spray gun)의 끝에는 특수한 전극이 부착되어 있어서, 이 전극에 저주파 고압 발생장치에 의해 발생한 60kV의 높은 전압을 걸어 분무 총의 끝 주위에 이온권을 형성시킨다. 침투액이 분무 총의 끝에서 분사될 때, 이 이온권을 통과하면 높은 전압의 정전기(−)를 띠게 되므로 분사된 (−)의 침투액 입자는 정전기의 흡인력에 의해 한쪽이 접지(earth)된 시험체(+)에 흡착된다.

그림 4-5는 정전 도포방법에 의한 침투액의 흡착(吸着) 구조를 나타낸다.

일반적인 분무법의 경우 분사 면에만 침투액이 부착되는데 비해, 정전 도포방법을 이용하면 한 방향의 분사로 그 반대 면에도 침투액이 흡착되므로 매우 효과적으로 침투처리를 할 수 있다. 또한 정전기의 흡인력을 이용하므로 도포효과가 높으며, 일반 도포방법의 부착효과가 20~30%에 비해, 정전 도포방법은 60~70% 정도의 부착 효과가 있다. 따라서 작업장에서

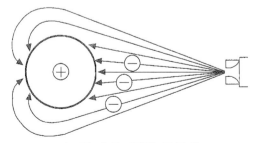

〔그림 4-5〕 정전 도포법

액체의 비산이 적으므로 좋은 환경에서 작업이 가능하다.

이 방법은 액체는 물론 건식 현상제와 같은 분체(粉體)에 대해서도 적용이 가능하다. 다만, 물과 같은 전기의 양도체에 대해서는 사용할 수 없다. **그림 4-6**은 정전 도포방법으로 건식 현상제를 적용하는 예를 나타낸다.

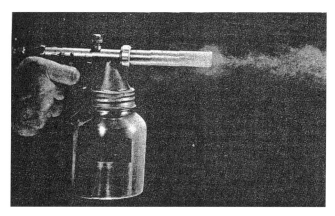

〔그림 4-6〕 정전 도포방법의 분무 총으로 건식 현상제를 적용하는"예"

나. 배액

배액(drain)은 시험체를 침투처리한 후 다음 조작 순서인 유화처리 또는 세척처리를 쉽고 확실하게 하기 위하여 시험체를 배액대 위에 일정시간 동안 올려놓고 시험체 표면에 필요 이상으로 도포되어 있는 침투액을 자연스럽게 흘러내리게 하는 등의 목적으로 실시하는 처리로써, 수세성과 후유화성 침투탐상시험에서만 적용된다.

배액시간(drain time)은 침투시간에 포함되므로, 배액을 수반하는 침투처리를 할 경우는 배액시간을 고려하여 침투시간을 결정해야 한다. 배액시간은 침투처리 방법 및 시험체의 형상, 크기 또는 시험면의 거칠기 등에 따라 다르지만, 중요한 것은 시험체의 표면에 충분한 침투액의 도막 면(塗膜面)을 유지하고, 또한 전체 면의 피막이 균일하게 되도록 하는 것이다. 그러나 배액시간이 길어지면 침투액이 건조되어서 침투효과가 저하되며 세척처리가 곤란한 경우도 있으므로 주의해야 한다.

후유화성 침투탐상시험의 경우는 표면 침투액의 도막 면의 두께가 유화처리에 영향을 미친다. 즉 침투액의 도막 두께가 두꺼우면 유화시간이 길어야 하고, 얇으면 짧아야 하기 때문에 부분마다 도막의 두께가 다르면 균일한 유화처리가 어렵게 되어, 세척할 때 얼룩을 만들어 이상적인 세척처리가 되지 않아 후유화법의 특징을 발휘할 수 없게 된다.

또한 많은 양의 침투액이 부착되어 있는 상태로 유화제 통 속에 담그게 되면, 유화제가 빠르게 침투액과 섞여서 유화제의 열화를 촉진하게 된다.

수세성 침투탐상시험의 경우에도 오목(凹)부분에 남은 침투액이 세척처리에 영향을 미친다. 침투액의 도막 두께에 차이가 있으면 세척 사이도 세척 얼룩이 생겨서 부분적으로 과세척이 되거나 세척부족이 되기도 한다. 이와 같이 침투처리할 경우 배액처리의 조작 역시 위에서 설명한 것과 같이 다음 처리에 중대한 영향을 미치므로 주의하여 확실하게 처리해야 한다.

다. 침투시간

시험체에 침투액을 적용하고 나서 다음 처리(유화처리 또는 세척처리)를 할 때까지의 시간을 침투시간(penetration time)이라 한다. 침투시간은 침투액이 시험체의 결함 속으로 충분하게 스며드는데 필요한 시간으로, 예상되는 결함의 종류와 크기, 사용하는 침투액의 종류, 시험체의 재질 및 형태, 시험체와 침투액의 온도 등을 고려하여 정한다.

1) 시험체의 재질

시험체의 재질에 따라 접촉각이 다르다. **제 1 장**의 적심성에서 설명한 것과 같이 액체의 적심현상은 액체가 고체의 표면을 적실 때 액체가 고체로 퍼져나가는 앞쪽 끝에서 액면에 접하는 선과 고체 표면과 이루는 각도인 접촉각을 측정하여 정한다. 접촉각이 크면(90° 이상) 적심성이 나쁘므로 침투시간을 길게 하고, 작으면 침투시간을 짧게 한다.

2) 예상되는 결함의 종류와 크기

예상되는 결함의 종류와 크기는 침투시간에 영향을 미친다. 특히 작은 결함은 그 만큼 침투액이 스며드는 양이 적고 결함 속 공기와의 치환도 충분하지 않기 때문에 필요로 하는 침투액이 충분하게 스며들게 하기 위해서는 보다 긴 시간을 필요로 한다. 반대로 큰 결함은 결함 속으로 침투액이 스며드는 양이 많고, 공기와의 치환도 쉽게 할 수 있기 때문에 침투시간은 짧아도 된다.

3) 시험체와 침투액의 온도

침투시간은 시험체와 침투액의 온도가 10℃~50℃의 범위인 경우, 10분 전후로 하는 것이 일반적이다. 다만 이 온도범위라도 결함의 폭이 좁은 피로균열(fatigue crack)이나 연마균열(grinder crack) 등은 침투액이 결함 속으로 침투하기 어렵기 때문에 일반적인 침투시간으로는 결함을 검출할 수 없는 경우도 있다. 이러한 경우에는 이와 유사한 성질을 가진 결함으로 실험을 하여 미리 침투시간을 정해 두어야 한다.

온도가 높으면 침투시간을 짧게 한다. 이는 침투액의 점성이 침투시간에 영향을 미치기 때문으로, 높은 온도에서 시험하면 침투액의 점성이 낮아져서 침투시간은 짧아도 된다. 그러나 온도가 너무 높은 것은 바람직하지 않으며, 시험체의 최고 온도는 50℃ 정도에 그쳐야 한다. 이 이상의 온도에서는 침투액이 열화되어 성질이 변화될 우려가 있으므로 주의해야 한다.

온도가 낮으면 침투시간을 조금 길게 해야 하며, 4℃ 이하의 매우 낮은 온도에서 시험이 예상되는 경우에는 미리 침투시간을 실험적으로 결정해 두어야 한다. 4℃ 이하의 온도에서는 침투액의 점성이 높아져서 침투속도가 극단적으로 저하되므로, 침투시간을 조금 길게 해도 침투액이 결함 속으로 충분히 침투되지 않을 우려가 있기 때문이다. 온도가 낮을 때 가장 좋은 방법은 시험체를 10℃~50℃까지의 범위로 온도를 높이고 나서 시험하는 것이다. 그러나 가열(加熱)은 침투액의 성질을 나쁘게 하고, 또한 안전 위생상으로도 바람직하지 않다. 침투액의 가열은 침투액의 성능을 저하시키는 원인이 되므로, 높은 온도로의 가열은 가급적 피해야 한다. 만일 시험체가 열처리 직후이거나 또는 예열되어 있어서 온도를 적정한 범위 내로 낮출 수 없는 경우에는 그 온도에 적합한 고온 탐상제를 사용해야 한다. 이때도 시험조건, 시험 실시요령을 정해 두어야 한다.

위와 같이 침투시간은 온도와 밀접한 관계가 있으며, 침투시간이 짧으면 결함의 검출능력이 저하되므로 아주 주의하지 않으면 안 된다. 하지만, 그렇다고 해서 필요이상으로 침투시간을 길게 해도 결함 검출능력은 개선되지 않는다. 오히려 침투시간이 길어지면 적정한 온도 범위 내라 하더라도 환경조건에 따라 시험체 표면의 침투액의 휘발성분이 증발함으로서 점성이 상승되어 다음의 세척처리를 곤란하게 한다. 이러한 때에는 시험체의 표면에 다시 침투액을 도포해서 침투액으로 충분히 적셔지게 하여 세척성을 갖도록 해야 한다. 특히 용제 제거성 침투액에는 휘발성분이 함유되어 있으므로, 침투시간 중 시험면이 충분히 적셔지게 항상 주의해야 한다.

침투시간은 일반적으로 정해진 것은 없고, 표준 온도범위에서 제조 중의 결함 등 비교적 깊이 있는 결함을 찾고자 하는 경우 표준 침투시간으로 하며, 미세한 결함을 검출하고자 하는 보수검사와 같은 경우는 사용하는 침투액에 맞춘 침투시간을 사전에 조사해 두어야 한다.

ASME Sec. Ⅴ art. 6-2007에서의 최소 침투시간은 침투액 및 시험체가 10~52℃ (50~125℉)인 표준 온도의 범위에서 5~10분을 기준으로 하고 있으며, 5~10℃(40 ~50℉)의 온도 범위에서는 10~20분을 기준으로 하고 있다.

표 4-1은 ASME SE-165-2007에서 규정하는 각종 재질과 결함의 종류에 따른 최소의 적용시간(침투시간과 현상시간)을 나타낸다.

KS B 0816-2005에서 규정하는 침투시간은 15~50℃의 온도 범위에서는 ASME 와 같으나 KS 규격에서는 현상시간이 모두 7분으로 되어 있다.

표 4-1 최소 적용시간

재 질	형 태	결함의 종류	체류시간(분)	
			침투액	현상제
알루미늄, 마그네슘, 강, 동, 티타늄	주조품, 용접부	쇳물경계(탕계), 기공, 융합불량, 균열	5	10
	압출품, 단조품, 판	겹침(lap), 균열	10	10
카바이드 팁붙이 공구		융합불량, 균열, 기공(porosity)	5	10
플라스틱, 유리, 세라믹	모든 형태	균열(crack)	5	10

비고 1. 온도범위 : 형광 침투액은 10~38℃, 염색 침투액은 10~52℃.
　　　 2. 침투액의 최대 적용시간은 제조자가 권고한 최대시간을 초과해서는 안 된다.
　　　 3. 허용되는 최대 현상시간은 습식 현상제일 때는 2시간, 속건식 현상제일 때는 1시간이다.

그리고 KS B ISO 3452-2006에서는 침투시간이 침투액의 성질, 시험온도 및 재료, 특정 결함에 좌우되므로, 시험체 표면은 침투액으로 완전히 적셔지게 하고, 침투액이 침투시간 동안 건조되어서는 안 된다고 규정하고 있다. 그리고 침투액 제조자가 추천(권고)한 시간 미만이어서는 안 되며, 침투시간을 길게 한다고 감도가 저하되지 않으므로, 미세한 결함을 검출하는 경우는 침투시간을 길게 할수록 좋다고 되어 있다.

3. 유화처리

후유화성 침투탐상시험에서 사용하는 침투액은 유화제를 적용하지 않으면 그대로 물 세척이 안 되므로, 침투처리를 한 후 시험 면을 덮고 있는 침투액에 유화제를 적용하여 물 세척이 가능하도록 하는 것을 유화처리라 한다. 유화처리는 후유화성 침투탐상시험에서만 필요한 처리로써, 사용하는 침투액이 수세성(水洗性)을 갖도록 하기 위해서 정해진 침투시간이 경과한 후에 유화제를 적용하는 처리공정을 말한다.

유화제에는 기름 베이스 유화제(lipophilic emulsifier)와 물 베이스 유화제(hydrophilic emulsifier)가 있다.

유화처리를 할 경우는 시험체 표면의 잉여 침투액에만 유화제를 작용시키고, 결함 속의 침투액에는 유화제가 작용되지 않도록 시간을 정하여 처리하면, 세척처리를 해도 시험체 표면의 잉여 침투액은 잘 제거되지만, 결함 속의 침투액은 전혀 제거되지 않으므로 과세척이 발생하지 않는다. 그러므로 후유화성 침투탐상시험은 다른 방법에서는 과세척이 되기 쉬운 얕은 결함이나 열린 폭이 넓은 결함 등을 확실하게 검출할 수 있는 특성이 있다.

유화처리의 방법은 시험체를 유화제 속에 담그거나 유화제를 시험 면에 가볍게 붓는 방법으로 적용한다. 솔질을 하거나 유화제를 적용하고 나서 유화제와 시험체 표면의 잉여 침투액이 잘 혼합되라고 저어주게 되면 유화제와 침투액의 혼합이 불균일하게 되고, 때때로 결함 속의 침투액에 까지 유화제가 작용하여 시험의 특성을 잃어버리게 된다.

유화제를 적용하고 나서 다음 공정인 세척처리에 들어가기까지의 시간을 유화시간(emulsification time)이라 하는데, 이 시간은 유화제가 침투액 속으로 들어가는 깊이와 관계되며, 더 나아가서는 세척효과에 큰 영향을 미친다. 따라서 침투액과 유화제의 도막 얼룩(불균일한 적용)과 함께 후유화성 침투탐상시험의 신뢰성을 확보하는데 있어서 중요한 인자가 되므로, 적용에 있어서는 가장 적합한 유화시간을 설정해야 한다.

유화시간은 세척처리를 정확하게 할 수 있는 시간이어야 하므로, 유화제의 점성(유화제의 종류, 시험체의 온도 등), 유화제에 침투액의 혼입량 또는 수분의 혼입량, 시험체의 형상 및 시험 면의 표면 거칠기, 잉여 침투액의 도막 두께 등을 고려하여 시험 실시 전에 적합한 유화시간을 파악해 두어야 한다. 기름 베이스 유화제는 시험체의 형상 및 표면 거칠기에 크게 영향을 미치지만, 물 베이스 유화제는 유화제의 농도에만 의존한다.

가. 기름 베이스 유화제

기름 베이스 유화제(lipophilic emulsifier, oil base)는 유성기제(油性基劑, water in oil)와 계면활성제와의 혼합액으로 시판되고 있는 유화제를 원액 그대로 사용하며, 침투시간이 경과된 시험체 표면의 침투액에 적용한다. 유화제의 적용방법은 잉여 침투액과의 균일한 혼합이 요구되기 때문에 시험체를 유화제의 통에 담그었다가 끄집어내는 담금법이 가장 좋으며, 흘림(flooding)법이나 붓기(pouring)법으로도 적용할 수 있으나 솔질법으로 적용해서는 안 된다.

후유화성 침투탐상시험은 유화제의 적용에서부터 세척처리를 시작할 때까지 시간 즉, 유화시간의 길고 짧음이 결함의 검출감도를 크게 좌우한다. 유화시간이 너무 짧으면 잉여 침투액이 충분히 세척되지 않아 배경(background)이 나빠지며, 너무 길면 결함 내부의 침투액에 까지 유화제가 작용하여 세척처리를 할 때 씻겨나가게 되어 좋지 않다. 유화에 필요한 시간은 시험체 표면의 잉여 침투액 양에 따라 달라지므로 기름베이스 유화제를 적용하는 경우는 침투시간에서 배액을 충분히 해야 한다. 가장 적당한 유화시간을 설정할 때에는 시험체의 형상 및 표면상태에 따라 시간이 다르기 때문에 시험체 마다 정하는 것이 바람직하다. 그러므로 침투탐상시험을 실시할 때의 기온(또는 액의 온도)을 미리 예측하고서 대표적인 온도(예 : 최저 온도와 최고 온도의 2점 설정)에서 정해지는 세척조건(수압, 수온, 유량 등)으로 잉여 침투액이 세척되는 정도를 확인하여, 잉여 침투액이 세척되는 최소시간으로 한다. 유화시간은 시험을 시작하기 전에 미리 실증시험을 실시하여 시간을 결정해 두어야 한다.

KS B 0816-2005에서는 유화시간을 기름베이스 유화제를 사용하는 시험에서 형광 침투액을 사용할 때는 3분 이내, 염색 침투액을 사용할 때에는 30초 이내로 하도록 규정하고 있다.

나. 물 베이스 유화제

물 베이스 유화제(hydrophilic emulsifier, water base)는 기름에 계면활성제를 첨가한 기름 베이스 유화제와는 달리, 유화제 원액을 물에 타서 수용액으로 용해하여 사용한다. 이 유화제의 특징은 원액을 물에 타서 적용하므로 수용액 속의 유화제 농도를 자유롭게 변경할 수 있으나, 유화제의 농도에 따라 유화시간을 다르게 해야 한다. 일반적으로 제조자가 추천하는 농도로 사용하지만, 수용액 농도는 35% 이하로 규정하고 있다. 물 베이스 유화제의 적용은 유화처리 전에 275kPa 이하의 수압(水壓)으로 대부분의 잉여 침투액을 제거한다. 이것을 예비 세척(pre-rinse)이라 하며, 기름 베이스 유화제 적용 전의 침투액의 배액과 같은 목적이다. 본래 물 베이스 유화제는 기름 베이스 유화제와 같이 침투액의 유성액(油性液)과 동질(同質)의 기름으로 만드는 것이 아니기 때문에 침투액과의 혼합되는 성질은 좋지 않다. 이 때문에 잉여 침투액을 물 분무로 강제적으로 제거하여 시험 면에 남은 침투액의 기름 막을 농도가 엷은 유화제로 녹여서 물 세척이 되도록 한다. 즉 물 베이스 유화제는 기름 베이스 유화제에 비해 유화제의 농도가 묽기 때문에 과유화(over emulsification)에 의한 과세척(over washing)으로 결함 속의 침투액을 씻어 버릴 우려가 적으므로 기름 베이스 유화제를 사용하는 경우보다도 결함의 검출 정밀도가 높다. 그러나 유화제 속에 침투액이 혼입(混入)되면 피로가 일어나기 쉬우므로, 유화제는 자주 새로운 액으로 바꾸어 주지 않으면 안 된다. 유화처리의 방법은 시험면의 잉여 침투액이 세척처리에서 물 세척이 가능할 때까지 천천히 잘 휘저은 유화제 속에 담그어 처리하거나 또는 유화제를 넣은 통에 담그어 시험체를 천천히 흔들어 처리한다. 그리고 물 베이스 유화제를 분무하여 잉여 침투액을 제거하는 방법도 있지만, 이 경우는 희석 농도를 5% 이하로 해야 한다.   유화시간은 기름 베이스 유화제를 사용하는 경우와 달리 시험체의 형상 및 표면 거칠기를 고려하여 유화시간을 정할 필요는 없다. 물 베이스 유화제에 의한 유화시간은 앞에서 설명한 것과 같이 농도에 의존하므로, 농도가 묽으면 유화시간이 길어지며, 농도가 짙으면 유화시간이 짧아지므로 미리 농도를 결정하고 나서 유화시간을 설정해야 한다. 물 베이스 유화제를 사용하는 경우에 잉여 침투액이 충분히 세척되지 않을 때에는 다시 유화처리를 해도 되므로 유화시간은 반복하여 유화제를 사용한(유화처리) 합계시간이 유화시간이 된다. 따라서 기본적으로는 기름 베이스 유화제와 같이 사전에 유화시간을 정확히 정할 필요는 없고, 예비세척을 한 후 침투액의 유막을 세척할 수 있는 시간을 유화시간으로 하면 된다. **KS B 0816**–2005에서는 물 베이스 유화제를 사용하는 경우, 유화시간이 2분을 넘지 않도록 규정하고 있다.

다. 유화정지

유성의 침투액과 유화제가 접촉하고 있는 시간은 중요하다. 적정한 유화시간을 지키지 않으면 과유화가 되거나 유화시간이 부족하여 검출해야 할 결함을 검출하지 못하게 되며, 의사모양이 많이 발생하여 결함의 검출능력이 떨어지게 된다. 이 때문에 정확한 유화시간을 맞추기 위하여 유화시간 경과 후 시험체를 물 속에 담그거나 세척할 물을 시험 면에 균일하게 뿌려서 유화의 진행을 정지시키는 조작을 하게 되는데, 이 처리를 유화정지(emulsification stop)라 한다. 이 처리는 유화처리의 일부로서 기름 베이스 유화제를 사용하는 경우에 적용한다. 유화정지의 목적은 후유화성 침투탐상시험에서 시험체가 크거나 양이 많은 경우, 유화시간을 균일하게 하기 위하여 실시하는 것이다.

4. 세척처리와 제거처리

세척처리는 물을 사용하여 잉여 침투액을 제거하는 처리이며, 제거처리는 유기용제 (세척액)를 사용하여 제거하는 처리이다. 따라서 수세성 또는 후유화성 침투탐상시험 에서는 세척처리라 부르며, 용제제거성 침투탐상시험에서는 제거처리라 부른다.

용제제거성 침투탐상시험은 잉여 침투액을 헝겊 등을 이용하여 기계적으로 제거하 는 것이 원칙으로, 용제는 기계적 제거를 쉽고 단시간에 끝마치기 위하여 보조적 수 단으로 사용하는 것이기 때문에 세척처리라 하지 않고 제거처리라고 한다.

가. 세척처리

세척처리는 수세성 또는 후유화성 침투액을 사용하는 시험에서 잉여 침투액을 물 또는 온수를 사용하여 신속하게 세척하는 것을 말한다. 일반적으로 물을 분무(spray) 하여 잉여 침투액을 세척하는데, 가능한 한 균일하게 분무하고, 모양이 복잡한 곳부 터 시작하여 단순한 부분의 순서로 처리한다.

형광 침투액을 사용하는 경우는 세척 탱크 속으로 자외선조사등을 비추면서 세척의 정도 를 확인해야 된다. 일반적으로 수세성 침투액의 경우는 147~275kPa(1.5~2.8kgf/cm²) 정 도의 압력이 사용되며, 후유화성 침투액의 경우는 196~275kPa(2.0~2.8kgf/cm²) 정도의 압력이 사용되고 있다.

세척처리에 사용하는 수압은 높을수록 세척하기 쉽고, 짧은 시간에 세척할 수 있으나 과세척(over washing)이 되기 쉽다. 세척에 요구되는 시간은 시험체의 형상과 크기 및 시험면의 거칠기 등에 따라 다르기 때문에 세척처리는 경험을 필요로 한다. 세척처리를 잘하고 못하고는 탐상시험에 중요한 결과를 미치므로, 세척처리는 시험면의 잉여 침투 액을 세척할 수 있는 최소시간으로 처리하는 것이 원칙이다.

형광 침투액을 사용하는 경우는 세척하는 시험체의 면을 조금 어둡게 하고 자외선조 사등을 조사하여 침투액의 세척정도가 잘 보이도록 하고 실시한다. 일반적으로 세척처 리는 세척장치를 이용하여 실시하지만, 별도의 세척장치 없이 시험 면에 물을 부어 세 척하거나 헝겊에 물을 묻혀서 닦아내는 방법을 사용할 수도 있으며, 또한 수형(水型)에 어로졸을 사용하여 수세성 침투액을 간편하게 세척할 수 있는 방법도 활용되고 있다.

나. 제거처리

제거처리는 용제제거성 침투액을 사용한 시험에서 침투처리 후 시험체 표면에 부 착되어 있는 잉여 침투액을 제거할 목적으로 실시하는 처리이다. 도금한 면과 같이 시험 면이 매끈한 경우는 유기용제를 사용하지 않고도 깨끗한 헝겊이나 종이 수건으로 만으로도 잉여 침투액을 제거할 수 있으나, 일반적으로 헝겊에 유기용제인 제거액을 묻혀서 닦아 낸다. 물 스프레이를 사용하여 잉여 침투액을 제거하는 세척처리와는 구별되지만, 제거처리와 세척처리는 모두 결함 속의 침투액을 가능한 많이 남아 있게 배려하고 잉여 침투액을 제거하는 것은 똑같다. 이 제거처리는 다음의 2공정으로 나눠진다.

① 마른 헝겊으로 시험면의 침투액을 닦아낸다. 이 공정에서 잉여 침투액의 대부분을 제거한다.

② 다른 마른 헝겊에 세척액을 묻혀서, 시험면에 남은 침투액을 닦아낸다. 이때 세척액을 너무 많이 적시면 과세척이 될 우려가 있다.

제거처리를 할 경우 헝겊이나 종이 수건 등의 보푸라기가 시험 면에 남아 있게 해서는 안 되며, 처리과정에서 세척액을 시험 면에 직접 뿌리거나, 세척액 속에 담그어 제거처리를 해서도 안 된다. 또한 건조된 헝겊 또는 종이수건을 사용하여 여러 번 잉여 침투액을 닦아 내는 조작을 반복하면 침투액이 과잉 제거될 수 있으므로, 마른 헝겊으로 잉여 침투액을 가볍게 닦은 후, 세척액을 사용하여 제거처리를 마무리하고, 신속하게 다음 처리를 해야 한다. 염색 침투탐상시험에서는 세척액을 묻힌 헝겊에 핑크(분홍)색이 남는 정도에서 제거처리를 마무리하는 것이 좋으며, 형광 침투탐상시험에서는 시험 면에 침투액이 남지 않을 정도(의사모양이 발생하지 않을 정도)로 잉여 침투액을 제거한다. 형광 침투액을 사용한 경우는 시험 면을 조금 어둡게 하고 자외선조사등 아래에서 제거상태를 확인하면서 제거한다. ISO 규격에서는 제거처리에 대한 주위의 밝기(또는 자외선 강도)는 세척처리의 경우와 똑같이 실시하라고 규정하고 있다.

※ ISO(International Organization for Standardization, 국제 표준화 기구) : 공업 관련분야의 규격 통일과 표준화를 도모하기 위한 국제기관. 전문 분야별로 기술위원회(TC)가 있고, 그 산하에는 분과위원회(SC), 작업 그룹(WG) 등이 있다.

5. 현상처리

제거처리 또는 세척처리를 마치고 건조시킨 후 백색의 분말을 물 또는 용제 속에 분산시킨 현상제를 시험체 표면에 적용하여 균일한 도막이 형성되게 하고, 그 후에 건조처리 또는 자연 건조를 시키면 현상제 속의 수분 또는 휘발 성분이 증발되어 현상제 분말에 의한 다공질의 현상 도막이 형성된다. 이 현상 도막에 결함 속의 침투액이 배어나오게 하거나 백색의 분말을 분말상태 그대로 시험체에 적용하여, 결함 속의 침투액이 배어나오게 하여 지시모양을 형성시키는 처리를 현상처리라 한다.

이러한 현상처리를 실시하는 목적에는 다음의 2가지가 있다.

① 시험 면에 적용한 현상제의 미세분말들이 결함 내부의 침투액을 흡출(bleed out)하여 결함 크기보다 확대된 지시모양을 만들어서 결함을 지각성(知覺性)을 높인다.

② 염색 침투탐상시험의 경우는 위 ① 항의 이유(理由) 이외에 시험 면을 백색 현상제의 도막 면을 만들어 결함 지시모양이 색상에 의해 차이가 많이 나게 하는 식별성을 높이기 위한 배경(background)을 만든다.

현상법의 종류에는 **표 4-2** 와 같이 건식 현상법, 습식 현상법, 속건식 현상법, 무현상법의 4종류로 분류한다.

표 4-2 현상법의 분류

현상제의 사용 구분	현상법
건식 현상제를 사용하는 방법	건식 현상법
습식 현상제를 사용하는 방법	습식 현상법
속건식 현상제를 사용하는 방법	속건식 현상법
현상제를 사용하지 않는 방법	무 현상법

이들 현상처리 과정에는 수분을 증발시키거나 시험체를 가열시키기 위한 보조 조작의 건조처리가 필요할 수 있다. 즉 물을 사용하여 세척처리를 하는 경우 건식 및 속건식 현상법에서는 현상제 적용 전에 건조처리를 하고, 습식 현상법에서는 현상제 적용 후에 건조처리를 한다. 이와 같이 건조처리의 적용시기가 다르므로 주의해야 한다.

현상시간(development time, developer dwell time)은 결함에 의한 지시모양을 가장 지각(知覺)하기 쉬운 시간으로, ASME Sec. V Art. 6에서는 최소 현상시간은 10분으로 규정하고 있으며, **KS B 0816**–2005에서는 최소 7분을 규정하고 있다. 그리고 **ASME SE-165**–2007 에서는 최소 현상시간은 10분을 규정하고 있으며, 허용되는 최대 현상시간은 습식 현상제일 때는 2시간, 속건식 현상제일 때는 1시간이다. ISO 규격에서는 침투시간의 1/2 부터 최대 2배까지로 규정하고 있다.

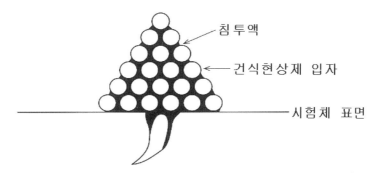

침투액

건식현상제 입자

시험체 표면

〔그림 4-7〕 건식 현상제에 의해 형성된 지시모양

가. 건식 현상법

건식 현상법은 세척처리를 하고 시험체를 건조처리하여 수분을 증발시킨 후에 건식 현상제를 적용하여 실시하는 방법이다. 이 방법은 매우 비중이 가벼운 백색분말의 건식 현상제를 그대로 적용하는 방법으로, 후유화성 형광 침투탐상시험 또는 수세성 형광 침투탐상시험과 조합시켜 사용할 때가 많다.

이 방법은 우선 건조처리를 하여 시험체 표면을 건조시킨 다음, 현상제를 적용한다. 건조된 표면에 현상제를 적용하면 결함의 열린 부분 주변을 적시고 있던 침투액에 의해 시험체 표면에 현상제가 흡착하게 된다. 결함부분에 흡착된 현상제 입자의 표면은 침투액으로 적셔지고 적셔진 면은 인접하고 있는 다른 입자를 흡착하게 되어 **그림 4-7**과 같이 현상제 입자가 쌓여 지시모양을 형성한다. 그리고 침투액에 적셔지지 않은 입자는 흡착성이 없어서 시험체의 표면에 부착되지 않으므로, 시험체 표면에서 쉽게 제거된다. 여분(餘分)의 현상제 입자를 제거한 상태에서는 결함에 의한 지시모양은 시간이 경과해도 망가지거나 확대가 되지 않으므로, 선명한 결함 지시모양을 유지하여 근접한 결함을 분리 구별이 가능하다.

현상제의 적용방법은 시험체를 그대로 현상 분말 속에 매몰하는 매몰법과 현상분말의 비산을 방지하기 위해 밀폐된 현상장치 속에 시험체를 넣고 그 속에서 현상분말을 균일하게 시험면에 뿌려지도록 공기 중 비산시키는 공기 교반(air flying)법 그리고 가볍게 끼얹거나 뿌려주는 분무법 등이 있다. 소량의 시험체에 대한 시험에는 매몰법 및 분무법이 사용되며, 대량의 시험체에 대한 시험에는 밀폐 가능한 현상장치 속에서 현상제를 분무 적용하는 공기 교반법이 사용된다. 건식 현상법에서는 **그림 4-7**과 같이 결함부의 침투액에 현상제의 입자가 부착되어 지시모양을 형성하는데, 이러한 지시모양이 형성되기까지는 일정시간이 소요된다. 현상제를 적용하고 나서 관찰을 개시할 때까지 일정한 시간을 현상시간이라 한다. 현상시간은 예측되는 결함의 종류와 크기 및 시험체의 온도에 따라 다르며, 매몰법과 공기 교반법도 최소 7분은 필요로 한다. 시험체를 현상제 분말 속에서 꺼낼 때 시험체에 붙어있는 여분의 현상제 분말은 진동을 조금 주어 털어주거나 약한 압력의 공기를 뿜어주는 에어 블로잉(air blowing)법으로 털어준다.

건식 현상법은 지시모양 이외에는 현상제가 거의 부착되지 않으므로 현상시간이 경과해도 지시모양의 번짐이 적고, 인접 결함도 각각 독립된 결함으로 지시모양을 나타내기 때문에 결함의 실태를 파악하기 쉽다. 건식 현상법은 형광 침투탐상시험에만 사용하며, 염색 침투탐상시험에는 사용하지 않는다. 그 이유는 탐상 면이 백색의 배경을 형성하는 방법이 아니기 때문에 결함과의 대비(contrast)가 잘 안되어 충분한 식별성을 가지는 지시모양을 나타낼 수 없어 결함 발견이 어렵기 때문이다. 이 방법은 시험이 끝난 후 현상제를 제거하기 쉽다는 장점과 지시모양이 확대되지 않아 지시모양이 합쳐지지 않는 등의 특징이 있지만, 미세분말을 사용하기 때문에 공기 중에 비산되어 인체에 흡입되기 쉬우므로, 적절한 방진 대책을 세워야 한다.

나. 습식 현상법

습식 현상제는 백색 미세분말의 현상제를 물에 분산시킨 수현탁성 현상제[water suspendible developer, wet (aqueous) suspendible developer]와 수용성 현상제 [water soluble developer, wet (aqueous) soluble developer]의 2종류가 있다. 수현탁성 현상제는 수세성 침투액과 조합시켜 사용되는 경우가 많으며, 수용성 현상제는 형광 침투액과 조합하여 사용한다. 그러나 수용성 현상제는 결함 지시모양의 지각성(知覺性)이 나빠서 거의 사용되지 않는다. 일반적으로 습식 현상제라는 명칭은 수현탁성(水懸濁性) 현상제를 가리킨다.

1) 수용성 현상제의 적용

이 방법에서는 물에 용해되는 형태의 현상제를 사용하는데, 물에 용해시킨 시점에서는 투명한 액체이지만, 현상제를 적용한 후, 도포한 면을 건조시키면 백색의 얇은 현상 도막이 만들어진다. 배경(background)이 되는 백색의 현상 도막은 수현탁성 현상제보다 흐리기 때문에 염색 침투액과 조합시켜 사용하는 경우는 탐상 면이 어느 정도 하얀색을 내는 시험체가 아니면 적용하기 어렵다. 이 때문에 주로 형광 침투액과 조합시켜 사용한다. 물에 용해하는 분말의 양은 탐상제 제조사의 지시에 따른다. 이 현상제는 결함 지시모양의 지각성(知覺性)이 나쁘므로 사용할 때는 충분히 성능을 확인한 후 적용해야 한다.

2) 수 현탁성 현상제의 적용

일반적으로 습식 현상법이라 함은 수현탁성 현상제를 사용하는 경우이다. 수현탁성 현상법은 시판되고 있는 습식 현상제의 미세분말을 물에 현탁하여 사용하며, 일반적으로 개방형 탱크의 현상제 속에 담그는 방법으로 적용한다. 물에 현탁시키는 분말의 양은 제조자에 따라 다르나, 보통 그 농도는 물 1ℓ에 대하여 분말 60g이 표준이다. 또한 미세분말이 물에 섞이는데 다소 시간이 걸리므로 적어도 사용하기 6시간 전에 잘 혼합시켜야 한다. 습식 현상제는 미세분말을 물에 혼합시킨 것이므로, 잠시만 방치해도 바닥에 침전(沈澱)된다. 그러므로 잘 교반하여 균일하게 현탁시킨 후에 사용해야 한다. 현상제의 농도는 결함 검출에 영향을 미치므로, 새로 만든 경우는 물론 사용 중에도 수시로 점검하여 알맞은 농도가 항상 유지되도록 해야 한다.

습식 현상제의 적용방법은 시험체 표면의 잉여 침투액을 물로 세척처리를 한 후 수분이 시험체에 남아 있는 상태에서 바로 현상제 속에 담그거나 분무 또는 붓기의 방법으로 적용한다. 이들 적용방법 중에서 담금법이 가장 많이 사용되며, 분무 및 붓기법은 그다지 사용되지 않는다.

담금법으로 적용할 경우는 잘 교반된 현상액에 시험체 전체 면이 습식 현상제에 잠기도록 담근 후에 시험체를 바로 꺼낸다. 그리고 여분의 현상제를 배액한 후에 시험체 전면에 균일한 도막이 형성되도록 건조처리에 앞서 잠시 방치시킨 다음, 건조기에 넣어 건조처리를 한다. 현상처리 후 70℃ 전, 후의 건조기에 넣고 가열처리를 하면 표면의 수분이 증발되어 백색의 미세분말에 의한 얇은 도막 면이 형성된다. 이 도막 면에 의해 결함 속의 침투액은 표면의 분체(미세분말)에 의해 빨려 나와서 확대된 지시모양을 만든다(**그림 4-8** 참조). 이 도막은 두께가 얇아서 지시모양의 구별이 어렵기 때문에 주로 형광 침투액으로 사용한다.

〔그림 4-8〕 습식 현상제

소형의 대량 부품 등을 동시에 많은 양(量)을 현상처리를 할 경우는 바구니 등을 사용하여 가능한 한 질서정연하게 시험체를 배열하여 처리하고, 형상이 복잡한 시험체에 부분적으로 현상제가 고인 곳은 저압 공기를 뿜어 처리한다.

건조시킬 때에는 건조온도에 주의하고 열풍 순환식 건조로(hair dryer 를 사용해도 됨)에 넣어 열풍으로 표면에 부착되어 있는 수분을 제거한다. 시간이 경과하면 결함에 의한 지시모양이 확산되어 지시모양의 형태와 크기가 변화하므로, 적절한 모양 및 크기가 되었을 때 지시모양을 관찰할 수 있도록 현상시간을 미리 정하여 실시해야 한다. 따라서 현상제를 적용하고 나서 결함 지시모양의 평가를 하는 최종 관찰까지의 시간에 주의해야 한다. 일반적으로 현상시간은 7분 정도가 적당하다. 습식 현상법은 물을 사용하므로 불에 타지 않으며, 냄새가 없고, 값이 싸다는 장점이 있으므로, 소형 부품을 대량으로 탐상할때 효율적이고 편리하다. 그러나 결함 검출감도는 건식 현상법이나 속건식 현상법보다 나쁘다.

다. 속건식 현상법

휘발성이 높은 유기용제에 백색 미세분말의 현상제를 분산시킨 현탁액을 사용하는 방법으로, 용제제거성 염색 침투탐상시험과 조합시켜 많이 적용한다.

이 방법은 시험체의 표면에 도포한 현상제가 빠르게 건조되므로, 현상제 속의 유기용제가 휘발된 후 분체 사이의 공간이 넓고, 가볍게 떠 있는 두꺼운 현상제의 도막 면을 형성하기 때문에 다른 현상법보다도 확대된 결함 지시모양을 나타낸다(**그림 4-9** 참조). 또한 지시모양의 형성에 영향을 미치는 도막 두께를 도포 속도의 변화에 따라 자유롭게 선택할 수 있는 특징이 있다.

염색 침투탐상시험의 경우는 흰색의 배경(background)을 형성시키기 때문에 시험 면의 색이 안 보일 정도로 현상제를 도포해야 한다. 그러나 현상 도막 두께가 표준 두께보다 두껍게 도포되면 지시모양이 나타나지 않거나 나타나더라도 침투액이 유기용제에 의해 녹아 엷은 핑크색으로 번진 지시모양이 되며, 경우에 따라서는 침투액의 퍼짐이 적은 지시모양이 되어 나타난다. 따라서 도막 두께가 두꺼우면 미세한 결함을 검출할 수 없게 된다. 그러나 표준 두께보다 약간 두껍게 도포되면 큰 결함은 선명한 지시모양으로 나타나기도 한다. 반대로 현상도막이 표준 두께보다 엷게 도포되면 배경의 흰색이 연해져서 지시모양과 시험 면과의 대비(contrast)가 나빠져 결함 지시모양을 보지 못하고 빠뜨릴 위험성이 생긴다.

형광 침투탐상시험의 경우는 염색 침투탐상시험과 같은 도막 두께가 되면 지시모양의 색조(色調)는 황록색(黃綠色)에서 청백색(靑白色, 푸른빛이 도는 흰 빛깔)으로 변화하여 지시모양의 지각(知覺)이 나빠지기 때문에, 염색 침투탐상시험의 도막 두께보다 시험 면의 색을 알 수 있을 정도로 얇게 도포해야 한다.

속건식 현상제는 습식 현상제와 똑같이 결함 지시모양은 시간의 경과와 더불어 확대되므로, 평가를 일정하게 하기 위해서는 현상제를 적용한 후부터 관찰이 시작될 때까지의 시간인 현상시간을 미리 결정해 두고, 현상시간이 경과하면 곧 바로 지시모양을 평가해야 한다. 참고로 KS B 0816-2005에서 관찰은 현상제 적용 후 7분에서 60분 사이에 하는 것이 바람직하다고 되어 있다. 일반적으로 그 현상시간은 미세한 결함이 대상인지, 큰 결함이 대상인지에 따라 다르기 때문에, 미리 결함의 종류나 크기를 예상하고 그 목적에 따라 현상시간을 설정하는 것이 기본적이다.

현상제의 적용방법은 에어로졸 제품에 의한 분무법으로 적용하지만, 이 현상처리는 담금법과 같이 시험 면에 균일한 도막 면을 형성시키는 것이 어렵기 때문에 조작에 있어 아주 익숙해지도록 노력해야 한다. 그리고 환기가 잘 되지 않는 장소나 분무가 곤란한 좁은 부위에 적용하는 경우는 부득이 솔질법으로 적용하기도 하지만, 솔질법은 건조된 현상 도막 면에 다시 적용하면 처음의 도막이 벗겨져서 초기에 나타난 지시모양이 없어지기도 하므로 주의해야 한다. 현상제 속의 유기용제는 침투액을 쉽게 용해시키기 때문에 담금법이나 붓기의 방법은 원칙적으로 적용해서는 안 된다.

속건식 현상법은 매우 휘발성이 강한 용제를 사용하므로, 개방형 장치를 사용할 경우는 화기 및 냄새 등으로부터 각별한 주의가 필요하다. 이 방법에 사용하는 현상제는 건조처리를 하지 않아도 자연 방치만으로 바로 용제가 휘발하여 건조되기 때문에 이름도 속건식 현상법이라 하지만, 비수성(non-aqueous) 습식 현상법이라고도 하여 습식 현상법에 포함시켜 분류하기도 한다. 에어로졸 제품의 현상제를 사용하여 도막 두께를 두껍게 또는 얇게 자유롭게 도포하기 위해서는 충분한 경험을 필요로 한다.

〔그림 4-9〕 속건식 현상제

에어로졸 제품을 적용할 때의 주의할 사항은 다음과 같다.

① 사용 전에 에어로졸 통을 잘 흔들어 충분히 교반한 후 노즐을 강하게 누르면서 가로로 움직이며 적용한다.

② 시험 면과 분무 축과의 각도는 45°~ 90°를 유지하면서 분무하고, 거리는 약 20~30cm 로 한다.

③ 현상제의 도막 두께는 염색 침투탐상시험에서는 시험 면의 색이 덮일 정도의 두께로 하고, 형광 침투탐상시험에서는 시험 면의 색을 알 수 있는 정도의 도막 두께로 한다.

④ 농도를 알기 위하여 현상제의 도포 후 건조과정에서 도막의 농담을 기억해야 한다.

라. 무현상법

제거처리 또는 세척처리 후 현상제를 사용하지 않고 현상하는 방법으로, 현상처리에 현상제를 사용하지 않기 때문에 무현상법(self development method)이라고 한다. 일반적으로 무현상법은 가열에 의한 방법을 주로 사용하며, 이 방법에서는 잉여 침투액(excess penetrant)을 제거한 후 가열하여, 시험체와 침투액의 온도를 상승시킴에 따라 결함 속에 잔류해 있던 공기 및 침투액이 팽창하여 침투액이 결함의 열린 표면으로 나와 지시모양을 형성한다(**그림 4-10** 참조).

무현상법 중에는 가열방법 이외에 적심현상에 의해 발생하는 결함 주변부로 퍼지는 자력(自力)현상을 이용하는 방법과 정적(靜的) 또는 동적(動的) 응력을 시험체에 가하여 결함의 열린 부분을 변화시켜 결함을 찾아내는 방법 등도 이용되고 있다.

무현상법은 현상제를 필요로 하지 않고, 후처리도 쉬우며, 탐상감도도 나쁘지 않기 때문에 제품검사에 많이 이용하고 있다. 그리고 무현상법에 의한 지시모양은 다른 현상법에 비해 번짐이 적고, 가늘고 또는 작은 지시모양으로 나타나며, 시간적으로 확대

〔그림 4-10〕 무현상법

가 적다. 이 방법은 흰색의 배경이 만들어지지 않으므로, 염색 침투탐상시험에는 사용되지 않으며, 일반적으로 형광 휘도가 높은 고감도 형광 침투액과 조합시킨 침투탐상시험에 적용된다. 그러나 고감도 형광 침투액을 사용하는 무현상법일지라도 현상제를 사용하는 방법과는 지시모양의 형성과 식별성에 현격한 차이가 있으므로 보수검사(maintenance inspection)에서 잘 나타나는 미세한 피로 균열과 같은 결함 검출에 있어서는 무현상법을 사용해서는 안 되며, 반드시 현상제를 사용하는 현상법을 채택하여 사용해야 한다.

6. 건조처리

건조처리는 세척처리를 한 후 현상처리 전 또는 후에 시험 면에 잔류해 있는 세척한 물 또는 습식 현상제의 수분을 건조하는 처리를 말한다. 즉 건식 현상법에서는 현상처리 전에 시험 면에 잔류하고 있는 세척한 물을 건조시키는 것이며, 습식 현상법에서는 현상처리 후에 현상제의 수분을 건조시키는 것이다. 그리고 무현상법은 세척처리 후에 결함 속의 침투액을 표면에 나타내기 위해서 실시하는 가열처리를 말한다. 건조처리를 적용하는 시기는 세척처리 방법과 현상법에 따라 다르다.

습식 현상법을 적용하는 경우의 건조처리는 습식 현상제의 수분을 증발시켜 시험체 표면에 균일한 두께의 다공질 현상제의 도막을 형성시키기 위해서 실시하는 것이다. 건식 현상법 또는 속건식 현상법을 적용하는 경우의 건조처리는 현상처리 전에 실시하는 물 세척에 의해 시험체 표면에 부착된 수분을 증발시키는 것이 목적이다.

무현상법에서는 현상처리 대신에 가열처리를 해서 결함 속의 침투액이 열 팽창으로 결함의 열린 표면으로 나와서 지시모양이 형성되도록 한다. 현상법의 차이에 따른 건조처리 여부와 가열처리의 적용시기를 세척방법 별로 나타내면 **표 4-3**과 같다.

표 4-3 현상방법에 따른 세척방법 및 적용시기

현상법	세척방법 및 적용시기	
	물 세척일 때	용제 세척일 때
건식 현상법	세척처리 후에 건조처리	건조처리하지 않음
습식 현상법	현상처리 후에 건조처리	현상처리 후에 건조처리
속건식 현상법	세척처리 후에 건조처리	건조처리하지 않음
무현상법	세척처리 후에 가열처리	제거처리 후에 가열처리

건조처리에서 가장 주의할 점은 건조온도와 건조시간이다.

시험체의 열용량 및 열전도는 재질 및 치수에 따라 다르며, 동일한 건조시간, 동일한 온도를 적용해도 시험체의 표면온도는 다르므로, 시험체에 따라 적절한 건조온도 및 건조시간을 선정해야 한다.

고온 건조 또는 장시간 건조하면 결함 속의 침투액의 성능(휘도, 색조 능)이 열화 또는 침투액이 증발되어 결함의 검출감도가 현저하게 감소하게 된다. 그러므로 건조는 반드시 정해진 온도 하에서 표면이 건조되면 곧 바로 건조처리를 중지해야 한다.

시험체의 두께가 얇으면 얇을수록 내부까지 온도가 균일해지기 쉬우며, 결함 속의 침투액도 증발되기 쉬우므로, 건조 온도를 낮추고 건조시간을 짧게 할 필요가 있다.

용제 세척액으로 제거한 경우는 세척액 자체의 휘발성이 높기 때문에 제거처리의 과정에서 잘 닦아주면 자연건조가 되므로 특별히 건조처리를 할 필요는 없다.

일반적으로 건조처리(또는 가열처리)는 자동 온도조절이 가능한 열풍 순환식 건조기를 사용하여 실시한다. 이것은 일정한 온도로 균일하게 가열시킬 수 있기 때문이며, 전열식이나 적외선 등의 경우는 국부적으로 가열되어 균일성이 떨어지므로 바람직하지 않다. 자동 온도조절은 정해진 온도이상으로 가열하는 것을 피해야 한다.

건조기 내의 온도는 70℃ 이하에서 건조하는 것이 일반적이다. 또한 건조시간은 시험체 표면의 수분이 건조하는 최소시간으로 한다.

7. 관찰

정해진 현상시간이 경과하면 곧 바로 시험체 표면에 결함에 의한 지시모양이 있는지 여부를 확인해야 하는데, 이 결함 지시모양의 존재 여부를 조사하는 것을 관찰 (interpretation)이라 한다. 침투 지시모양은 지시모양이 형성되는 과정에서 시간의 경과와 더불어 변화하지만, 어느 정도 시간이 경과하지 않으면 미세한 결함은 사람의 눈으로 지각할 수 있는 충분한 크기의 지시모양으로 나타나지 않는다. 그리고 현상시간이 일정하지 않은 상태에서 관찰하면 시간 경과에 따라 결함이 나타내는 모양이 커지기 때문에 결함을 나타내는 모양의 크기와 실제 결함의 크기와의 연관성이 없어져서 결함 평가를 올바르게 할 수 없게 된다. 따라서 적정한 관찰방법으로 현상처리 후 결함에 의한 지시모양이 나타나는지를 확인하고, 소정의 현상시간이 경과하기까지 관찰을 계속해야 한다. 즉 현상시간이 경과한 후 관찰을 시작하고, 현상시간 중이라도 관찰을 계속하는 것이 확실한 결함의 형상 및 크기를 파악하여 적정한 평가를 하기 위해서도 필요하다. 특히 습식 현상법이나 속건식 현상법을 적용한 경우의 지시모양은 현상시간의 경과에 따라 확대되므로 경과시간이 길어지면 작은 결함의 지시모양도 크게 되어 결함의 존재는 지각하기 쉽게 되지만, 그 반면에 접근하여 존재하는 결함을 분리하여 식별할 수 없게 된다. 또한 의사모양도 크게 되어 실제의 결함 지시모양과 합해져서 결함을 구분할 수 없게 되므로 현상시간 중에도 관찰을 계속하는 것이 바람직하다. 관찰 중에 결함 지시모양이 과도하게 확대되어 선상 지시모양이 원형상 지시모양으로 변화하기도 한다. 이러한 경우를 예상하여 현상시간 중에도 관찰을 계속해야 한다.

관찰은 초기 관찰과 최종 관찰이 있는데, 초기 관찰은 현상시간 중의 관찰을 말하며, 최종 관찰은 현상시간 종료 후에 하는 관찰을 말한다. 초기 관찰에서는 지시모양의 형태로부터 지시모양을 구별하고, 최종 관찰에서는 결함 지시모양의 크기 및 갯수 등을 측정한다. 시간에 따른 지시모양의 변화는 습식 현상법 및 속건식 현상법을 적용한 경우에 심하게 발생하므로, 습식 현상법의 경우는 건조기 내의 온도와 더불어 시간이 필요한 최소한이 되도록 관리를 충분히 해야 하며, 속건식 현상법의 경우는 현상시간에 주의해야 한다.

형광 침투탐상시험의 경우는 암실 또는 어두운 곳에서 자외선을 조사하여 관찰하는데, 이때의 자외선 강도는 시험체 표면에서 적어도 $1,000\mu W/cm^2$ (**KS B 0816**-2005 : $800\mu W/cm^2$, ASME 등 : $1,000\mu W/cm^2$) 이상은 되어야 한다.

지시모양을 관찰하는 장소가 어두우면 어두울수록 형광 휘도에 의한 식별성이 높아지므로, 지시모양을 빠트리지 않기 위해서는 가능한 한 어두운 장소에서 관찰해야 한다. 특히 미세한 결함을 검사할 때는 가능한 한 어두운 편이 좋다. 또한 어두운 장소에서 작업할 때에는 정확한 관찰을 위하여 관찰을 시작하기 전에 미리 눈을 어둠에 적응시키고, 관찰을 마칠 때까지는 밝은 곳을 출입하지 않아야 한다. 그리고 관찰 중에 직접 자외선 조사등의 자외선이 눈에 직접 들어오거나 시험체에서 반사되게 해서는 안 된다.

염색 침투탐상시험의 경우는 결함의 지시모양을 충분히 확인할 수 있는 밝기의 가시광선 아래에서 관찰하는 것이 좋으며, 어두운 곳에서 실시하는 경우를 제외하고 특별히 관찰을 위한 장치는 필요로 하지 않는다. 밝기는 1,000룩스(ℓx) 정도가 관찰하기 쉬우며, 적어도 500룩스(ℓx)는 필요하다.

결함 지시모양은 현상제의 거칠지 않은 균일한 도막으로 덮인 흰색의 배경 위에 염색의 침투액에 의해 적색의 모양으로 나타난다. 그러므로 염색 침투탐상시험의 지시모양의 관찰은 적색을 띤 가시광선 하에서 식별성이 좋지 않으므로 백색광 아래에서 관찰해야 한다. 침투 지시모양의 관찰조건 및 관찰방법, 지시모양의 분류 등에 대하여는 **제 6 장**(지시모양의 관찰과 해석 및 평가)에서 다시 설명하기로 한다.

8. 재시험

시험순서나 조작에 잘못이 있을 경우 또는 지시모양이 진짜 결함에 의한 것인지, 의사모양인지의 판단이 곤란한 경우에는 시험체의 전체 또는 일부분을 다시 시험을 해야 하는데, 이러한 시험을 재시험(再試驗)이라 한다. 재시험을 할 때에는 반드시 전처리를 포함하여 처음부터 각 처리순서에 따라 정확한 방법으로 실시해야 한다. 특히 전처리는 충분히 하고, 시험 면의 현상제는 물론 결함 속에 잔류하고 있는 침투액도 잘 세척해야 한다. 시험 면의 현상제는 수세미 또는 솔 등을 이용하여 제거하거나 공기 분사로 불어내는 등으로 철저히 세척해야 한다.

9. 후처리

침투탐상시험을 마친 후 필요에 따라 시험체 표면에 남아 있는 현상제 및 침투액을 제거하고, 적당한 표면처리를 해야 하는 경우가 있다. 이것을 후처리(後處理)라 하며, 다음과 같은 경우에 필요하다.

① 침투탐상시험 후 시험체 표면에 흡습성이 강한 현상제가 표면에 부착되어 있으므로, 그대로 방치해 두면 시험체에 녹이 발생하거나 부식을 촉진시킬 우려가 있다. 따라서 표면에 부착되어 있는 현상제를 완전히 제거해야 한다.

② 시험 후 시험체의 가공 또는 사용에 있어서 시험체 표면에 부착되어 남아있는 현상제와 침투액이 시험체를 부식 또는 마모를 증가시킬 우려가 있다. 따라서 표면의 현상제나 침투액은 완전히 제거해야 한다.

후처리의 주된 작업은 현상제의 제거와 부식되기 쉬운 재료에 대하여 적당한 방청처리를 하는 것이다. 현상제의 제거는 일반적으로 솔질(brushing) 또는 공기 분사(air spray) 등으로 실시한다. 습식 현상제의 경우는 솔질 등을 사용하여 물로 씻는 방법이 좋으며, 건식 현상제는 공기 분사로 강하게 불어내거나 습식 현상제와 같이 물로 세척한다. 물로 세척한 때에는 수분을 증발시켜야 한다. 속건식 현상제는 도막이 건조된 상태에서 솔 등으로 대부분 제거한 후, 물이나 용제를 적신 헝겊 또는 종이수건으로 닦아낸다. 녹이 발생하기 쉬운 재료는 시험이 끝난 후 즉시 적당한 방청처리를 해야 한다.

10. 시험의 기록

시험결과의 기록을 작성할 때 주의할 점은 시험보고서를 보고, 시험에 참여하지 않은 사람도 시험결과를 충분히 이해할 수 있도록 정확히 작성해야 한다는 점이다.

보고서에는 언제(시험 연월일), 누가(검사원과 자격), 어디서(시험장소), 무엇(시험체의 명칭과 재질, 크기, 표면상태, 개수)을 어떠한 탐상제(명칭, 형식, 제조자명)를 사용하여 어떠한 방법(VC-S, DFA-W 등)으로 시험을 하였는지에 대한 정보가 포함되어야 한다. 또한 시험결과 나타난 지시모양의 위치, 크기, 형상 및 방향이 정확히 기록되어야 한다. 보고서 기록의 내용은 재현성이 있어야 하며, 필요시 문서 또는 도면을 추가하여, 탐상조건과 탐상결과를 상세히 기록해야 한다. 또한 시험의 특성에 따라 별도로 요구되는 추가사항에 대해서도 기록해야 한다. 따라서 보고서에는 최소한 다음 항목이 포함되어야 한다. 참고가 되도록 시험보고서를 **그림 4-11**에 첨부한다.

가. 시험조건에 관한 기록

시험조건을 명확하게 상대방에게 전하기 위해서는 다음 항목에 대한 기록이 필요하다.

1) 검사원의 성명 및 자격 : 보고서에는 반드시 검사원의 성명 및 기술자격/산업기사)을 기록해야 한다. 이것은 시험기록 전체에 대한 책임을 짐과 동시에 기록 내용에 대한 신뢰성을 높이기 위한 것이다.

2) 시험 실시장소 및 실시 연월일 : 반드시 시험 실시장소 및 시험일시를 명확히 기재하여 시험기록의 신뢰성을 높일 필요가 있다.

3) 시험체(품명, 모양 · 치수, 재질) 및 시험부위 : 시험을 한 대상물에 대한 정보를 가능한 한 상세하게 기록해야 한다.

4) 적용 규격 : **KS B 0816**-2005 또는 **ASME SE 165**-2007 등

5) 시험방법 : 용제제거성 염색 침투탐상시험-속건식 현상제 등

6) 시험조건 : 시험조건은 시험결과를 보고 책임자가 판정 또는 합격여부를 결정하기 전에 먼저 확인해야 하는 사항으로, 시험조건이 잘못된 경우 재시험이 요구될 수도 있다. 그러므로 실제 시험이 실시된 조건이 정확히 기록되어야 한다.

반드시 기록해야 할 최소한의 시험조건은 다음과 같다.

가) 시험체의 표면상태 및 전처리 방법 : 연삭기(grinder)마무리, 용제세척 등

나) 사용한 탐상제 : 제품명, 제조사, 형식, batch 번호, 등

다) 탐상장치 및 사용 기자재(명칭, 형식, S/N 번호 등) : 자외선조사장치 등

라) 침투액 적용방법(침투시간 포함) : 분무, 에어로솔, 솔질, 담금 등

마) 유화제의 적용방법 : 담금, 붓기, 분무 등

침투탐상검사 보고서

침투탐상검사 보고서				보고서 번호		

검사방법의 종류

시 험 제	품명	재질	모양·치수	탐상면 온도/기온		적용규격/절차서	
				℃ / ℃			

침 투 액	제품명	형식	Batch No.	침투시간		사용한 침투액	
				분		□ 염색 □ 형광	

세 척 액	제품명	형식	Batch No.	세척수 온도 / 수압	유화시간	건조시간/온도
				℃ / kPa		분/ ℃

현 상 제	제품명	형식	Batch No.	현상시간 / 관찰시간	사용한 현상제
				/ 분	□습식 □건식 □속건식

표면상태	자외선 조사장치	제조사	형식	Serial No.
□ 용접 □ 연삭 □ 압연 □ 단조 □ 주조 □ 기계가공	□ 사용 □ 사용안함			

검사 결과

검사 개소	결함 지시모양(○ 원형상, - 선상, ▽ 불명)의 위치	결함	결함길이	판정	비고
1		□ 유 □ 무			
2		□ 유 □ 무			

※ 나타난 결함 지시모양이 1개일 때는 전사하여 이곳에 부착하고, 2개 이상일 때는 별첨하여 부착한다.

검사원의 성명 및 자격	/	검사 년 월 일	. . .

〔그림 4-11〕 침투탐상검사 보고서

바) 세척(제거)방법 : 분무 또는 닦아냄 등

사) 세척수 및 온도와 수압

아) 건조방법 : 자연건조, 열풍, 닦아냄 등

자) 현상제의 적용방법 : 담금, 분무, 솔질 등

차) 시험체 표면의 온도 및 (침투, 유화, 건조, 현상, 관찰)시간.

카) 잉여 침투액의 제거방법 : 헝겊 또는 종이 수건(용제사용), 물 세척 등.

타) 시험결과 : 침투 지시모양의 기록(위치, 길이, 개수, 지시모양의 종류)

나. 탐상결과의 기록

시험결과의 기록에는 실제로 검출된 결함 지시모양에 관한 일체의 정보가 포함되어야 하며, 이 정보는 시험을 실시하지 않은 사람도 쉽게 이해되도록 기록되어야 한다. 결함 지시모양의 기록방법으로는 사진에 의한 방법, 전사에 의한 방법, 스케치에 의한 방법 등이 있다. 이중 가장 일반적으로 사용하는 것이 스케치에 의한 방법이다.

1) 사진 촬영에 의한 방법

결함 지시모양을 사진으로 촬영할 때는 필요에 따라 결함 근처에 자(Scale)를 놓고 결함의 크기를 알 수 있게 촬영한다(**그림 4-12** 참조). 또한 결함의 위치를 알 수 있도록 시험체의 전체 또는 특징이 있는 부분이 들어가도록 촬영하는 것도 잊어서는 안 된다.

염색 침투탐상시험은 밝은 곳에서 관찰하므로 사진촬영에 별 문제가 없으나,

〔그림 4-12〕 볼트에 나타난 지시모양

형광 침투탐상시험은 암실 안에서 자외선 조사에 의해서만 결함 지시모양이 관찰되므로 자외선을 차단하는 필터를 사용하여 적당한 노출조건 하에서 촬영해야 한다.

2) 전사에 의한 방법

침투탐상시험에 의해 나타나는 지시모양은 자분탐상시험의 경우와는 달리 전사(transfer)하기가 곤란하므로, 전사에 의해 기록하는 방법은 권장되지는 않는다. 그러나 염색 침투탐상시험의 경우 전사용 테이프 등이 판매되고 있기 때문에 필요하면 이를 사용하여 전사시킬 수 있다.

〔그림 4-13〕 용제제거성 염색 침투탐상시험 결과의 사진 촬영에 의한 기록

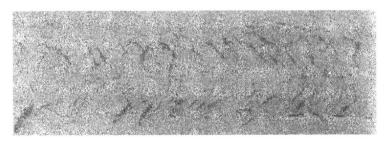

〔그림 4-14〕 위의 지시모양을 전사하여 보고서에 첨부한 사진

3) 스케치에 의한 기록

스케치에 의한 방법은 작성비용이 들지 않고 간편하게 기록할 수 있으며, 정성껏 스케치 하면 결함 지시모양을 비교적 정확히 재현할 수 있기 때문에 시험의 기록방법으로 가장 많이 사용하고 있다.

스케치할 때에는 결함 지시모양의 위치, 형상을 표시하고, 가급적 결함모양의 상황 등을 실제와 동일하게 스케치해야 한다. 이것은 나중에 결함의 실태를 추측할 필요가 생겼을 때 결함모양의 상황을 알 필요가 있기 때문이다. 소형 부품일 경우에는 모양을 스케치하고, 그 형상의 특징을 나타내서 어느 부분에 지시모양이 있는지를 기록한다. 그러나 대형 구조물의 용접부인 경우는 국부적으로 위치를 표시하여 기록을 해야 한다.

여기서는 스케치에 의한 방법으로 기록할 경우에 알아두어야 하는 기본 기술에 대하여 설명한다.

가) 선(線)으로 스케치하는 방법

시험체의 형상 및 결함의 위치 및 크기 등을 선에 의해 도형으로 나타내야 하므로, 사용하는 선의 종류를 표현하는 부분에 따라 다르게 해서, 보는 사람이 각각의 선이 무엇을 의미하는지를 이해할 수 있고, 그린 사람의 의도를 충분히 짐작할 수 있도록 그려야 한다. 그러므로 스케치를 할 때에는 정해진 선을 바르게 사용하여 그려야 한다. 선의 명칭과 종류 및 그 사용하는 법을 대략 **그림 4-15**에 나타낸다.

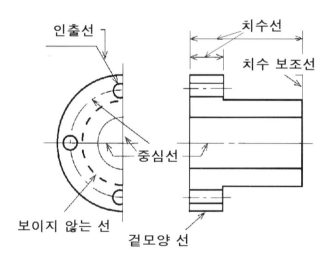

〔그림 4-15〕 스케치 방법

나) 용도에 따른 종류

선의 명칭 및 종류에 따른 용도를 **표 4-4**에 나타낸다.

다. 탐상결과를 스케치하는 방법

시험결과를 나타내는 도면은 기본적으로 다음과 같은 점에 주의해야 한다.

① 시험체 또는 시험부의 형상, 치수 및 위치를 뚜렷하게 알 수 있어야 한다.

② 지시모양의 위치, 형상 및 크기를 알 수 있어야 한다.

③ 지시모양의 위치는 x 및 y 축으로부터의 위치에 따라 정한다. 그러므로 지시모양은 도면 위에서 x 및 y 축으로부터의 거리가 분명하게 표시되어야 한다.

④ 치수는 반드시 기준면, 기준선 또는 기준점으로부터 표시되어야 한다.

⑤ 지시모양의 형상은 가급적 실제에 가깝게 나타내도록 해야 한다.

⑥ 지시모양의 치수는 가급적 정확히 측정해야 한다.

표 4-4 용도에 따른 선의 종류

명 칭	선의 종류		용 도
겉모양 선	굵은 실선 (0.8~0.4 mm)	———	물체가 보이는 부분은 굵은 실선으로 표시한다.
보이지 않는 선	가는 점선 굵은 점선	······ - - - - -	물체가 보이지 않는 부분의 형상을 나타내는데 이용한다.
중심선	가는 실 점선	—·—	도형의 중심을 나타내는데 사용한다.
치수를 나타내는 선	가는 실선 (0.3mm 이하)	———	치수를 기입하는 데에 사용하는 선.
치수 보조선	가는 실선 (0.3mm 이하)	———	치수를 기입하기 위해 도형에서 인출하는데 사용한다.
인출 선	가는 실선 (0.3mm 이하)	———	기호, 기술 등을 나타내기 위하여 인출하는데 사용한다.

탐상결과를 나타내는 도면은 시험체의 형상 및 크기와 아울러 시험부의 범위 등에 따라 다르다. 다음에 몇 가지 시험체의 대표적인 기록의 작도법의 예를 나타낸다.

1) 평판 용접 시험편

우선 용접 시험편 등 소형으로 형상이 간단한 시험체를 탐상했을 때의 결과를 나타내는 예를 표시한다. 용접부에는 대형 구조물의 용접부와 배관 용접부 그리고 각종 시험판의 용접부가 있으며, 각각에 따라 규모와 형상은 다르지만, 용접부의 시험결과를 기록 작성하는 것에 대한 기본원칙은 모두 공통이므로, 하나의 원칙을 지켜 이를 모두에 적용하면 어느 경우든 올바르게 기록을 작성할 수 있다. 여기서의 원칙이란 시험편에 직교하는 어떤 2변을 이용하여 도면 위에 위치를 나타낼 수 있는 기준선을 결정하고, 이것을 기준으로 하여 지시모양의 위치와 결함의 길이 및 폭 등의 치수를 기입하는 것이다.

가) 기준선(면)의 설정

일반적으로 **그림 4-16**과 같이 직사각형 또는 정사각형의 어느 한 변에 평행한 용접 시험편의 경우는 보통 길이방향에 평행한 1변(x축)과 이것과 직교하는 1변(y축)을 기준선으로 선정하여, 필요한 각 부분의 위치를 정한다.

용접부의 위치는 일반적으로 그 중심선의 위치로 나타내며, 중심선으로부터 용접 비드의 지단부까지의 치수를 재어 용접부의 폭을 나타낸다. 그러나 여기서 도면의 목적은 용접부에 존재하는 지시모양의 위치, 형상, 크기 등을 나타내는 것이므로, 중심선을 그려서 나타내는데 방해가 되는 경우에는 그리지 않아도 되며, 용접부의 위치와 폭만을 나타내면 된다.

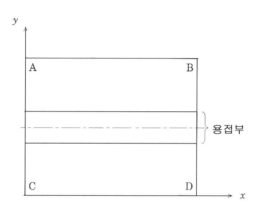

〔그림 4-16〕 기준선의 설정

나) 지시모양의 기록방법

기준선을 설정한 후, 용접부에 나타난 결함 지시모양을 어떻게 기록할 것인지와 다음에 용접부에 나타날 것으로 예상되는 각종 형상의 지시모양에 대하여 그 기록방법의 예를 나타낸다.

① 지시모양이 용접선과 거의 평행한 경우

그림 4-17 과 같이 시험체의 임의로 직교하는 2 단면(端面)을 기준선으로 하여 각각의 지시모양의 한쪽 끝까지의 거리와 지시모양의 길이를 측정하여 기록한다. 또한 용접 비드 위에서의 위치는 기준선으로부터의 거리를 측정하여 기록한다. 여기서는 CD 단면을 x 축, BD 단면을 y 축으로 하여 기록한다.

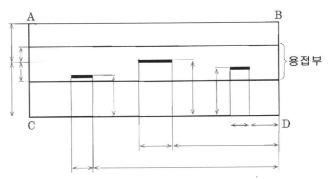

〔그림 4-17〕 용접부와 거의 평행한 결함 지시모양의 기록

② 지시모양이 용접선과 어느 각도를 갖는 경우

그림 4-18과 같이 각각 지시모양의 한쪽 끝까지를 하나의 기준선(y 축)(이하 거리측정을 기준으로 한 선을 기준선이라 부른다)으로부터 측정하고, 또한 지시모양의 길이도 각각에 대하여 측정하여 기록한다. 그리고 지시모양의 양쪽 끝의 높이를 기준선(x 축)로부터 측정하여 기록한다.

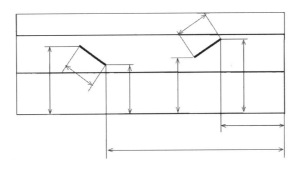

〔그림 4-18〕 용접부와 각도를 갖는 결함 지시모양의 기록

③ 작은 선상(線狀)의 지시모양이 모여 있는 경우

그림 4-19와 같이 작은 선상의 지시모양이 모여 있는 경우에는 그 모여 있는 지시모양을 결함 군(群)으로 보고, 결함 군의 치수를 측정 기록함과 동시에 각각 결함 군에 대한 상세도를 그려서 지시모양을 자세하게 기록한다. 이것을 그림 4-20에 나타낸다. 물론 여기서 상세도를 별도로 그리지 않더라도 한 도면에 그 자세한 부분까지 포함시켜 기록할 수 있다면 특별한 상세도를 만들 필요는 없다. 이러한 것은 모두 약속이므로, 미리 기록에 받는 측과 협의하여 결정해두는 것이 좋다.

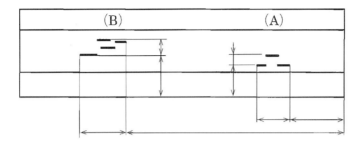

〔그림 4-19〕 작은 선모양의 지시모양이 모여 있는 경우

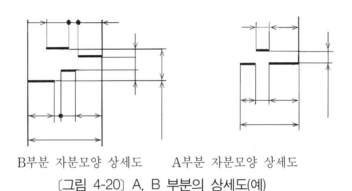

B부분 자분모양 상세도   A부분 자분모양 상세도

〔그림 4-20〕 A, B 부분의 상세도(예)

예를 들면 **그림 4-21**과 같이 점(点)모양 및 원형상(圓形狀)의 지시모양이 나타난 경우에는 그들을 결함 군(群)의 지시모양으로 보고, 원형상(또는 점모양도 포함)의 지시모양이 몇 개 모여 있는지를 나타내는 것도 하나의 표시방법이다.

※ 참고 : 독립결함의 선상(선모양)결함   : 그 길이가 나비의 3배 이상인 것.
　　　　　독립결함의 원형상(원형모양) 결함 : 선상 결함이 아닌 것.

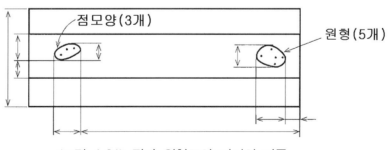

〔그림 4-21〕 점과 원형모양 지시의 기록

④ 용접부의 경계에 있는 경우

지금까지 설명한 용접선과 평행을 이룬 지시모양의 기록방식과 같으며, **그림 4-22**와 같이 위치와 길이를 명확히 이해할 수 있도록 기록한다. 이때 그 위치가 용접부의 경계에 있는 것이 명확히 실물로 확인할 수 있는 경우에는 기준선(x 축)으로부터의 위치측정 및 기입은 하지 않아도 된다(그림에서 ※로 표시된 선). 그러나 표면이 매끄럽게 다듬어져 있고 용접부와 모재와의 경계가 어디인지 구별하기 어려운 경우 또는 현재는 쉽게 식별할 수 있으나 나중에 식별이 곤란해질 우려가 있을 때에는 이제까지의 그림으로 나타내듯이 기준선으로부터의 위치를 기입하고, 용접부의 경계에 지시모양이 있다는 것을 기입해 두는 것이 바람직하다.

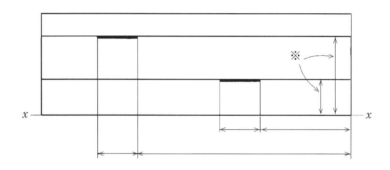

〔그림 4-22〕 용접부의 경계에 있는 지시모양의 기록(예)

⑤ 원형 지시모양 등 폭이 있는 경우

결함의 용접 세로방향의 위치는 기준점으로부터 각각 지시모양의 한쪽 끝까지의 거리를 측정하여 기입한다. 또한 각각의 지시모양에 대하여는 **그림 4-23**과 같이 가장 폭이 넓은 부분을 측정하여 이것을 세로방향의 길이로 하고, 이것과 직각방향의 길이를 가로(橫)방향의 길이로 하여 지시모양의 길이를 측정 기록한다.

⑥ 지시모양이 곡선을 이루고 있는 경우

그림 4-24 와 같이 곡선을 이루고 있는 지시모양이 얻어진 경우의 기록은 그림과 같이 용접 세로방향에서의 위치 및 가로방향에서의 위치를 각각 기준선(x, y 축)을 이용하여 측정 기록한다. 그밖에 지시모양의 성질과 상태를 평가하는 데 필요하다고 생각되는 것이 있으면 각 부분의 길이를 측정 기록한다.

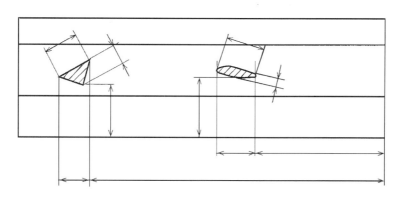

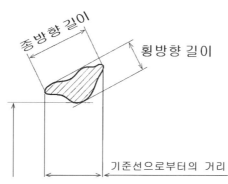

〔그림 4-23〕 원형모양의 결함지시모양 등 폭이 있는 지시모양의 기록

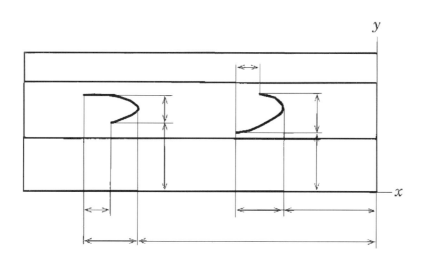

〔그림 4-24〕 곡면 용접부의 지시모양의 기록

제 4 장 침투탐상시험의 실시방법 | **153**

⑦ 용접 구조물 등의 긴 평판 용접부

지금까지는 용접시험편과 같이 비교적 길이가 짧은 용접부의 결함에 대한 기록방법에 대해서 설명하였다. 그러나 용접 구조물과 같이 길이가 길어도 기록방법의 원칙은 그대로 적용된다. 즉 지시모양의 위치 및 형상 등은 지금까지 설명한 기록방법을 사용하여 기록하면 된다. 다만 기준점을 잡는 방법이 다른데, 보통은 개선면으로부터 일정한 거리 또는 같은 간격(같은 간격으로 하지 않아도 됨)으로 몇 개의 기준점을 용접 전에 표면 위에 만들어 놓거나 표시하고, 그것을 잇는 선을 기준선으로 하여 측정한다.

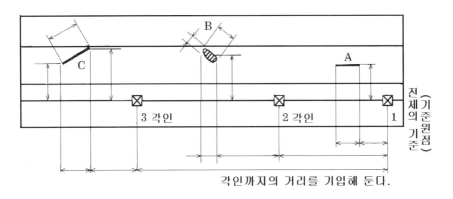

〔그림 4-25〕긴 평판 용접부의 결함 지시모양의 기록의 "예"

지시모양이 발견되면 가장 가까운 기준점과 기준선을 이용하여 위치를 측정한다. 또한 기준점으로부터의 거리 측정은 항상 한 방향으로 하는데, 예를 들면 **그림 4-25**에서 A의 결함 위치를 기준점 1에서부터 측정하고, 다음에 B의 지시모양은 기준점 3에서부터 측정한다. 또한 C도 기준점 3에서부터 각각 측정하는 방법을 사용한다.

2) 곡면의 용접부

그림 4-26(a) 와 같이 용접부가 반경 R인 곡면으로 되어 있는 경우 그 기록은 전개도와 같이 펴서 기록해야 한다. **그림 4-26(b)** 에 곡면 용접부를 기록한 도면의 예를 나타내었다.

※ 로 표시된 길이는 입체도와 전개도의 ※ 로 표시된 길이와 같으며, 또 지시모양의 길이, 기준점으로부터의 거리 등은 모두 곡면을 따라서 측정하여 기록해야 한다.

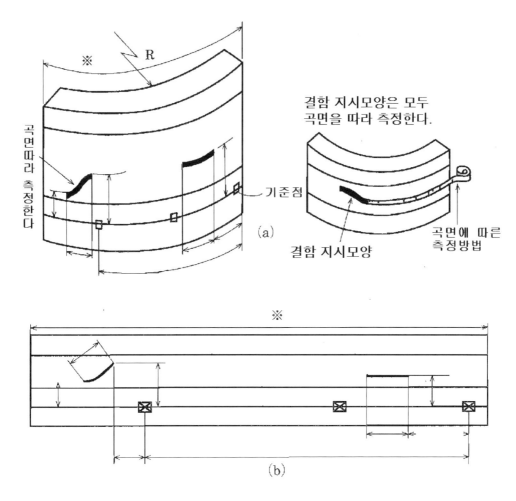

[그림 4-26] 곡면 용접부 결함 지시모양의 기록 예

3) 필릿 용접부

필릿 용접부의 기록방법은 위에서 설명한 각종 평판 맞대기 용접부의 기록방법과 원칙은 같다. 그러나 우선 기준 단면을 결정하고 난 후 각 면에 표를 하고, 각각의 면에 대한 지시모양의 기록을 작성한다.

4) 봉의 가공품 및 관 등

여기서는 다양한 형태의 가공품 및 주조품, 단강품을 시험하여 지시모양이 검출된 경우의 기록에 관하여 예를 들어 설명한다. 지시모양의 측정 및 기록방법은 용접부의 경우와 같지만, 기준점이나 기준선 또는 기준면을 설정하는 방법은 시험체의 형상에 따라 달라진다.

가) 각형(角形)단면을 가진 가공품(예 : 각형강재 등)

각형 가공품의 경우에 **그림 4-27**과 같이 각각의 면에 기호를 붙여서 기록한다. 각 면에 대하여 기준점 또는 기준선을 설정하고, 지시모양의 위치와 치수 측정을 하여 기록한다. **그림 4-27(a)**의 A 면의 기록 그림의 예를 **그림 4-27(b)**에 나타내었으며, B면, C면 및 E면, F면의 기록 역시 각각 별개로 작성하여야 한다. 길이가 긴 경우에는 적당한 간격으로 나누어 기준점을 설정하고 이를 기준으로 측정하여 기록한다.

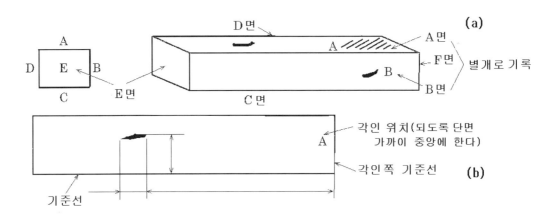

〔그림 4-27〕 각형 가공품의 결함 지시모양의 기록 예

나) 원형 단면을 갖는 가공품(예 : 환봉, 관 표면 등)

시험체의 양쪽 끝면을 기준 면으로 설정하고 표시를 한다. 그 다음 길이가 짧은 경우 표면에 하나의 기준점을 만들고, 긴 경우 일정한 간격으로 표면에 몇 개의 기준점을 만든 후 지시모양의 위치와 치수를 측정하여 기록한다. 다음은 길이가 짧은 시험체에 대한 기록방법의 예이며, 긴 시험체의 경우는 기준점을 여러 개 설정하는 점 이외에는 동일하다.

그림 4-28(a)와 같은 원형 단면의 시험체에 대하여 기록을 하는 경우에는 우선 좌우 양쪽 면에 A, B의 명칭을 붙인다. 그리고 A, B 양면 중 한쪽

면에 가까운 표면 위 임의의 점에 표시를 하여 이것을 기준점으로 한 다음, 이 기준점을 통하여 중심축과 평행하게 직선을 그어 이것을 기준선으로 한다. 표면 위에 나타난 결함의 기록은 모두 이 기준점 및 기준선을 기초로 표면을 전개시킨 도형으로 하는 것이 가장 간단하다.

그림 4-28(b)에 결함 지시모양을 기록한 예를 나타내었다.

기준선으로부터 원주방향으로의 결함 지시모양의 거리는 곡면을 따라 측정한 길이로 한다. 그림 4-28(c)와 같이 결함이 2곳 이상에서 나타난 경우 기준점과 기준선을 별개로 만들어 그림 4-28(d)와 같이 표시할 수도 있다. 이때 각각의 기준점과 기준선은 명확하게 하지 않으면 안 된다.

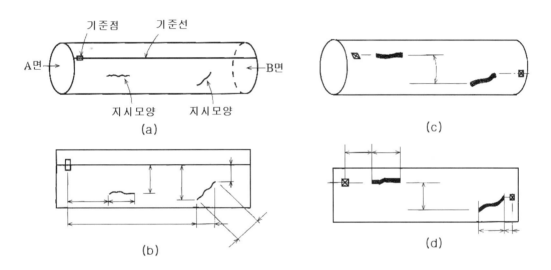

〔그림 4-28〕 원형단면을 갖는 가공품의 결함지시모양의 기록 예

다) L형 단면을 갖는 가공품

L형 단면의 경우도 각형(角形), 원형(圓形) 단면(斷面)의 경우와 같이 우선 기준으로 하는 면을 결정한 후, 기준면에 기호를 붙이고, 각각의 면에 대하여 결함 지시모양의 기록을 작성하면 된다.

그림 4-29(a)의 시험체에 대한 결함 지시모양 기록의 예를 그림 4-29(b), 그림 4-29(c)에 나타내었다.

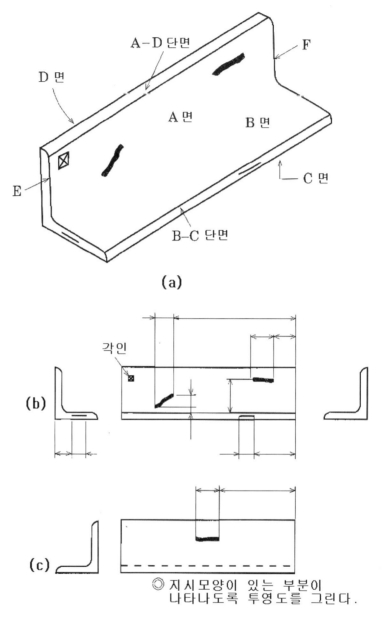

(a)

(b)

각인

(c)

◎ 지시모양이 있는 부분이
나타나도록 투영도를 그린다.

〔그림 4-29〕 L 형 단면을 갖는 가공품의 결함지시모양의 기록 예

라) 주조품과 단조품 또는 형상이 복잡한 기계가공품

이런 종류의 가공품에는 대형에서 소형까지 여러 종류가 포함되지만, 원칙적으로는 개개의 물품에 대한 도면을 이용하여 결함 지시모양을 해당 장소에 기입하는 방법을 사용한다.

도면은 결함 지시모양이 나타난 부분이 정확히 확인될 수 있도록 작성되어야 하며, 지시모양의 위치와 크기의 측정결과가 기입되어야 한다. 이때 측정을 위한 기준점이나 기준선은 결함 위치를 표시하는데 가장 좋은 점이나 선을 선정하면 된다.

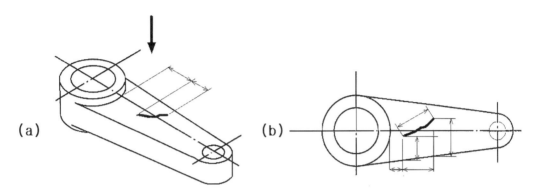

〔그림 4-30〕 주조품과 단조품 등의 결함 지시모양의 기록 예

그림 4-30(a)와 같은 형상의 단조품에 그림과 같은 지시모양이 나타났다고 하면 이것을 가장 명확히 표시할 수 있는 것은 굵은 화살 방향으로부터의 도면이며, 다른 방향에서의 도면은 필요치 않다. 그러므로 굵은 실선의 방향으로부터의 도면을 이용하여 가장 쉽고 간단하게 위치를 재현할 수 있는 기준점과 기준선을 기록한 예가 **그림 4-30(b)**이다.

이상 몇 가지의 실제 [예]를 들어 결함 지시모양을 기록하는 방법에 대하여 설명하였다. 탐상결과를 기록하는 이유는 직접 시험을 하지 않은 사람이라도 제출된 기록을 보고, 그 지시모양을 확인 할 수 있도록 하기 위해서이다. 따라서 기록을 작성한 사람만이 이해가 되며 다른 사람에게는 이해가 되지 않는 기록은 전혀 기록으로서 의미가 없으므로, 가장 알기 쉬운 방법으로 기록되도록 해야 한다.

기준점과 기준선을 잡는 방법에 정해진 법칙은 없으므로, 기록을 작성하는 검사원이 기준을 정하고 작성을 해야 한다. 따라서 검사원이 정한 법칙을 다른 사람에게도 알려 줄 필요가 있으며, 시험체의 종류, 모양, 크기 등에 따라 다소의 차이는 있을 수 있으나, 누가 보더라도 쉽게 이해되도록 기록해야 한다.

11. 침투탐상시험에 관한 규격

침투탐상시험의 규격은 그동안 한국 산업규격(KS) 및 미국 규격(ASTM, API, ASME) 등에 치우쳐 사용해 왔으나 우리나라도 2002년도부터 국제규격의 부합화(global standardization)를 도모하기 위하여 국제 표준화기구(ISO)의 규격을 채택하여 기존의 규격과 함께 사용하고 있다. 검사원이라면 반드시 이들 규격에 대하여 알고 있어야 하므로, 침투탐상검사 관련 규격의 목록을 표시하였다.

가. 한국 산업규격(KS)

KS B 0816-2005	침투탐상시험방법 및 침투지시모양의 분류
KS W 0914-2004	항공 우주용 기기의 침투탐상검사 방법
KS B ISO 3452-2006	비파괴검사-침투탐상검사-일반원리
KS B ISO 3452-2-2007	비파괴검사-침투탐상검사-제 2 부 : 침투탐상제의 시험
KS B ISO 3452-3-2006	비파괴검사-침투탐상검사-제3부 : 대비시험편
KS B ISO 3452-4-2006	비파괴검사-침투탐상검사-제4부 : 장비
KS B ISO 3453-2006	비파괴검사-침투탐상검사-검증수단
KS B ISO 9935-2001	비파괴검사-침투탐상 결함 검출기-일반기술요건
KS B ISO 12706-2001	비파괴검사-침투탐상검사 용어
KS B ISO 4386-3-2005	평베어링-금속제 다층 평베어링-제3부:비파괴 침투시험
KS B ISO 23277-2007	용접부 비파괴시험-용접부 침투탐상시험-합격기준
KS D ISO 4987-2002	주강품-침투탐상검사
KS D ISO 12095-2002	압력용 이음매 없는 용접 강관-침투탐상검사

나. ASTM(미국 재료시험 협회)의 규격

ASTM E 165-2002	Test Method for Liquid Penetrant Examination (표준 침투탐상시험방법)
ASTM E 1417-1999	Practice for Liquid Penetrant Examination (침투탐상시험에 대한 표준시험)
ASTM E 433-1971	Reference Photographs for Liquid Penetrant Inspection (침투탐상검사에 대한 표준 비교 사진)
ASTM E 1135-1997	Test Method for Comparing the Brightness of Fluorescent Penetrants (형광 침투제의 표준 휘도 비교방법)

ASTM E 1208-2010   Test Method for Fluorescent Liquid Penetrant
Examination Using the Lipophilic Post-Emulsification
Process
(표준 후유화성(기름베이스)형광 침투탐상시험 방법)

ASTM E 1209-2010   Test Method for Fluorescent Liquid Penetrant
Examination Using the Water-Washable Process
(표준 수세성 형광 침투탐상시험 방법)

ASTM E 1210-2010   Test Method for Fluorescent Liquid Penetrant Examination
Using the Hydrophilic Post-Emulsification Process
(표준 후유화성(물베이스) 형광 침투탐상시험 방법)

ASTM E 1219-2010   Test Method for Fluorescent Liquid Penetrant
Examination Using the Solvent-Removable Process
(표준 용제제거성 형광 침투탐상시험 방법)

ASTM E 1220-2010   Test Method for Visible Penetrant Examination
Using the Solvent-Removable Process
(표준 용제제거성 염색 침투탐상시험 방법)

ASTM E 1418-2010   Test Method for Visible Penetrant Examination Using
the Water-Washable Process
(표준 수세성 염색 침투탐상시험 방법)

다. ISO (국제 표준화기구)의 규격

ISO 12706-2010   Non-destructive testing – Penetrant testing-Vocabulary
(비파괴시험-침투탐상시험-용어).

ISO 3452-1-2008   Non-destructive testing – Penetrant testing – Part 1 :
General principles
(비파괴시험-침투탐상시험-제 1 부 일반원리)

ISO 3452-2-2000   Non-destructive testing-Penetrant testing-Part 2 :
Testing of penetrant materials
(비파괴시험-침투탐상시험-제 2 부 : 침투제의 시험)

ISO 3452-3-1998   Non-destructive testing-Penetrant testing-Part 3 :
Reference test blocks
(비파괴시험-침투탐상시험-제 3 부 : 대비시험편)

ISO 3452-4-1998 Non-destructive testing-Penetrant testing-Part 4 : Equipment
(비파괴시험-침투탐상시험-제 4 부 : 장치)

ISO 3452-5-2008 Non-destructive testing – Penetrant testing – Part 5 :
Penetrant testing at temperatures higher than 50 degrees C
(비파괴시험-침투탐상시험-제 5 부 : 50℃를 초과한 온도에서의 침투탐
상시험)

ISO 3452-6-2008 Non-destructive testing – Penetrant testing – Part 6 :
Penetrant testing at temperatures lower than 10 degrees C
(비파괴시험-침투탐상시험-제 6 부 : 10℃ 미만인 온도에서의 침투탐상
시험)

ISO 3453-1984 Non-destructive testing-Liquid penetrant inspection-Means of
verification
(비파괴시험-침투탐상시험-평가방법)

ISO 3059-2001 Non-destructive testing-Penetrant testing and magnetic
testing – Viewing conditions
(비파괴시험-침투탐상시험 및 자분탐상시험-관찰조건)

ISO 4386-3-1992 Plain bearings Metallic multilayer plain bearings- Part 3 :
Non-destructive Penetrant testing
(평베어링-금속제 다층 평 베어링-제3부 : 비파괴 침투시험)

ISO 4987-1992 steel casting – Penetrant inspection
(주강품-침투탐상검사)

ISO 9916-1991 Aluminum alloy and magnesium alloy castings-Liquid
penetrant inspection
(알루미늄 합금 및 마그네슘 합금 주조품-침투탐상검사)

ISO 9935-1992 Non-destructive testing – Penetrant flaw detectors – General
technical requirements
(비파괴시험-침투탐상시험-기술요구 일반)

ISO 12095-1994 Seamless and welded steel tubes for pressure purposes-Liquid
penetrant inspection
(압력용 이음매 없는 강관 및 용접강관- 침투탐상검사)

ISO 23277-2006 Non-destructive testing of welds – Penetrant testing of
welds – Acceptance levels
(용접부 비파괴시험-용접부 침투탐상시험-합격기준)

라. 한국 산업규격(KS B 0816)과 ASME 코드(sec. V)와의 비교

침투탐상시험의 대표적인 규격인 KS B 0816-2005(침투탐상시험방법 및 지시모양의 분류)와 ASME(미국 기계학회) Sec. V. art. 6-2010(침투탐상시험 일반)의 중요한 부분만을 발췌하여 개략적으로 비교 설명한다.

1) 전처리

가) KS 규격

전처리를 해야 하는 오물의 종류로써, 유지류, 도료, 녹, 스케일, 오염 등이 있다. 이들 오물을 깨끗이 하는 방법으로는 부착물의 종류와 정도 및 시험체의 재질을 고려하여 용제에 의한 세척, 증기세척, 도막 박리제, 알칼리 세제, 산세척 등을 사용할 수 있다. 처리 후는 용제, 세척액, 수분 등을 충분히 건조시켜야 한다.

나) ASME Code

탐상면에 존재하는 그리스, 보풀, 스케일, 용접 용재, 스패터, 페인트, 기름 또는 기타 표면에 열린 부분을 가릴 수 있거나 시험을 방해하는 오염은 제거해야 한다. 이들 오물을 깨끗이 하는 방법으로 세척제, 유기용제, 스케일 제거제, 페인트 제거제 또는 탈지 세척 및 초음파 세척을 사용할 수 있다. 그리고 전처리 후에는 자연 증발 또는 강제 냉풍 또는 열풍에 의해 적절히 시험체 표면을 건조시켜야 한다.

2) 침투처리

가) KS 규격

침투액은 시험체의 모양, 치수, 수량 및 침투액의 종류에 따라 담금법(침지법), 분무법, 솔질법 등의 방법으로 탐상면에 적용하고, 침투에 필요한 시간 동안 시험하는 부분의 표면을 침투액으로 적셔두어야 한다. 침투시간은 침투액의 종류와 시험체의 재질 그리고 예측되는 결함의 종류와 크기 및 시험체와 침투액의 온도를 고려하여 정한다. 일반적으로는 15~50℃의 범위에서는 5~10분을 기준으로 한다. 3~15℃의 범위에서는 온도를 고려하여 침투시간을 늘리고, 50℃를 넘는 경우 또는 3℃ 이하인 경우는 침투액의 종류, 시험체의 온도 등을 고려하여 정한다.

나) ASME Code

침투액은 담금법, 솔질법, 분무법을 사용하여 적용한다. 최소 침투시간은 시험체의 재질, 검출하고자 하는 결함의 종류 등을 고려하여 정하며, 일반적으로 침투액 및 시험체가 50~125℉(10~52℃)인 표준 온도의 범위인 경우 5~10분을 기준으로 한다. 또한 온도가 40~50°F(5~10℃)인 경우 최소 침투시간은 표준 온도범위(50 ~125°F)에서 규정된 값(5~10분)의 2배로 하며, 40°F(5℃) 미만 또는 125°F(52℃)를 초 과하는 경우는 알루미늄 담금질 균열시험편(Aluminum comparator block)을 사용하여 정한다.

3) 유화처리

가) KS 규격

유화제는 담금법(침지법), 붓기법, 분무법으로 적용하며, 유화시간은 유화제 및 침투액의 종류, 온도, 시험체의 표면 거칠기 등을 고려하여 정한다. 유화시간은 원칙적으로 기름베이스 유화제인 경우 형광 침투액을 사용할 때는 3분 이내, 염 색 침투액을 사용할 때는 30초 이내로 하며, 물 베이스 유화제를 사용할 경우 형 광 침투액 및 염색 침투액은 2분 이내로 한다.

나) ASME Code

유화제는 분무법 또는 담금법(침지법)에 의해 도포한다. 유화시간은 유화제의 종류 및 시험체의 표면 조건에 따라 달라지므로 실제 유화시간은 실험에 의해 결정한다.

4) 세척처리

가) KS 규격

1) 수세성 및 후유화성 침투액 : 물로 세척하며, 스프레이 노즐을 사용할 때의 수압 은 특별한 규정이 없으면 275kPa 이하로 한다.
2) 용제제거성 침투액 : 용제로 제거하며, 특히 세척이 곤란한 경우를 제외하고 원칙적으로 세척액이 스며든 헝겊을 사용하여 닦아내고 시험체를 세척액에 담 그거나 세척액을 다량으로 적용해서는 안 된다.

나) ASME Code

1) 수세성 침투액 : 물을 분무하여 제거한다. 수압은 50psi(350kPa) 이하로 하며, 물의 온도는 110°F(43℃) 미만이어야 한다.
2) 후유화성 침투액 : 물 속에 담그거나 물로 씻어 제거한다. 물 온도와 압력은 제작 자의 권고에 따른다.
3) 용제제거성 침투액 : 잉여 침투액을 헝겊 또는 흡수성 종이로 대부분 닦아 낸다. 그 후 남아 있는 침투액을 용제를 적신 헝겊 또는 흡수성 종이로 가볍게 닦는다. 그리 고 탐상면에는 용제를 직접 흘려서는 안 된다.

5) 건조처리

가) KS 규격

습식 현상제를 사용할 때는 현상처리를 한 후 시험체 표면에 부착되어 있는 현상제를 재빨리 건조시키며, 건식 또는 속건식 현상제를 사용할 때는 현상처리 전에 건조처리를 한다. 또 세척액으로 제거한 경우는 자연 건조하거나 또는 마른 헝겊으로 닦아내고 가열 건조를 해서는 안 된다.

나) ASME Code

수세성 또는 후유화성 침투탐상시험에서 탐상 면의 건조는 깨끗한 재료로 물을 흡수시키거나 또는 온풍으로 표면을 건조시키며, 다만 온풍을 사용하는 경우의 표면 온도는 125°F(52℃) 이하로 유지하여야 한다. 용제제거성 침투탐상시험의 경우, 건조는 자연 건조, 빨아들이기, 닦아내기 또는 공기 분무로 건조시킨다.

6) 현상처리

가) KS 규격

1) 건식 현상법의 경우는 시험체를 건식 현상제 속에 매몰하거나 또는 적당한 방법으로 똑같이 뿌려지도록 하고 소정의 시간을 유지한다.
2) 습식 현상법의 경우는 현상액 속에 시험체를 담그거나 또는 분무, 붓기 또는 붓칠 중 어느 방법으로 적용하고, 잉여 현상제는 재빨리 배액한다.
3) 속건식 현상제의 경우는 분무, 붓기 또는 붓칠로 적용한다. 현상제 속에 시험체를 담금(침지)해서는 안 된다. 건조는 자연 건조시킨다.
4) 습식, 속건식 현상제를 적용하는 경우는 시험체의 표면이 현상제에 의해 적절한 백그라운드로 덮이는 정도로 한다.
5) 현상시간은 현상제의 종류, 예측되는 결함의 종류와 크기 및 시험체의 온도를 고려하여 정하며, 일반적으로는 15~50℃의 범위에서 7분을 표준으로 한다.

나) ASME Code

1) 건식 현상제는 부드러운 솔, 수동 산포기 또는 파우더 건(powder gun) 등을 사용하여 적용하며, 현상제 분말이 시험체 전체에 균일하게 뿌려지도록 한다.
2) 습식 현상제(비수성 현상제)는 탐상 면에 균일한 막이 형성되도록 담금법, 분무법, 솔질법으로 적용한다. 건조는 열풍을 사용해도 되지만, 탐상면 온도는 125°F(52℃)를 넘어서는 안 된다.
3) 속건식 현상제(수성 현상제)는 분무법으로만 적용한다.

7) 관찰

가) KS 규격

1) 침투지시모양의 관찰은 현상제 적용 후 7~60분 사이에 한다.

2) 형광 침투탐상시험에서는 관찰하기 전에 1분 이상 어두운 곳에서 눈을 적응시키고, 암실의 밝기는 $20\ell x$ 이하이이야 한다. 시험체 표면에 $800\mu W/cm^2$ 이상의 자외선을 비추면서 관찰한다.

3) 염색 침투탐상시험에서는 시험면의 밝기(조도)가 $500\ell x$ 이상인 자연광 또는 백색광 아래에서 관찰한다.

나) ASME Code

1) 최종 판독의 경우, 건식 현상제는 현상제를 적용한 직후에, 습식 현상제는 현상제가 건조된 직후부터 10~60분 사이에 실시한다. 지시모양이 번짐으로 인하여 검사결과가 변하지 않는다면 60분 이상 시간이 경과하여 관찰해도 된다.

2) 탐상 면이 넓기 때문에 규정된 시간 내에 완전한 검사를 하는 것이 불가능할 경우, 탐상 면을 분할하여 검사한다.

3) 염색 침투탐상시험에서 탐상면은 최저 $1,000\ell x(100\ fc)$의 밝기가 요구   된다.

4) 형광 침투탐상시험에서는 관찰하기 전 적어도 5분간 눈을 어두운 곳에 적응시켜야 하며, 탐상면에서 자외선 강도는 $1,000\mu W/cm^2$ 이상이 요구된다.

【 익 힘 문 제 】

1. 표면처리와 표면세척에 대하여 설명하시오.

2. 침투액의 적용방법을 분류하고 설명하시오.

3. 침투시간을 결정할 때 고려해야 할 사항에 대하여 설명하시오.

4. 용접부를 탐상할 때 **KS B 0816**-2005 규격에서 규정하고 있는 침투시간과 현상시간은?

5. 유화제의 역할 및 특징을 설명하시오.

6. 현상처리를 하는 목적에 대하여 설명하시오.

7. 에어로졸 제품을 사용할 때 주의사항에 대하여 설명하시오.

8. 현상방법에 따른 세척방법 및 적용시기를 현상방법 별로 설명하시오.

9. 염색 및 형광 침투탐상검사의 관찰 조건에 대하여 설명하시오.

10. 현상제를 유형별로 분류하고 현상제가 갖추어야 할 요건을 설명하시오.

11. 후처리의 목적에 대하여 설명하시오.

12. KS B 0816-2005과 ASME Sec. V. art. 6-2010 의 침투처리에서 규정하는 시험체의 표준온도 및 최소 침투시간은 얼마인지 비교 설명하시오.

제 5 장 침투탐상시험의 적용

제 1 절 침투탐상검사의 실제

1. 검사의 시기와 목적

재료 및 제품에 대한 검사는 어떠한 비파괴시험을 적용하더라도 검출해야 하는 가장 중요한 결함은 균열(crack)이며, 그 중에서도 표면이 열린 균열이 가장 해롭다. 침투탐상시험은 다른 어떠한 비파괴시험보다도 이 균열을 검출하는 능력이 우수하지만, 시험에 관계되는 모든 처리가 검사원의 수작업(手作業)에 의해 실시되므로, 시험결과의 좋고 나쁨이 너무나 검사원 개인의 기량에 의존된다. 그러므로 검사원은 침투탐상시험 기술 및 처리에 관계되는 내적 및 외적의 환경조건, 검사 대상물의 과학적 및 물리적 특성에 대하여 충분한 지식을 갖추고 있어야 하며, 또한 시험 기자재의 기능(機能)과 성능 및 취급방법에 대해서도 잘 알고 있어야 해로운 결함을 안 빠뜨리고 검출하여 평가할 수 있게 된다.

침투탐상시험의 시험체에 대한 적용은 제조단계에서 실시하는 검사(제조 검사)와 사용을 한 후에 실시하는 검사(보수 검사)로 크게 나눈다. 제조 단계에서 실시하는 검사는 정해진 규격 또는 시방서에 따라 제조된 기기나 구조물이 규정된 제조조건 하에서 제조되어 그 품질이 요구되는 조건을 만족하는지 여부를 확인할 목적으로 행해진다. 이때의 평가기준은 시험체가 주어진 설계조건 하에서 사용되어도 중대한 파괴사고가 발생할 우려가 없는 품질로 제작되었는지 여부를 판단하는 것이다.

일반적으로 제조 단계에는 용강(溶鋼, liquid steel)으로부터 각종 강괴나 주조품을 만드는 1차 가공단계, 각종 강괴를 사용하여 레일(rail), 판(plate), 형강(形鋼, section shape steel), 선재(wire rod), 봉재(round bar), 관(pipe), 튜브(tube) 및 단

조품을 만드는 2차 가공단계, 그리고 최종 제품이 되기 위한 마무리 가공 또는 많은 부품을 용접 등으로 조립하여 각종 형상과 크기 그리고 기능을 갖도록 조립하여 구조물을 만드는 조립 가공의 단계가 포함된다.

사용을 하고 나서 실시하는 검사는 일정한 기간이 경과할 때마다 행해지는 검사로써 제품이나 기기 등의 건전성 여부를 확인하여 다음 검사 주기까지의 안전성을 확보하기 위하여 실시한다. 이러한 보수검사에서는 비록 제품이 설계기준에 따라 제조되었더라도 설계시점에서 고려하지 않았던 예상 외(外)의 응력이나 환경 및 사용조건에 따라 어떠한 이상(異常)이 발생될 것의 고려와 이에 따른 파괴도 일어날 수 있음을 고려해야 한다. 따라서 만일 결함이 검출되면 그 형상과 크기 그리고 위치를 조사하여 발생원인을 추정하고, 결함의 종류를 특정지어 성장속도를 예측해야 한다. 그리고 검출된 부위에서의 응력의 종류와 방향 그리고 크기 및 사용하는 환경을 조사하고 재료의 강도를 감안해서 다음 정기검사까지 그대로 계속 사용이 가능한지 즉시 보수해야 할 것인지 또는 교환할 것인지를 결정해야 한다.

이러한 검사를 확실하게 실시하여 신뢰성이 높은 판단을 하기 위해서는 정확하게 결함을 검출하여 결함에 관한 명확한 정보가 얻어지도록 가장 적합한 침투탐상시험방법을 선택하여 실시해야 한다. 어떠한 방법이 적절한지는 시험체마다 다르므로, 여기서는 각종 제품 및 용접부 등에 대한 침투탐상시험에 의한 검사의 실제에 대하여 설명하기로 한다.

2. 제조할 때의 침투탐상검사

가. 주조품(1차 가공품)

주조품은 금속의 용탕을 필요한 형상으로 만든 사형(砂型) 또는 주형(鑄型) 속에 넣어 응고시킨 것으로, 그 종류는 철강재인 경우 탄소 함유량이 약 2% 이상인 것을 주철품, 2% 미만인 것을 주강품이라 한다.

주조품은 주조상태 그대로 침투탐상검사를 하기에는 표면이 너무 거칠거나 요철(凹凸) 등으로 불가능한 경우가 많으므로, 탐상 전에 검사가 가능할 정도로 시험면을 기계가공을 한 후에 검사를 해야 한다. 주조품에는 각종 산업기계의 기계부품, 밸브(valve)류 및 터빈 케이싱(turbine casing) 그리고 항공이나 조선분야의 터빈 블레이드(turbine blade)와 스크루(screw) 등이 있다. 이들 주조품에 대한 검사의 목적은 시험체 표면이 열려 있는 균열성 결함의 검출에 있음을 잊지 말고 검사에 임해야 한다. 주조품의 표면 결함 검출에는 일반적으로 강자성체인 경우에는 자분탐상검사를 적용하며, 비자성체인 경우에는 침투탐상검사를 적용한다. 그러나 자분탐상검사는 원형 결함에 대해서는 검출성이 낮으므로, 강자성체인 경우도 침투탐상검사를 함께 적용하기도 한다. 또한 형상이 복잡한 주조품에 대해서도 자분탐상검사 대신에 침투탐상검사를 적용하기도 한다.

1) 발생하는 결함의 종류

주조(鑄造, casting)는 기계가공으로 제작하기가 어려운 복잡한 형상이나 두께변화가 심한 제품의 제조에 광범위하게 사용되고 있으나, 다른 소재에 비해 결함이 들어가기 쉽고, 강도도 단조품에 비해 낮고 인성(靭性)도 떨어지므로 강도를 요구하는 부재(部材)로의 사용은 많지 않지만, 다른 공작법에 비해 비교적 공수(工數)가 적고 각종 형상을 자유롭게 제작할 수 있는 편리함 때문에 펌프(pump)와 밸브(valve) 또는 노즐(nozzle) 등의 대, 소형부품 등의 제작에 많이 사용되고 있다.

주강품은 금속 용탕(溶湯)의 유동성(流動性)을 이용하여 용강(liquid steel)을 특정 현상으로 응고(凝固)시키는 하나의 공정(工程)만으로 제조하는 가공법으로 압연과 단조 등의 후속 가공과정이 없으므로, 응고 중에 생긴 결함의 양(量)이나 질(質)은 개선되지 않고 용강 속에 발생한 각종 기체나 금속의 개재물이 제품 속에 그대로 남게 되는 것이다.

주조품에서 결함이 나타나기 쉬운 곳은 주물표면과 그 근방 그리고 살 두께 중심부와 교차부(交叉部) 및 살 두께 급변부 등 액체 금속이 응고될 때에 수축이 많은 부위이다. 주강은 다른 금속에 비해 응고 수축이 많고, 또한 응고의 온도범위가 좁기 때문에 수축공(收縮孔, shrinkage cavity ; 수축공동이라고도 함)이 발생하기 쉽다.

주강품에 발생하기 쉬운 결함에는 응고될 때의 수축응력에 의하여 발생하는 균열(열간 균열, 냉간 균열)과 수축공, 개재물(모래, 슬래그), 기포(핀홀·블로우홀), 스캐브(scab) 등이 있다.

① 균열(crack) : 주강품의 결함 중에서 가장 중요한 비파괴검사의 대상이 되는 결함으로, 열간 균열(hot crack)과 냉간 균열(cold crack)이 있다. 주조품의 균열은 주로 금속의 수축에 의하여 발생하므로, 주물의 형상, 주조 방안이 어

떠한지에 따라 발생한다.

침투지시모양은 큰 균열인 경우는 날카롭고 뚜렷하게 나타나며, 미세한 균열은 개개의 지시는 잘 나타나지 않으며 그룹을 이룬 지시모양으로 나타난다.

㉮ 열간 균열(hot crack, hot tear) : 용탕(溶湯)의 응고 시 또는 응고 후에 주물에 작용하는 외력(外力)에 의한 응력과 내부응력 또는 그들의 소합에 의해 주물의 표면에 불연속부 또는 균열이 발생하는데, 응고 시의 균열을 열간 균열, 응고 후의 균열을 간단히 균열이라 한다.

열간 균열은 1,300℃ 부근에서 발생하며, 냉각이 가장 늦은 부분, 즉 살두께의 급변부 등에서 발생하기 쉽다. 큰 균열은 표면에 나타나지만 일반적으로 균열은 표면에 나타나지 않고 표면에서 수 mm까지의 내부에 존재한다.

㉯ 냉간 균열(cold crack) : 금속이 냉각(冷却)되는 도중의 수축으로 인하여 잔류응력이 재료의 인장강도 이상이 되면 발생하는 것으로, 냉각 도중의 소성(塑性) 영역에서부터 탄성영역으로 이동하는 온도 이하 또는 상온에서 발생한다. 살 두께 급변부나 교차부 등의 수축공이 발생하기 쉬운 부분에서는 주위에서 수축을 방해하면 표면에 균열이 발생하는데, 이러한 균열은 수축균열(shrinkage crack)이라고도 한다.

② 핀홀 · 블로우 홀(pin hole · blow hole) : 주조할 때 가스 배출이 불완전하여 가스가 완전히 빠져 나가지 못하고 응고 금속 속에 남은 것으로, 주물의 위쪽, 이를테면 표면 또는 표면 근방에서 많이 나타난다. 핀홀 및 블로우 홀은 주조품의 대표적인 결함의 하나로, 핀홀은 육안으로 겨우 볼 수 있는 바늘구멍 정도의 크기이며, 블로우 홀은 대개 2~3mm 이상의 크기로서 그 수는 비교적 적다.

③ 수축공(shrinkage cavity, shrinkage void) : 주강품의 결함 중에서 가장 전형적인 것으로, 주형(鑄型, mould)에 주입한 용탕이 응고될 때 수축으로 인하여 발생하는 결함이다. 주조를 할 경우 표면으로부터 응고가 시작하여 내부로 응고가 진행되므로, 마지막에 응고되는 내부는 먼저 응고 수축된 부분에 의해 끌어 당겨져서 빈 공간이 생기게 된다. 즉 최종 응고부에 용탕의 보급이 충분히 행해지지 않아서 금속의 수축량에 해당하는 공동부(空洞部)가 생긴 것이다.

수축공은 살 두께가 균일하지 않은 주물의 살 두께부분과 모서리부분에서 주형이 과열되어 응고가 늦은 부분 및 냉각속도가 늦은 장소 등에 생긴다.

④ 모래 개재물(sand inclusion) : 주탕 시에 용탕의 충돌에 의해 탕도나 주형 벽 내화물(耐火物)의 모래입자가 박리(剝離)되어 주물 속으로 들어가서 주물의 표면이나 내부에 남은 것이다. 주물모래의 강도 부족, 주형의 청소 불충분, 탕구(湯口)의 위치가 나쁘거나 주입불량 등에 의해 혼입된 것으로, 주물 표면과 내부에 모두 존재한다.

⑤ 슬래그 개재물(slag inclusion) : 용해 중에 발생한 슬래그가 용탕(溶湯) 속에 들어가 주입 시에 혼입되어 발생한다. 슬래그는 용탕과 비교하여 가벼우므로 압탕(押湯)에 뜨지만, 주형(鑄型)의 형상이 복잡하거나 용탕 온도가 낮으면 주물의 표면 근방에 잔류하여 가공 면에서 나타나기도 한다. 주물의 표면 및 내부에 모두 존재한다.

2) 검사시기

주조품은 응고 중에 발생한 결함이 제품에 남아 있을 수 있으므로, 가급적 빨리 검사를 실시하여 제품 품질을 확인하고 결함을 제거해야 한다. 검사는 주조품의 거친 면을 마무리 한 후, 기계가공 전후, 열처리 전후, 결함 보수의 전후 등 가공에 의해 새로운 면이 표면에 노출되거나 새로운 결함의 발생이 예상되는 시기에 실시한다.

3) 검사방법

주조품은 형상이 복잡하여 기계가공이 곤란한 면과 가공 마무리를 할 수 없는 주물 표면 그대로의 면, 기능상 규정 치수로 정밀하게 기계 가공된 매끄러운 면 등 다양한 성질의 면이 혼재되어 있어, 세척처리가 충분히 되지 않을 우려도 있으므로 대부분 수세성 염색 침투탐상검사로 속건식 현상법과 조합하여 실시한다. 그리고 기계가공 면이나 매우 한정된 범위만을 검사하거나 표면이 매우 거칠지 않은 경우는 용제제거성 침투탐상검사를 적용한다. 또한 대형 주조품을 수용할 수 있는 암실(또는 어두운 곳)이 있는 경우는 형광 침투탐상검사의 적용도 가능하지만, 표면 거칠기나 검출해야 할 결함의 크기, 그 밖의 작업성을 감안하여 염색 침투탐상검사를 더 많이 적용하고 있다. 현상법은 작업성이 편리한 속건식 현상법을 채택하여 사용하는 경우가 많다. 소형의 정밀 주조품은 일반적으로 표면이 매끈하므로, 능률적으로 대량을 처리할 수 있는 수세성 형광 침투탐상검사-습식현상법 또는 속건식 현상법을 많이 적용한다. 주조품은 표면이 조금 열려 있더라도, 내부에는 크고 넓은 결함이 있을 수 있으므로 관찰에 있어 주의가 필요하다. 이러한 결함은 열린 부분의 크기와 비교하여 침투액이 속에서 겉으로 나오는 량이 많기 때문에 결함 지시모양은 넓게 퍼지게 된다.

4) 대형 밸브에 대한 수세성 침투탐상검사의 적용

제조할 때의 대형 주조품은 일반적으로 수세성 염색 침투탐상검사가 효과적이므로, 수세성 염색 침투액과 속건식 현상제를 조합하여 실시하는 경우에 대하여 설명한다. 수세성 염색 침투탐상검사의 각 처리는 다음과 같이 실시한다.

가) 전처리 : 주로 부착되는 이물질(異物質)과 유지류(油脂類)를 제거하기 위하여 더운 물에 계면활성제를 혼합시킨 온탕(溫湯)을 가압한 후 분무(spray)상태로 분사(噴射)하여 세척한다. 만일 탐상장치의 설비를 이용하여 물 세척을 하는 경우에는 세척 후 압축공기로 표면의 수분을 뿜어 날려서 제거하고, 그 후 온풍을 뿜어주거나 건조로에 넣어 결함 내부에 잔류하고 있는 수분까지 증발시켜야 한다. 부분적으로 처리할 경우에는 에어로졸 제품의 세척제를 사용한다.

나) 침투처리 : 침투액의 적용은 넓은 부분과 좁은 부분이 있을 경우에는 솔질법으로 침투액을 적용하는 것이 편리하다. 솔질법은 공기 중으로 미세입자가 비산되는 분무법으로 적용하는 것보다 위생적이다. 다만 부위에 따라서는 각 부위의 형상에 맞는 노즐을 사용하여 분무법으로 침투처리를 하기도 한다.

다) 세척처리 : ① 세척처리의 목적은 잉여 침투액은 100% 제거하되 결함에 침투되어 있는 침투액은 100% 남도록 하는 것이다.
② 세척을 할 때에는 세척할 물의 흐름 상황을 고려하여, 미리 세척할 부위와 순서를 정해서 효율적이고, 또한 과세척이 되거나 세척부족이 되는 부분이 없도록 수압(水壓)에 주의하며 실시해야 한다. 경우에 따라서는 세척부분을 구분하여 2번, 3번으로 나누어 실시한다.
③ 세척하는 물의 압력은 높으면 높을수록 세척효과가 뛰어나지만, 적합한 수압은 275kPa(2.8kgf/cm²) 이내이며, 과 세척을 방지하려면 가급적 저압

(低壓)을 사용하는 편이 좋다. 그리고 세척시간은 세척이 가능할 정도로 되도록 짧게 해야 한다.

라) 건조처리 : ① 건조처리의 목적은 시험체 표면의 수분을 제거하고 건조시키는 것이다. 이 때문에 우선 압축공기로 표면에 부착되어 있는 물방울을 뿜어 날려 보낸 다음 걸레로 닦고 나서 자연 건조시킨다. 특히 바깥 기온이 낮거나 습도가 너무 높은 환경조건인 경우에는 온풍으로 건조시키거나 크기에 따라서는 건조로에서 건조시킨다.

② 건조로에서의 건조온도는 70℃ 이상 올리지 않아야 한다. 가능하면 50℃ 이내로 한다. 이는 침투액의 색조(色調)가 열화(형광 침투액의 경우는 형광 휘도의 열화가 심하다)되기 때문이다.

마) 현상처리 : 현상제를 도포하는 면적이 넓은 경우에는 4ℓ 통에 들어있는 속건식 현상제를 분무 총(spray gun)을 사용하여 도포하는 방법이 재료나 공수적(工數的)으로 경제적이지만, 균일하고 적정한 두께의 현상제의 도막 면을 얻기 위해서는 에어로졸 제품의 속건식 현상제를 사용하여 현상하는 방법이 더 우수하다.

바) 관찰 및 기록 : ① 규정된 환경조건 하에서 관찰하고, 관찰시간(현상제 적용 후 관찰을 개시하고 나서 끝마칠 때까지의 시간)은 보통 7∼20분이다.

② 결함 지시모양이 나타나면 지시모양으로부터 결함을 적절히 추정해야 하는데, 이를 위해서는 주강품에 나타나기 쉬운 결함은 무엇인지, 그 부위, 그 원인 등을 잘 인식해야 하며, 실제 검사에서는 예비관찰로부터 시작하여 그 성장 과정을 잘 파악하는 것이 중요하다.

③ 결함 지시모양의 판정 및 기록은 지시모양뿐만 아니라 실제 결함치수를 확인하는 것이 합리적이다.

④ 기록은 스케치, 사진촬영이나 전사(轉寫, transfer) 등으로 행한다. 다만 테이프로 전사할 경우의 주의할 점은 테이프에는 현상제 도막도 같이 전사되므로 전사한 후에도 지시모양이 계속 퍼진다는 점이다. 따라서 전사 후에는 즉시 복사해야 한다. 복사해 두지 않으면 전사한 면 전체가 붉은 색으로 변하여 기록으로 사용할 수 없게 된다.

나. 단조품 및 압연품(1차 가공품)

단조품은 용강(liquid steel)을 주형(mould)에 주입하여 강괴(鋼塊, steel ingot)를 만들고, 이 강괴를 1,200℃로 가열하여 해머(hammer)나 프레스(press) 기계로 단련(鍛鍊)시켜 정형(整形)한 후, 열처리와 기계 가공하여 만드는 것이다. 단련처리를 하기 때문에 주조품에 비해 재료강도가 현저하게 높아지며, 각종 기계나 구조물에 있어서 재료에 높은 강도가 요구되는 부재 및 부품에는 단강품이 많이 사용되고 있다.

압연품은 금속의 소성(塑性)을 이용해서 고온 또는 상온의 금속재료를 회전하는 2개의 롤(roll) 사이로 통과시켜서 여러 가지 형태의 판(板), 봉(棒), 관(管), 형재(形材) 등으로 가공하여 만드는 제품이다. 예를 들어 강판은 강괴를 필요로 하는 단면의 강편(slab)을 1,100∼1,250℃ 정도로 가열하여 열간 압연을 한 것으로, 강괴의 조대(粗大)한 주조조직을 파괴하여 기포나 수축공을 압착시켜서 가공성이 좋은 미세조직의 판을 만든 것이다.

단조품 및 압연품은 이와 같이 단조 및 단련이 행해지기 때문에 주조할 때 발생하는 수지상 결정(dendrite)은 파괴되며, 그 후 열처리에 의해 미세화된 재결정(再結晶, recrystallization) 조직이 된다. 또한 메탈 플로우(metal flow)를 형성하여 연성(ductility)을 증가시키며, 가해진 열 이력에 의해 성분원소를 확산(擴散)되게 하여 편석(segregation)을 경감시켜서 주조품과 비교하여 단강품의 재료 강도를 현저히 개선시킨다. 이 때문에 단조품 및 압연품은 높은 강도가 요구되는 기기 · 구조물에 사용되는데, 축차(rotor), 샤프트(shaft)와 같은 대형의 단조품으로부터 소형의 단조품, 강판 등의 압연품, 관(管)이나 봉(棒) 등의 인발품(drawing), 볼트, 스터드(stud) 등이 모두 여기에 해당된다.

단조품 및 압연품에는 일반적으로 형상이 단순한 것이 많고, 결함의 방향성도 단조와 압연의 방향으로 예측이 가능하다.

제조할 때의 단조품에 대한 검사는 표면이 거칠고, 제품이 소형으로 수량이 많을 경우에는 일반적으로 수세성 침투탐상검사에 현상법은 습식법 및 속건식법과 조합하여 많이 적용하며, 건식 현상법과도 조합하여 적용하기도 한다.

제품이 대형이며 표면이 거칠지 않고 매끈하여 잉여 침투액의 제거가 쉬운 경우는 용제제거성 침투탐상검사에 속건식 현상법을 조합하여 적용한다.

침투탐상시험은 단조품의 크기나 형상에 관계없이 적용할 수 있으나 만일 재질이 강자성체라면 주저하지 말고 자분탐상검사를 적용할 것을 권한다. 왜냐하면 단강품에 발생하는 결함의 특징이 단조방향으로 늘어난 선상(線狀)결함과 평판(平板)모양으로 펼쳐진 판상(板狀)결함이 많고, 또한 건전한 모(母)금속과 밀착되어 있는 경우가 많기 때문이다.

재질이 강자성체가 아닌 비자성 재료나 부품 등에 대해서는 침투탐상검사를 적용한다. 다만, 강자성체가 아닌 비자성 재료의 관이나 봉에는 와전류탐상검사가 많이 적용되고 있다.

1) 발생하는 결함의 종류

단조품 및 압연품의 결함은 단조나 압연방향으로 늘어난 선상(線狀) 결함과 평판모양의 판상(板狀) 결함이 많으며, 특히 표면이 열린(開口)부분은 대부분 건전한 모재금속과 밀착되어 있다.

단조품의 결함은 표면과 내부에 모두 발생하는데, 이들은 모두 단조방향으로 늘어난 선모양이나 쇠사슬모양으로 나타난다. 일반적으로 단조함으로써 주조할 때에 포함된 결함의 형상은 변화하지만 감소하지는 않는다. 다만 내면에 내장(內藏)가스에 의한 피막이 형성되지 않는 공동부(空洞部)는 압착되어 소멸되기도 한다.

단조품(鍛造品)의 결함에는 단조 터짐(forging burst), 편석(偏析, segregation), 수축(收縮) 흠, 미세기공(macro 또는 micro porosity), 백점(수소취성 균열) 및 용해작업에서 발생한 비금속 개재물(non-metallic inclusion) 등이 있고, 강판, 관 등에는 균열(crack), 라미네이션(lamination), 개재물(inclusion) 및 표면에 나타나는 오버랩(overlap), 스캐브(scab), 편석 등이 있으며, 관이나 봉 등의 인발품(drawing)의 결함에는 종 균열(longitudinal crack) 및 겹침(lap) 등이 있다.

가) 단조품 결함

① 단조 터짐(forging burst) : 금속의 강도가 낮아진 온도에서 가공함에 따라 발생하는 결함으로, 일반적으로 내부(內部)에 발생하는 결함이다. 침투탐상검사로는 검출되지 않으나 표면을 기계가공하거나 절단하면 가공면이나 절단면에서 나타난다.

침투 지시모양은 짧은 선이 산란(散亂)된 모양으로 나타난다(그림 5-1 참조).

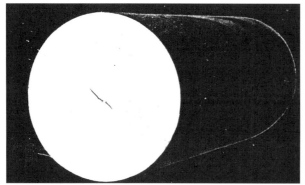
〔그림 5-1〕 내부 단조 터짐

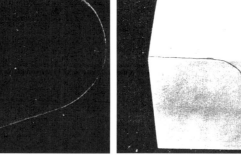
〔그림 5-2〕 단조 겹침

② 표면 균열 : 단조할 때에 틀이 부적절한 경우에 발생한다. 침투 지시모양은 뚜렷한 모양을 한 미세균열의 그룹으로 나타난다.

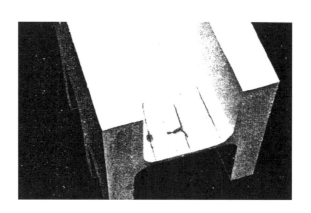
〔그림 5-3〕 알루미늄 단조품의 균열

③ 백점(白点, flakes, white spot) : 일반적으로 고합금강의 단조품에서만 나타나는 것으로, 내부에 발생하는 미세한 균열이다. 이 결함은 재료가 가열되어 있는 상태에서 냉각될 때 수소가 원인이 되어 내부에 발생하는 내부 결함이지만, 기계 가공을 하는 경우에는 가공 표면에도 나타나는데 이때는 모발균열(hair crack, hairline crack)이라고도 부른다. 표면에 나타난 백점은 침투탐상검사의 대상이 되는 결함이다.

④ 단조 겹침(forging lap) : 단조과정에서 금속 표면이 부분적으로 겹쳐져 나타난 결함이다(**그림 5-2** 참조).

⑤ 비금속 개재물(모래 개재물, 모래 결함) : 용탕의 정련, 조괴 중에 발생하는 황화물(MnS 등), 산화물(MnO, MnO·SiO₂나 Al_2O 등)을 비금속 개재물이라 한다. 이들은 메탈 플로우 방향으로 펼쳐지거나 늘어나 있다. 일반적으로는 현미경으로 보아야 할 정도로 미세하다. 조금 커서 육안으로 볼 수 있는 크기의 것은 모래 결함이라 하고, 더 큰 것은 모래 개재물(sand inclusion)이라 한다.

〔그림 5-4〕 크랭크 축에 나타난 균열(용제제거성 침투액과 속건식현상제 사용)

⑥ 다공질 기공(loose structure porosity) : 강괴의 윗부분, 중심부분(V 편석띠)이나 역V 편석띠(偏析帶)에는 크고 작은 틈의 결함이 있는데, 이중 미세한 것은 미세 기공(micro-porosity)이라 한다. 이 미세 기공은 단조 시에 충분히 단련하면 보통 압착되지만 틈이 크거나 틈 내에 가스가 차 있거나 또는 단련이 불충분하면 압착되지 않고 틈으로 남아 결함이 된다. 이런 결함은 절단하거나 표면을 기계 가공하는 경우에 침투탐상검사를 하면 검출할 수 있다.

나) 압연품 결함

① 라미네이션(lamination) : 압연 강재에 존재하는 내부 결함, 비금속 개재물, 기포 또는 불순물 등이 압연방향을 따라 평행하게 늘어져서 층 모양의 조직이 된 것이다.

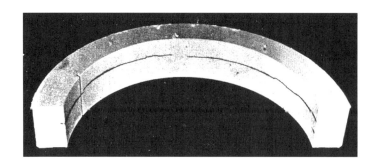

〔그림 5-5〕 라미네이션

② 편석(segregation) : 합금 원소나 불순물이 응고 시에 균일하게 분포되지 않고 불균일하게 편재되어 각각 다소 다른 화학성분의 농도를 가지게 된 것으로, 보통 단조와 같은 가공을 하고, 가열하여 확산을 촉진시켜서 균일화를 하게 되는데 균일화되지 않고 남아 결함이 된 것이다. 이런 결함은 절단하였을 때 단면에서 발견할 수 있다.

③ 심(seam) : 균열 등의 표면 결함이 압연 중에 눌려진 것으로, 표면은 대부분 밀착되어 닫혀 있다. 선상의 지시모양으로 나타난다.

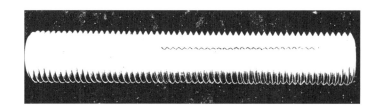

〔그림 5-6〕 심

④ 겹침(lap) : 심과 비슷한 결함이지만 발생원인은 아주 다르다. 압연할 때 기계의 조정불량이 주된 원인으로, 표면이 부분적으로 겹쳐진 결함이다.

2) 검사시기

최종검사는 소정의 열처리 및 기계 가공이 끝난 후의 최종 상태에서 실시한다. 그러나 결함의 조기 검출과 시험체의 전체 품질을 파악할 목적으로 열처리 후와 기계 가공 후에 각각 검사를 실시하기도 한다.

3) 검사방법

대형의 단조품 및 압연품에 대해서는 넓은 범위의 잉여 침투액 제거에 유리한 수세성 침투탐상검사를 적용한다. 또한 표면이 거칠지 않고 매끈하여 잉여 침투액의 제거가 쉬운 경우에는 용제제거성 침투탐상검사도 널리 이용되고 있다.

대형의 단조품 및 압연품은 수용할 수 있는 암실(또는 어두운 곳)이 있으면 형광 침투탐상검사의 적용도 가능하지만, 이러한 준비가 없는 경우는 염색 침투탐상검사를 적용한다. 현상법은 어느 침투탐상검사에도 속건식 현상법이 사용된다.

소형의 단조품 및 압연품은 수세성 형광 침투탐상검사-습식 현상법 또는 속건식 현상법을 적용하여 실시하며, 나사와 같은 복잡한 형상부에는 잉여 침투액의 제거성과 현상제의 적용성을 고려하여 수세성 형광 침투탐상검사-건식 현상법을 적용한다. 단조품에는 압착된 결함이 많아서 결함 검출이 어려운 경우가 많으므로 주의해야 한다.

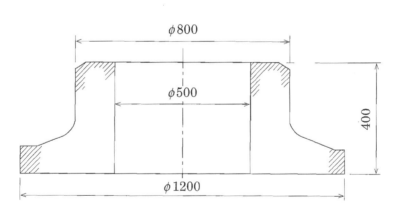

〔그림 5-7〕 노즐 재료

4) 노즐에 대한 용제제거성 침투탐상검사의 적용

그림 5-7 과 같이 표면 전체가 평탄하게 기계 가공된 저탄소강 노즐의 단조품에 대한 용제제거성 염색 침투액-속건식 현상제를 조합시켜 검사를 실시하는 경우에 대하여 설명한다. 용제제거성 염색 침투탐상검사의 각 처리는 다음과 같다.

1) 전처리 : 단조품의 시험 대상면은 비교적 표면이 평활하고 기계 가공되어 있으며, 형상도 복잡하지 않기 때문에 전처리는 에어로졸 제품의 세척액(제거액)을 직접 분무하여 닦는 세척방법으로 전처리를 한다.

2) 침투처리 : 시험체의 전면에 대하여 침투액을 도포한다. 이러한 시험체에는 솔질법으로 침투액을 적용해도 된다. 단강품은 주로 위에서 설명한 비금속 개재물이나 미세 기공 등 열려 있는(開口) 폭이 매우 좁은 미세한 결함들이므로, 침투시간은 보통보다 길게 하는 것이 좋은 결과를 얻을 수 있다. 특히 겨울철에는 기온의 저하로 침투액의 점도가 현저하게 증가하게 되어 침투성이 나빠지므로 침투시간을 더 늘려야 한다.

3) 제거처리 : 시험면은 평활하게 기계 가공되어 있으므로, 침투액의 제거처리는 마른 헝겊 또는 종이수건으로 닦아 제거한다.

4) 현상처리 : 에어로졸 제품의 속건식 현상제를 분무하여 처리한다. 현상도막의 두께를 적절하고 균일한 두께를 형성시키기 위해서는 검사원의 기능과 숙련을 필요로 한다. 이 단계에서 현상도막이 엷게 되거나 너무 많이 뿌려지게 되면 지금까지의 조작이 수포로 돌아가게 된다.

5) 관찰 및 기록 : 규정된 환경조건 하에서 관찰하고, 규정된 내용의 기록을 작성한다. 이러한 시험체에는 비금속 개재물, 미세 기공, 백점 등의 압착(壓着)되지 않은 미세한 결함을 검출대상이므로, 현상시간을 충분히 가지고 관찰해야 한다.

    KS B 0816-2005 규격에서 지시모양의 관찰은 현상제 적용 후 7~60분으로 규정하고 있으나 겨울철과 같이 기온이 낮을 때에는 시간을 연장해야 한다.

    위의 각 처리와 관계가 있는 기술적 주의사항은 기본적 주의사항과 동일하다.

다. 용접부

1) 발생하는 결함의 종류

    용접할 때에 발생하는 결함의 종류에는 표면에 나타나는 균열(종 균열, 횡 균열, 지단 균열, 크레이터 균열 등)과 블로우 홀(blow hole), 슬래그 개재물(slag inclusion), 오버랩(overlap), 언더컷(undercut) 등이 있으며, 그리고 뒷면 따내기 면의 시험에서 루트부에 나타나는 용입부족(incomplete penetration)과 융합불량(lack of fusion)이 있다.

① 균열(crack) : 용접부에 생기는 결함 중 가장 위험한 결함이 균열이다. 주로 용접 금속이 응고할 때, 수축이나 구속응력 등에 의해 생긴다. 균열의 침투 지시모양은 선명하고 짧은 지시모양이 뚜렷하게 나타난다. 발생위치에 따라 **그림 5-8** 과 같 이 분류한다.

② 블로우 홀 : 용접 시 용접금속이 냉각될 때 용접금속 중에 함유되어 있는 기체가 완전히 빠져나가지 못하고 응고되어 용접금속 내에 들어 있어 발생한다.

③ 슬래그 개재물 : 용접에서 슬래그가 응고할 때 부상(浮上)할 시간이 부족하여 슬 래그의 일부가 부상하지 못하고 용접금속 또는 용접금속과 모재사이의 융합부에 남아서 생긴 결함이다.

④ 언더컷 : 용접비드와 모재의 경계에서 용접선을 따라 모재부가 패여서 모재의 표 면보다 낮게 되어 있는 홈이다. 즉 용접금속이 채워지지 않고 노치가 되어 남아 있는 부분이다.

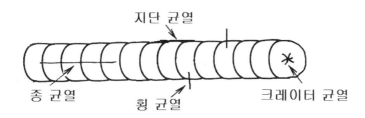

※ **종 균열(Longitudinal Crack)** : 용접 비드에 평행하게 생긴 용접 균열.
※ **횡 균열(Transverse Crack)** : 용접비드 또는 열영향부에 생긴 균열. 용접선에 직각방향
으로 나타난다.
※ **지단 균열(toe crack)** : 지단부(모재의 면과 용접 비드의 표면이 만나는 점)에 발생하는
균열.
※ **크레이터 균열(crater crack)** : 용접 비드의 크레이터에 발생하는 균열.

〔그림 5-8〕 침투탐상시험에서 검출되는 대표적인 균열

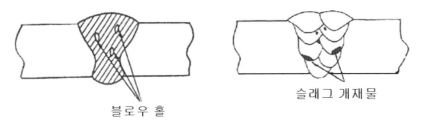

블로우 홀

슬래그 개재물

〔그림 5-9〕 블로우 홀과 슬래그 개재물

언더 컷

용입부족

〔그림 5-10〕 언더컷과 용입부족

⑤ 용입부족(incomplete penetration, lack of penetration) : 용접 개선 루트부의 용착이 완전히 용융되지 않고 남아 있는 것으로, 침투탐상검사에서는 뒷면 따내기 면의 검사에서 자주 나타난다. 침투 지시모양은 개선 면에서는 뚜렷한 지시모양으로 나타난다.

⑥ 융합불량(lack of fusion) : 용접금속과 모재 또는 용접금속과 용접금속 사이가 충분히 융합되지 않아 발생하는 것으로, 내부결함으로 표면에 나타나는 경우는 드물며, 침투탐상검사에서는 뒷면 따내기 면의 검사에서 나타난다. 침투 지시모양은 그다지 예리하지 않은 지시모양으로 나타난다.

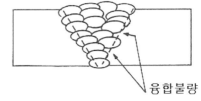

융합불량

〔그림 5-11〕 융합불량

2) 검사의 종류

제조할 때의 용접부에 대한 침투탐상검사는 용접의 공정 중 다음의 3단계로 행해진다. 용접의 각 단계란.

① 개선면의 검사
② 용접 중의 검사
　㉮ 뒷면 따내기(back gouging)면의 검사
　㉯ 용접 중간 층 표면의 검사

③ 용접 표면의 검사

개선면 검사에서부터 용접 표면의 최종 검사가 끝날 때까지 각 단계에서 행해지는 침투탐상시험에 대하여 설명한다. 그리고 용접으로 보수된 부분에 대한 보수검사가 있다.

용접 중의 검사에서는 균열의 발생을 방지할 목적으로 용접부의 온도를 낮추지 않고, 고온(高溫)상태에서 검사를 해야만 하는 경우가 있는데, 이 경우에 탐상제로 인하여 용접부가 급냉하거나 열로 인하여 탐상제가 열화(劣化)될 수 있으므로 주의해야 한다. 고온에서 검사할 경우에는 탐상제의 열화방지를 위하여 고온용 탐상제를 사용하는 것이 바람직하다.

용접이 끝난 후 용접부 표면을 검사하는 최종검사는 응력제거 풀림(어닐링) 등의 열처리를 할 때는 열처리 후에 실시하며, 용접된 덧살(weld reinforcement) 제거나 표면 마무리를 하는 경우 용접부는 마무리 후에 검사를 실시한다.

고장력강(high tensile steel)과 같이 용접 후 일정시간이 경과하고 나서 균열(지연 균열)이 발생할 가능성이 있는 재료는 상온까지 냉각된 후 수(數)시간에서 24시간 정도 지나거나 때로는 그 이상 경과한 후에 시험을 해야 한다.

가) 개선면의 검사

중요한 용접 구조물에 사용되는 후판(厚板) 용접부에 대해서는 용접을 시작하기 전에 개선면에 대한 표면검사가 행해진다. 그 목적은, 첫째 개선면에 결함이 있을 경우 용접에 의해 가해지는 열의 영향으로 인하여 결함이 성장할 우려가 있는 결함을 사전에 제거하기 위함이며, 둘째는 용접을 했을 때 개선면에 있던 결함으로 인하여 용접금속 중에 균열이 발생되는 우려를 없애기 위해서이다.

이러한 원인이 되는 결함으로는 균열 이외에 라미네이션, 비금속 개재물, 블로우 홀 등이 있다. 이들 결함 중 자주 나타나는 결함은 비금속 개재물과 라미네이션이다. 라미네이션은 비교적 표면이 넓게 열려 있기 때문에 균열보다도 크고 뚜렷한 지시모양을 나타낸다. 이 결함은 강괴(ingot)를 만들 때에 발생한 가스에 의한 기포가 표면으로 떠오르지 못하고 강괴 내부에 남은 것이지만, 다시 압연에 의해서도 압착되지 못하고 넓고 편평(扁平)한 기공으로 남은 것이다.

나) 용접 중의 검사

(1) 뒷면 따내기(back gouging) 면의 검사

용접부의 판 두께가 비교적 두꺼워서 맞대기 용접을 하는 경우, 제 1 층은 용입이 불충분하여 용입부족이 생기기 쉬우므로, 처음 2~3층의 용접 덧붙임을 한 후 반대쪽에서 아크 에어 가우징(arc air gouging) 또는 치핑(back chipping)에 의해 뒷면을 따내기 하여 용입부족을 완전히 제거하고 난 후 용접을 이어서 실시한다. 이때 용입부족이 완전히 제거되었는지 여부를 확인하기 위하여 뒷면 따내기 면에 대하여 침투탐상검사를 실시하는데, 이 검사의 목적은 용입부족이 완전히 제거되었는지 여부의 확인이 첫째 목적이지만, 이와 동시에 2~3층으로 용접되어 있는 어느 부분에 균열과 슬래그 개재물 등의 발생 여부를 조사하기 위한 것이다. 물론 아주 적은 결함은 그 후 용접에 의해 없어지기도 하지만, 그때까지 행해진 용접기술의 좋고 나쁨을 결함의 유무를 통하여 살펴 볼 필요가 있기 때문이다.

뒷면 따내기 면의 검사에서 가장 문제가 되는 것은 검사할 때의 시험면에 대한 온도이다. 즉 보통 탄소강 또는 스테인리스 강의 경우에는 뒷면 따내기 면에 대한 검사를 위하여 용접부의 온도를 50℃ 이하로 낮추어도 문제가 되지 않으며, 침투탐상검사도 일반 탐상제(상온용)를 사용하여 실시한다. 그러나 특수강의 경우(고장력강도 포함)에는 전체 용접기간을 계속해서 150℃ 이하로 온도를 낮추어서는 안 되고, 규격에 따라서는 200℃ 이하로 낮추어서는 안 되는 경우도 있다. 이러한 경우는 일반 탐상제를 사용해서는 안 되며, 고온용 탐상제를 사용해야 하므로 검사방법에 대하여 미리 검토하여 검사절차를 확립해 두어야 한다. 그 뿐만 아니라 뒷면 따내기 면은 개선면이나 최종 용접면과 같이 아주 매끈한 표면을 얻기가 곤란한 경우가 많고, 치핑이나 연삭(grinding)에 의한 표면 가공 결함이 의사모양으로 발생되기 쉽기 때문에 세심한 주의를 기울려 시험을 실시해야 한다.

(2) 용접 중간층 표면의 검사

여기서 말하는 용접 중간층 표면이란 뒷면 따내기를 하고 나서 용접을 시작한 후 몇 층인가 덧붙임한 용접면으로, 전 용접 깊이의 1/2 또는 1/3 정도 덧붙임한 용접상태의 면을 말한다. 이러한 면을 검사하는 목적은 필릿 용접부나 형상이 복잡한 용접부에서는 용접 완료 후에 방사선투과검사나 초음파 탐상검사를 의무적으로 실시하더라도 최적의 시험조건으로 검사할 수 없어서 결함의 검출능력에도 의문이 생기게 되므로, 용접의 중간 단계에서 검사를 실시하여 일단 그 시점에서 큰 결함이 발생하지 않았음을 확인하고 나서 다음의 용접 공정을 진행하기 위해서이다. 물론 이 검사도 침투탐상검사로 실시하기 때문에, 결함이 중간층 표면 위에 나타난 경우를 제외하고는 검출이 불가능하다. 그렇다고 엄밀한 의미에서 방사선투과검사나 초음파탐상검사로 이 역할을 대체할 수 있는 것도 아니다. 만일 균열 등의 중대한 결함이 발생하였는데 이러한 검사를 하지 않고, 최종 표면까지 용접을 완료했다면 용접을 마치고 나서는 검출도 어렵고 만일 검출하더라도 보수용접이 곤란하기 때문이다. 하지만 이것을 중간 단계에서 검출하면 보수하기도 쉽고, 또한 부적절한 용접조건도 비교적 빠른 단계에서 시정(是正)할 수 있는 등 용접의 품질을 향상시키는데 있어서도 도움이 된다. 그러나 침투탐상검사로 검출할 수 있는 용접결함은 극히 한정되며, 그 효과를 너무 기대하는 것은 위험하다.

용접을 중간에서 멈추고 침투탐상검사를 실시하는 것은 어느 경우에는 열이 남아 있는 용접부의 온도를 낮추는 것이 되어 결국에는 열응력을 반복해서 가하는 것이 된다. 또한 유성의 침투액을 도포하고 제거한 면에 다시 용접을 하는 것은 용접 시공법 상 용접품질을 높이는데 있어서도 결코 바람직하지 않다. 오히려 적정한 조건에서 필요로 하는 검사를 실시해도 충분한 검출능력을 갖는 시험이 불가능한 경우는 용접 설계자체에 문제가 있으므로, 품질관리상으로는 이러한 검사는 피하는 것이 바람직하다.

용접 중간층 표면에 대한 침투탐상검사는 뒷면 따내기 면의 경우와 사용방법이 거의 같으며, 상온까지 낮추어도 지장이 없는 용접 시공법의 경우에는 일반 침투 탐상제를 사용하며, 예열 온도를 150℃ 이하, 또는 200℃ 이하로 낮추어서는 안 되는 경우에는 각각의 온도에 적합한 고온(高溫) 탐상제를 사용해야 한다. 이들의 시험기술에 대해서는 미리 충분한 교육과 훈련을 실시해 두지 않으면 안 된다. 검사의 대상이 되는 결함은 용접부에 발생하는 모든 종류의 결함이다.

(3) 용접 표면의 검사

일반적으로 용접부의 검사라 하면 이 용접 표면의 검사를 가리킨다. 용접이 완료된 후 규격 등에서 요구하고 있는 용접부의 표면상태 확인을 위한 최종검사로써, 용접부에 대한 침투탐상검사로 가장 많이 실시되고 있으며, 앞에서 설명한 개선면 및 용접 중의 검사는 요구하지 않아도 이 검사는 요구하는 경우가 많다. 특히 내압 기기로 사용되는 배관이나 압력용기의 용접부에 대하여 많이 요구되고 있다.

용접부의 표면을 검사하는 최종 검사는 응력제거 풀림(어닐링) 등의 열처리를 한 것은 열처리 후에, 덧살(돋움살, weld reinforcement)의 제거나 표면 마무리를 하는 용접부는 마무리 후에 실시한다. 그리고 고장력강과 같이 용접을 한 후 일정시간이 경과하고 나서 균열(지연균열, delay crack)이 발생할 가능성이 있는 재료는 상온까지 냉각시킨 후 수(數) 시간에서 24시간 정도 지나거나 때로는 그 이상 경과한 후에 검사를 실시해야 한다.

이 검사는 최종 표면에 대한 검사이기 때문에 상온까지 냉각된 시점에서 검사를 실시하므로 일반 탐상제를 사용한다. 또한 용접부의 표면은 대부분, 시험 결과의 판정을 저해하는 의사모양이 발생하지 않도록 용접부 표면은 매끄럽게 처리하도록 요구하고 있으나, 때로는 용접 덧살이 있는 용접된 그대로의 상태에서 침투탐상검사가 요구되는 경우도 있다. 이러한 경우에는 수형(水型) 에어로졸 제품을 사용하는 수세성 염색 침투탐상검사를 이용하는 것이 도움이 된다. 그러나 용접 비드가 그대로 남아 있는 것은 그 자체가 형상적인 결함을 갖고 있는 것이므로, 침투탐상검사에서 검출대상인 지단부의 균열(toe crack) 및 언더컷(under cut)과 똑같이 해롭다고 할 수 있다. 이들에 비해 지단부(모재면과 비드면이 만나는 곳)의 오버랩(overlap), 비드 위에 있는 깊고 얕은 작은 핀홀(pinhole), 블로우 홀(blow hole) 및 슬래그 개재물(slag inclusion) 등은 거의 영향을 미치지 않는다고 생각해도 된다.

3) 검사방법

대형의 철강 구조물의 용접부로부터 복잡한 형상을 하고 있는 소형부품의 용접부에 이르기 까지 용제제거성 염색 침투액과 속건식 현상법을 조합한 용제제거성 염색 침투탐상검사가 폭넓게 적용되고 있다. 이 검사는 특별한 장치를 필요로 하지 않고, 검사에 사용하는 탐상제도 대부분 에어로졸 제품을 사용하므로 간단하고 휴대하기가 편리한 등의 장점과 동시에 표면이 열린 결함을 검출하는 능력도 다른 방법에 비해 결코 떨어지지 않기 때문이다. 그러나 이 검사는 아주 거친 면에는 적용이 곤란하므로, 용접부의 덧살을 제거하거나 표면을 매끄럽게 해서 검사가 가능한 상태에서 검사를 실시해야 한다.

표면이 거친 용접부에는 잉여 침투액의 제거가 쉬운 수세성 침투탐상검사를 적용한다. 수세성 침투탐상검사는 물을 분사하여 잉여 침투액을 제거하므로, 표면이

다소 거칠거나 형상이 복잡해도 잉여 침투액의 제거가 쉽고, 용제를 사용하지 않으므로 안전성이 높으며, 좁은 장소에서의 검사에도 적합하기 때문이다. 형광 침투탐상검사는 암실(또는 어두운 곳)이 필요하며, 작업도 번잡하므로 현장에서는 염색 침투탐상검사를 많이 사용하고 있다. 그러나 용접 구조물이 소형이고, 처리할 수량이 많을 경우에는 설치형 침투탐상장치를 사용하는 수세성 형광 침투탐상검사-습식 현상법 또는 건식 현상법으로 적용한다.

라. 2차 가공품

철강 재료나 비철금속 재료를 제품으로 사용하기 위해서는 재료를 가열 또는 냉각시켜 소정의 기계적 성질을 갖게 하거나, 재료 표면을 절삭이나 연마에 의해 소정의 형상과 표면상태가 되도록 마무리하는 가공(加工)이 이루어진다. 이들의 가공을 여기서 2차 가공이라 한다. 2차 가공은 시공 조건이 부적당하면 재료가 약해지거나 과도한 열응력이나 잔류응력에 의해 균열 등의 결함 발생이 동반하게 된다. 따라서 이들 재료에는 주조, 단조나 압연, 용접 등 일시 가공에서 발생하는 결함 탐상과 같이 2차 가공에서 발생하는 결함의 탐상도 중요하다. 여기서는 2차 가공의 대표적인 열처리와 기계가공 및 표면 처리에 있어서의 결함 발생과 탐상방법에 대하여 설명한다.

1) 열처리

금속재료는 적당한 온도로 가열, 적당한 속도로 냉각시키면 가열하기 전과는 매우 다른 성질의 재료가 되는데 이렇게 사용하는 목적에 따라 금속의 성질과 결정조직을 바꾸는 조작을 열처리(熱處理, heat treatment)라 한다. 열처리는 탄소강(炭素鋼), 합금강(合金鋼), 스테인리스 강, 알루미늄 합금, 동합금(銅合金) 등 각종 재료에 폭 넓게 적용되고 있으나 여기서는 강(鋼)에 있어서 비교적 균열 등 결함의 발생 위험성이 높은 담금질(quenching)과 뜨임(tempering)의 경우에 대하여 설명한다.

가) 열처리에서 발생하는 결함

강의 열처리에는 담금질, 뜨임 이외에 풀림(annealing)이나 불림(normalizing) 등 여러 가지 처리가 있지만, 특히 균열 등의 결함이 발생하기 쉬워서 주의할 필요가 있는 것은 담금질과 뜨임을 한 부재(部材)이다.

담금질은 열처리로[가스로(爐), 전기로, 염욕로(鹽浴爐, salt bath)]나 고주파 유도 가열, 화염 등에 의해 재료를 급열(急熱), 급냉(急冷)함에 따라 표면과 내부를 경화시키기 위하여 실시하는 열처리이다. 담금질(quenching)한 재료(鋼)는 단단해도 깨지기 쉽고, 내부 응력(internal stress)이 남아있기 때문에 그대로 사용하면 손상되거나 갈라지기도 한다. 또한 그대로 방치해 두면 시효(時效)에 의해 자연균열(season crack)이 발생하기도 한다. 이 때문에 뜨임은 담금질에 이어 실시하는 것이 보통이다. 뜨임은 강의 잔류응력(residual stress)의 제거나 경도(硬度)의 조정 및 인성(靭性, toughness)의 개선 등을 위하여 행해진다. 담금질과 뜨임은 재료에 경도와 인성을 지니게 할 수 있으므로, 내마모성(耐磨耗性)을 필요로 하는 마찰부품이나 높은 응력 하에서 사용되어 높은 인성이 요구되는 부재(部材) 등에 실시한다.

대표적인 제품으로는 크랭크 축(crank shaft), 기어(gear), 바퀴(wheel), 회전체(roller), 핀(pin)류, 차축(axle) 등을 들 수 있다. 발생 결함으로는 담금질 균열(quenching crack), 자연균열(season crack), 뜨임 균열(tempering crack) 등의 결함이 있다. 이들은 재질 및 불균등한 살 두께, 가열온도의 불균일, 냉각조건의 부적당 및 뜨임 시기의 불량(자연균열) 등의 원인으로 나타난다.

나) 검사방법

담금질이나 뜨임한 재료(부품)의 표면에는 산화 피막 등이 부착되어 있으므로, 그대로의 상태로 침투탐상검사를 실시하는 것은 적당하지 않다. 균열이 발생하기 쉬운 부위는 구멍 주위나 층이 진 부분, 열쇠의 홈 주위, 끝 부분 등이다. 특히 이들 부위만을 탐상할 때는 전처리로 연삭(grinding) 등에 의해 국부적으로 산화 스케일을 제거하여 바탕이 드러나도록 처리를 하고, 넓은 범위를 탐상하는 경우는 기계 가공 등에 의한 표면 마무리로 산화 스케일을 제거하는 처리를 해야 한다.

침투처리는 시험체가 작고, 수량이 많을 때는 담금법으로 실시하고, 대형부품이나 대형 시험체를 국부탐상으로 검사할 때는 솔질법으로 실시한다.

침투처리에서 균열은 미세한 것도 있지만, 특별히 침투시간을 길게 할 필요는 없으며, 평균적으로 10분 정도면 충분하다. 형광과 염색 침투탐상검사 중 어느 방법으로 할 것인지는 시험체의 중요도와 표면상태, 탐상환경 등을 고려하여 적절한 방법으로 선정한다. 아주 미세한 결함까지 검출할 필요가 있는 중요한 시험체일 경우는 형광 침투탐상검사를 적용하고, 표면상태와 탐상을 하는 환경을 형광 침투탐상검사를 적용할 수 있는 상태로 조정하는 것이 필요하다.

세척처리를 수세성과 용제 제거성 중 어느 방법으로 할 것인지는 시험체의 표면상태와 형상, 크기, 검사할 수량 등으로부터 작업성을 고려하여 결정한다. 표면상태가 거친 경우와 시험체의 형상이 복잡하거나 수량이 많은 경우에는 수세성으로 처리하는 편이 유리하다. 현상처리는 침투탐상검사의 종류, 시험체의 중요도와 형상, 크기, 수량 등을 고려하여 속건식, 습식 및 건식 현상법 중 하나를 선택한다. 작업성만 고려하면 작고 수량이 많은 부품일 경우는 건식이나 습식이 유리하다. 관찰을 할 때에는 결함이 발생하기 쉬운 부품에 대해서는 특히 염두에 두고 꼼꼼하게 관찰해야 한다.

2) 기계 가공

기계 가공에는 선반(lathe)과 프레이즈(fraise)판에 의한 선삭(旋削)이나 절삭(切削, cutting), 숫돌을 이용하는 연삭(研削)이나 연마(研磨)가 있다. 기타 드릴(drill)에 의한 구멍 가공, 다이스(dies)나 탭(tap)에 의한 나사 가공 등 여러 가지 방법이 있다.

여기서는 기계 가공에 의해 가장 표면 결함이 발생하기 쉬운 연삭과 연마의 경우에 대하여 설명한다.

연삭 및 연마는 고속으로 회전하는 연삭 숫돌을 사용하여, 그 숫돌을 구성하는 매우 단단한 숫돌입자에 의해 가공 면을 조금씩 갈아서 필요로 하는 형상 및 치수를 얻기 위해 실시하는 가공방법이다.

가) 기계 가공에 의해 발생하기 쉬운 결함

연삭이나 연마를 할 때 숫돌과 가공물과의 접촉부 및 그 근방의 표면은 순간적으로 매우 높은 온도로 가열되기 때문에, 연삭 및 연마 가공 면(加工面)에 연삭 그을림(burned)과 연삭에 의한 균열이 발생할 경우가 있다. 연삭 그을림의 외관(外觀)은 가공 면에 생긴 산화 피막에 의한 줄무늬이다. 연삭 그을림이 생긴 부분에는 연화(軟化) 또는 재경화(再硬化)가 나타나서, 이른바 가공 변질층(變質層)이 존재하여 연삭 가공면의 내식성(耐蝕性)과 내마모성을 현저하게 해치고, 더욱이 연마 균열(grinder crack)을 수반하여 가공부품의 피로 강도를 감소시킨다.

연삭 균열은 연삭 방향과 직각으로 미세하고 얕은 균열이 발생한 것이다. 심한 경우에는 그물모양이 되며, 표면 박리(剝離)를 일어나게 하는 경우도 있다. 연삭 균열은 연삭 열(熱)에 의한 국부적인 열팽창과 조직변태에 따른 수축에 의해 생긴다고 한다. 열처리의 영향이 뚜렷하고, 탄소 함유량이 많은 시험체일수록 발생하기 쉬우며 또한 표면 경화의 정도가 큰 시험체일수록 발생하기 쉽다.

나) 검사방법

기계 가공품의 탐상이나 연마 균열을 탐상 대상으로 하는 침투탐상검사는 대체로 앞에서 설명한 열처리품에 대한 검사방법과 동일하게 실시하면 된다. 적용하는 침투탐상검사는 시험체의 중요도, 형상과 크기, 검사수량 등에 따라 결정한다. 연식 연마제품의 표면은 길 언미된 미무리 상태로 되어 있으므로, 산화(酸化) 등이 발생하기 아주 쉽다. 따라서 침투탐상검사가 끝난 후는 가능한 한 빨리 현상 분말을 제거하고 필요에 따라 방청제를 도포하는 등, 후처리를 확실하게 해야 한다.

3) 표면처리

표면처리는 도금이나 증착(蒸着, plating), 용사(溶射, thermal spraying) 등에 의해 시험체의 표면을 이종(異種) 금속이나 비금속으로 피복하거나 침탄(浸炭)이나 질화(窒化) 등에 의해 시험체의 표면을 개선시키는 것으로, 표면 경화(表面硬化), 내열(耐熱), 방식(防蝕), 장식(裝飾) 등의 목적에 따라 실시하며, 매우 많은 종류와 방법이 있다.

여기서는 도금의 경우에 대하여 설명한다. 도금은 제품의 표면 방식(防蝕)과 내마모(耐磨耗), 장식용으로 널리 이용되고 있다. 대표적인 도금에는 니켈 도금, 크롬 도금, 구리 도금, 아연 도금, 주석 도금, 납 도금, 귀금속 도금 등이 있으며, 종류가 대단히 많다.

가) 표면처리에 의해 발생하는 결함

크롬 도금(chromium plating)은 다른 금속의 표면에 얇은 크롬 층을 형성시키는 것으로, 아주 단단하여 마찰계수(coefficient of friction)가 적기 때문에 공업 분야에서는 금속 표면을 경화시키거나 내마모성(耐磨耗性)을 개선하기 위한 기능의 도금으로 널리 이용되고 있다. 크롬 도금은 단단하여 내마모성이 있어 결함이 부착되기 어려운 장점이 있으나 깨지기 쉽고, 인장(引張)의 전착(電着)응력이 높기 때문에 균열이 발생하기 쉬우며, 핀홀(pin hole)도 많이 발생한다.

나) 검사방법

도금면에 대한 결함 검사로는 주로 외관검사가 행해지고 있으며, 침투탐상검사의 적용은 그리 많지 않지만, 외관검사에서는 충분히 관찰되지 않는 결함의 검출과 도금의 시공조건을 결정하기 위한 표면 품질을 확인하는 검사로서 이용되고 있다. 도금한 제품에 대한 침투탐상검사도 앞에서 설명한 열처리제품이나 기계가공 제품의 시험과 동일하게 시험체의 중요도, 크기와 형상, 검사수량 등에 따라 적절한 방법을 선택하여 실시한다. 도금의 표면은 매우 미세하고 표면이 매끄럽기 때문에 적심성이 나빠서, 침투처리나 습식 현상처리에 있어서 탐상제가 표면에 잘 적셔지지 않는 경우가 있다. 이러한 경우의 침투처리는 침투액 통에 시험체를 담그어 처리를 하거나 습식 현상법 대신에 속건식 현상법 또는 건식 현상법을 채택하도록 한다. 또한 표면이 매끄럽기 때문에 흠집이 나기 쉽고, 시험체끼리 또는 다른 것과의 접촉에 주의하고, 후처리도 탐상제가 시험체에 잔류하지 않도록 실시해야 한다.

도금에 따라서는 본질적으로 다공질이거나 미세 균열(micro crack) 크롬 도금과 같이 크롬 도금 자체에 미세 균열을 생성시킴에 따라 부식 전류를 분산시켜 내식성을 향상시키는 것이 있다. 이러한 도금 면에 대한 침투탐상검사에서는 충분하게 후처리를 해도 균열이나 구멍 속에 들어 있는 탐상제의 제거가 되지 않고, 그대로 도금 층에 남게 되므로 침투탐상검사의 적용 여부를 사전에 확인하는 등 주의가 필요하다.

3. 보수할 때의 침투탐상검사

보수검사(정기검사)는 일정한 기간마다 실시하여 설정된 수명기간 동안 건전성이 유지되고 있는 지를 확인하기 위하여 수행한다. 중요한 부품이나 기기, 구조물의 강도를 가진 부재(部材)로 사용되는 재료나 용접부에 대해서는 사용 개시 후 월(月) 또는 연(年)의 단위로 정기적인 검사를 의무적으로 실시하도록 하고 있다.

보수검사는 제조검사와 달리, 사용 개시 후 새로 가해진 응력조건과 분위기 조건(열적조건 포함)에 의해 발생하는 결함을 대상으로 하는 검사이기 때문에, 이때의 침투탐상검사 대상이 되는 결함은 표면이 열린 균열이다. 그 균열 중에서도 정적(靜的)응력에 의한 균열은 설계 또는 재질적으로 문제가 있는 경우를 제외하고는 거의 발생하지 않으며, 오로지 동적(動的)응력에 의해 발생한다. 즉 응력집중(應力集中, stress concentration)을 일으켜 피로파괴가 발생하기 쉬운 곳, 충격 등의 동적 변동응력이 가해지는 곳, 열변동이 가해지는 곳, 응력부식이 발생하기 쉬운 곳에서 발생한다. 이러한 곳은 대부분 검사 시방서나 절차서, 검사 지시서에서 지정하고 있지만 때로는 예상되지 않는 곳에서도 균열이 발생할 경우가 있으므로, 시험을 하기에 앞서 육안으로 시험체 표면에 이상 징후(異常徵候) 여부를 조사하여 시험범위 속에 포함시키도록 해야 한다. 이들 표면 균열은 시험체의 바깥 표면에만 발생하는 것이 아니라, 배관이나 용기의 안쪽 표면에도 발생하므로, 안쪽 표면의 접근성을 고려하여, 만일 침투탐상검사에 필요한 접근성이 얻어지지 않을 경우에는 다른 시험법으로 검사를 해야 한다.

가. 용접 구조물

1) 용접 구조물에 발생하는 결함

중요한 용접 구조물의 용접부 표면은 연삭기(grinder) 등으로 매끄럽게 대부분 마무리되어 있으므로, 사용 개시 후에는 열에 의해 조직적으로 취화(脆化)되어 있는 열 영향부나 용접 지단부 또는 용접부와 관계가 없는 단면(斷面) 형상의 변화부 등에 균열이 발생하는 경우가 많다.

보수검사에서 새로이 발생하기 쉬운 결함 종류로서는 기계 피로균열(fatigue crack), 열 피로균열, 응력 부식균열(stress corrosion crack), 크리프 균열(creep crack) 등의 균열 이외에 침식(erosion)과 부식(corrosion) 및 각종 부식 등이 있다. 그러나 크리프 균열은 주로 조직검사의 대상이며, 침식과 부식 및 각종 부식은 특수한 공식(孔蝕, pitting)의 경우를 제외하고 판의 두께측정의 범주에 들어가는 것이므로, 침투탐상검사의 대상이 되는 결함은 각종 피로균열과 응력부식균열의 2종류라 할 수 있다. 더구나 그 발생장소는 위에서 설명했듯이 용접 열영향부나 단면(斷面)형상의 변화부에 많아서, 검사대상부를 선택하는 것은 비교적 쉽다.

2) 검사방법

보수검사에서 실시하는 용접구조물의 침투탐상검사는 대부분 용제제거성 염색 침투탐상검사가 사용되며, 탐상제와 시험방법에 대해서는 제조할 때의 침투탐상검사와 크게 다르지는 않다. 다만, 제조검사에 비해 주의해야 할 점은 표면의 오염상태이다. 특히 고온 상태와 부식 고온의 상태에서 사용되던 경우에는 표면이 산화 피막 및 부식 생성물로 덮혀 있어 균열 검출에 방해가 되므로, 시험체 표면의 형상이나 성질을 크게 바뀌지 않는 범위에서 이들 피막을 제거하는 것을 고려해야 한다.

나. 소형부품

소형부품이란 그 크기나 중량이 사람이 즐겁게 들고 옮길 수 있을 정도 크기의 부품을 말한다. 소형부품도 대형부품과 똑같이 주조품과 단조품을 비롯하여 판재(板材)의 가공품, 봉재(棒材)와 관(管)의 가공품 그리고 이들을 용접이나 납땜질 등으로 조립한 조립부품 등 그 형태도 다양하다.

여기서는 일반적으로 사용되고 있는 중요한 소형부품들의 보수검사에서의 침투탐상검사에 대하여 설명한다.

1) 소형부품에 발생하는 결함
가) 균열
① 응력의 반복에 의해 발생하는 균열.

작은 노치(notch)가 균열의 출발점이 될 때가 많으며, 초기의 균열은 아주 미세하며, 균열의 폭도 좁다.

② 설계 하중의 초과에 의해 하중에 의해 발생하는 균열.

미세한 균열도 있지만, 일반적으로 이러한 균열은 크다. 또한 부품에 변형이 생기는 경우가 많다.

나) 부식(corrosion)
알루미늄 합금에는 작은 구멍이 뚫리는 피트(pit)의 부식이 자주 발생한다. 이러한 부식(腐蝕)은 그 발생하는 곳에 따라서는 균열의 시작점이 되기도 한다.

다) 긁힘(scratch), 타격 홈
긁힘(scratch)이나 타격(打擊)에 의한 홈은 일반적으로 손톱에 걸리지 않을 정도의 것은 그 발생부위나 방향에 따라 다르겠지만, 대부분 문제가 되지 않는다. 깊이가 있는 스크래치나 타격 홈은 균열의 시작점이 될 수 있다. 또한 그 곳은 표면처리 피막도 제거되어 부식이 발생하기 쉽게 된다.

라) 제조검사에서 검출 되지 않은 결함
제조검사에서 발견하지 못하고 빠뜨려서 검출되지 않았던 결함이 보수검사를 한 경우에 비로소 검출되는 경우이다. 그러나 제조할 때에 발생한 결함과 가동 중에 발생한 결함과는 종류도 다르며, 발생하는 곳도 다르다. 그렇기 때문에 결함의 발생시기가 언제인지를 판단하는 것은 그리 어렵지 않다. 예를 들면 위에서 설명한 결함 중에서 피로균열이나 변형에 의한 균열 등은 제조할 때에는 발생할 수 없는 결함이라는 것을 이해해 둘 필요가 있다.

2) 검사방법

앞에서 설명한 결함은 항상 외부에서 보이는 곳에만 발생하지 않고, 조립부품에서는 내부의 보이지 않는 곳에 발생하기도 한다. 따라서 일반적으로 조립품은 단일부품으로 분해하여 검사가 행해지는데, 이것을 일반적으로 오버홀(overhaul)이라 한다. 보수검사에서는 분해 전 점검도 중요한 공정으로, 분해 전 점검에서는 작동 점검 및 외관상의 점검을 한다. 외관 상의 점검은 육안으로 실시하며, 파손이나 균열의 유무 점검 이외에 이상한 감촉이나 변형, 유지(油脂)의 침출(浸出) 그리고 도장(塗裝)의 벗겨짐이나 도장의 균열 등에 대해서도 주의하여 점검해야 한다.

일반적으로 철로 만든 강제(鋼製)부품은 자분탐상검사를 채택하며, 침투탐상검사의 대상이 되는 부품은 알루미늄(Al) 합금과 동(Cu) 합금의 단조품 및 주조품의 기계 가공품이 대부분이다. 부품의 표면 거칠기는 기계 가공 면과 같이 아주 매끄러운 면으로부터 주물과 같이 거친 면까지 넓은 범위에 걸쳐 있으며, 대부분 전체의 면을 탐상하는 것을 원칙으로 한다.

시험방법은 이들에 대한 미세한 결함 검출이 요구되는 점을 고려하여, 수세성 형광 침투탐상검사로 하고, 현상법은 부품의 형상이 복잡할 경우에는 건식현상법을 채택한다. 다만 제작자가 시방서에 별도의 시험방법을 지정하고 있는 경우에는 그 시험방법으로 실시한다.

장치는 작업량에 따르지만, 중형의 침투탐상장치가 적당하다. 장치가 구비해야 할 조건은 일반적인 요구사항 이외에 소형부품에 대한 침투탐상검사를 능률적으로 수행하기 위해서는 우선, 자외선조사장치는 설치형과 휴대용을 갖추는 것이 좋다. 설치형은 양손을 사용하며 관찰할 수 있는 장점이 있고, 휴대용은 작은 물건을 관찰할 때 아주 편리하기 때문이다. 또한 휴대용 자외선조사등은 검사하는 부분에 직접 조사할 수 있어서 필요할 때 자외선 강도를 높일 수 있는 장점이 있다. 또한 부품들을 쇠망에 넣어 처리하면 능률적으로 시험을 실시할 수 있으며, 쇠망의 크기는 건조기 속에 2개를 넣을 정도가 적당하다. 그리고 침투액이나 현상제 등의 탐상제는 제작자의 지시가 있으면 지시된 탐상제를 사용해야 한다. 그러나 어떠한 경우에도 탐상제를 사용할 경우에는 탐상제는 바르게 관리되고, 소정의 검출감도가 있음을 확인된 것을 사용해야 한다.

3) 탐상할 때의 주의사항

여기서는 기계 부품과 소형의 부품 등을 탐상할 경우의 절차와 주의사항에 대하여 설명한다.

가) 전처리

기계 부품을 분해하여 시험하기 위해서는 우선 분해 전 점검을 하고, 분해한 후 도장을 벗겨내고 세척을 한다. 세척은 무연(無鉛) 휘발유의 압축공기 분무에 의하여 실시하며, 부착된 유지 등이 세척, 제거되도록 한다. 만일 유지류 특히 결함 내부에 남아 있는 유지류가 제거되지 않고 남아 있다면, 전처리로써 트리클로로 에틸렌(trichloroethylene)의 증기 탈지(蒸氣脫脂)를 한다. 이때 작업에서 주의해야 할 점은 탈지통 속의 부품 온도가 상승하게 되면 거의 탈지효과가 없어지게 된다. 따라서 쓸데없이 장시간 탈지통 속에 부품을 넣어 두어서는 안 된다. 그리고 깨끗하게 탈지한 부품은 탈지통에서 꺼내어 온도를 낮추고 나서 다시 한번 탈지통에 넣어야 한다. 탈지통의 온도는 보통 $80 \sim 90 \, ^\circ\text{C}$ 이므로, 탈지통에서 꺼낸 직후의 부품의 온도는 상당히 높기 때문에 부품을 잠시 동안 방치하여 온도를 낮추고, 맨손으로 만질 수 있을 정도로 온도가 낮추어진 시점(대개 $30 \sim 40 \, ^\circ\text{C}$)에서 침투탐상검사를 실시해야 한다.

※ 트리클로로 에틸렌 : 화학식 $CHCL=CCL_2$. 트리클렌(trichlene)이라고도 함.
물에는 거의 녹지 않으며, 드라이클리닝이나 유지(油脂)추출을 위한 용매(溶媒)로 사용한다.

나) 침투처리

많은 량의 소형 부품을 침투처리할 경우에는 부품을 침투처리 전용의 쇠망 바구니에 넣어 실시한다. 이때는 바구니를 침투액 통에 담근 다음, 즉시 꺼내어 그대로 배액대에 올려놓고 배액을 한다. 부품의 오목한(凹) 부분에는 침투액이 남아 있을 수 있으므로, 부품을 놓는 방향과 위치를 바꿔서 고여 있는 침투액이 없도록 한다. 침투시간은 미세한 피로균열이 검출대상의 결함이므로, 적어도 20분 이상은 필요로 한다.

다) 세척처리

세척처리는 자외선조사등 아래에서 $10 \sim 38 \, ^\circ\text{C}$ 의 275kPa 이하 압력의 물분무로 실시한다. 부품을 배액대에서 1개 또는 여러 개씩 세척통으로 옮겨 세척한다. 부품을 한 번에 여러 개씩 세척통으로 옮겨 세척처리를 하는 것은 과세척의 원인이 되므로 바람직하지 않다. 또한 스터드 볼트 (stud bolt)를 박아 넣은 구멍과 같은 바닥을 세척할 경우에는 구멍 속에 침투액이 남아 있기 쉬우므로 특히 주의하여 세척해야 한다. 세척처리를 할 때에는 주위에 튀는 물이 침투액 통에 들어가지 않도록 하는 것도 중요하다. 세척처리를 끝낸 부품은 즉시 건조기에 넣는다.

라) 건조처리

쇠망 바구니 속의 부품을 물 빼기 좋은 방향으로 나열하고, 온도가 70℃를 넘지 않은 열풍 건조기에 넣는다. 부품 표면의 물이 없어진 시점에서 건조기에서 꺼낸다.

마) 현상처리

현상처리는 완전히 밀폐된 현상장치 속에서 공기를 이용하여 건식 현상제를 비산시켜 시험체에 뿌리는 공기 교반법으로 적용한다. 그러므로 현상장치 속에 부품을 나란히 놓고 문을 닫고 현상처리를 한다. 현상시간은 15분 정도이다. 현상시간 경과 후, 부품을 꺼내기 전에 부품 위에 뿌려진 현상제를 30kPa (0.3kgf/cm²) 이하의 약한 압축공기로 가볍게 뿜는다. 부품을 꺼낼 때 부품의 어디에 결함 지시가 나타났는지 확실하지 않으므로, 부품을 함부로 다루어서는 안 된다.

바) 관찰

암실 내(20ℓx 이하)에서 자외선조사등을 사용하여 결함 지시모양을 검출한다. 검출된 지시모양에 대해서는 밝은 곳에서 현상제를 제거하고 그 부분을 상세히 관찰한다.

결함의 존재 및 형상, 치수 등의 확인에는 5~10배의 확대경을 사용한다. 부품들은 다양한 형상을 하고 있지만, 사용 중인 부품에는 공통적으로 균열이 발생하기 쉬운 곳이 있는데, 그 대부분은 응력집중이 생기는 곳이다. 설계시점에서 모퉁이부분이나 각(角)이진 부분의 R 을 크게 하는 등의 고려를 하지만, 균열은 역시 응력이 집중되는 곳에 많이 생긴다.

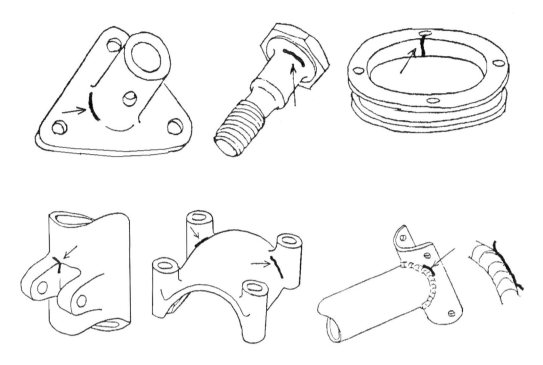

〔그림 5-12〕 균열이 발생하기 쉬운 곳의 "예"

　　보수검사에서도 이러한 곳은 주의하여 관찰을 해야 한다. **그림 5-12**는 부품에 균열이 발생하기 쉬운 곳의 "예"를 그림으로 나타내어 표시하였다.

사) 후처리

　　관찰을 마친 부품의 표면에 남아 있는 현상제는 강한 압축공기로 뿜어 제거한다. 방청처리는 보통 단기간 내에 다음 공정으로 진행되므로, 특별한 경우를 제외하고 실시하지 않는다. 검사를 마친 후 합격품에는 소정의 합격품임을 나타내는 표시를 하고, 불합격품에 대해서는 보수 및 폐기 등의 처리를 할 수 있도록 불합격품임을 구분하여 처리를 해야 한다.

4. 불연속 깊이의 결정

　　형광 또는 색채의 폭이나 휘도는 균열의 체적과 관련이 있어서 불연속의 깊이 측정의 기준이 된다. 불연속의 깊이가 깊으면 깊을수록 침투된 침투액의 양이 많으므로 지시모양이 더 커지고 더 밝아진다. 불연속의 깊이가 얕으면 적은 량의 침투액만이 침투되어 상대적으로 뚜렷하지 않은 미세한 선상(線狀)의 지시모양이 나타난다.

지시모양을 평가할 경우 불연속의 깊이를 더 자세히 알고자 한다면 표면의 지시모양을 제거하고 현상제를 다시 적용해 보는 것도 좋은 방법이다. 침투액이 배어 나오는 비율과 배어나온 양은 불연속의 깊이에 비례한다.

5. 특수한 환경 및 특수한 부품에 적용하는 검사

가. 특수한 환경에서의 검사

특수한 환경이란 다양하지만, 여기서는 주로 고온(高溫) 및 저온(低溫)에서의 탐상에 대하여 설명한다.

1) 고온에서의 탐상

고장력강(high tensile steel)과 같은 균열에 대한 감수성이 높은 재료를 용접하는 경우는 시험체의 온도가 너무 낮아지기 전에 다음 층에 대한 용접을 해야 한다. 이 때문에 용접부의 초층(初層) 후 또는 중간층(中間層)의 검사는 고온에서의 탐상이 요구된다. 일반용 침투액은 침투액이 건조되어 탐상이 불가능하므로, 고온용의 탐상제를 사용해야 한다.

고온용 탐상제는 침투액이 250℃에도 침투액을 적용할 수 있는 것이 개발되어 있다. 실제 탐상에서는 전처리를 재빠르게 할 것과 침투처리에 있어서 침투액이 건조되지 않도록 주의하는 것이 필요하다.

2) 저온 하에서의 탐상

겨울철 야외에서의 침투탐상검사는 0℃ 이하의 저온에서 탐상을 해야 할 경우가 있다. 저온 하에서 침투탐상검사를 할 경우의 문제점은 다음과 같다.

① 침투액의 점도 상승에 의한 침투시간의 증가.

점도 상승에 대해서는 **그림 5-13**에 침투액의 예로써, 수세성 형광 침투액과 용제제거성 염색 침투액의 온도와 동점도(動粘度, kinematic viscosity, 액체용매의 점성)의 측정결과를 나타낸다. 이 그림에서 2종류의 침투액이 모두 온도가 낮아짐에 따라, 점도가 크게 상승하는 것을 알 수 있다. 일반적으로 형광 침투액과 염색 침투액를 비교해 보면 형광 침투액 쪽이 염색 침투액보다 점도는 높게 되어 있다. 또 -20℃ 에서는 점도가 급격히 상승하여 측정이 불가능하다. 점도와 동점도 사이에는 다음과 같은 관계가 있다.

$$\eta = \upsilon\rho$$

여기서 η : 점도(Pa·s), υ : 동점도(m^2/s), ρ : 밀도(kg/m^3) 이다.

※ 동점도(kinematic viscosity) : 점도를 밀도로 나눈 값. 단위는 SI 단위계에서는 m^2/s이고, CGS 단위계에서는 St(스토크스)임. 1St=1cm²/s 이다. 동적 점성도 또는 동점성율이라고도 한다.

※ 점도(coefficient of viscosity) : 유체 점성의 크기를 나타내는 물질 고유의 상수. 점성도 또는 점성율이라고도 한다.

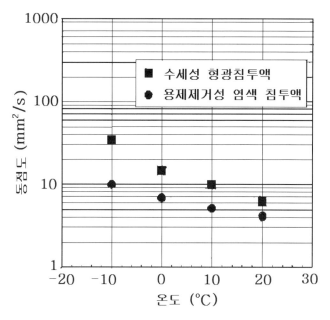

〔그림 5-12〕 침투액의 온도와 동점도의 관계

점도계(Viscometer)의 종류에는 여러 가지가 있지만, 일반적으로 사용되고 있는 것은 우베로데(Ubbelohde) 점도계, 캐논-펜스케(Cannon-Fenske) 점도계 및 캐논-펜스케 불투명액용(不透明液用) 점도계가 있다.

② 현상제 용제의 휘발성 저하에 따른 현상제의 건조시간의 증가(현상시간 내에 현상제가 건조되지 않아서 관찰이 불가능한 경우도 생긴다).

현상제의 건조시간의 증가는 시험장소의 습도(濕度), 풍속(風速) 등의 영향을 받으므로 일률적으로 말할 수 없지만, -10℃에서는 건조에 30분 이상이 걸린다는 실험 기록도 있다. 이러한 저온용의 현상제로서는 초속건식(超速乾度) 현상제가 개발되어 있다.

③ 침투액의 적심성의 저하

침투액의 적심성(wetting ability)의 저하에 대해서는 시험체의 재질, 표면 거칠기 등에 크게 좌우되므로, 시험체와 같은 재질로 결함이 있는 대비시험편을 사용하여 적심성을 포함한 침투성에 대하여 예비실험을 하는 것이 바람직하다.

저온 하에서 침투탐상검사의 실시는 약 0℃까지는 다소 침투시간을 길게 하면 일반적인 방법으로 가능하다. 어느 정도 침투시간을 길게 하는 가는 결함의 종류에 따라 크게 좌우되며, 미세한 결함일수록 길게 해야 한다. 0℃ 정도까지는 온도가 내려가면 현상도막이 치밀(緻密)해지기 때문에 결함 검출성이 향상되는 경우도 있다. 그러나 현상제의 건조시간이 길어지며, 강제 건조가 필요한 경우도 있으므로 주의해야 한다. 기본적으로 0℃ 이하에서는 시험체의 가열이 가능하다면 버너(burner)등으로 시험체를 가열하여 시험체의 온도를 높인 다음 탐상해야 한다. 또한 탐상제도 보온 통 등에 넣어 온도가 낮아지지 않도록 하고, 분무통의 내압(內壓)이 저하되지 않도록 주의하는 것도 필요하다.

나. 수형(水型) 에어로졸을 이용한 수세성 침투탐상검사

나사부분, 열쇠(key) 홈 등 요철(凹凸) 형상이 있는 부품에 대한 검사는 수세성 침투탐상검사가 바람직하다. 그러나 수세성 침투탐상검사는 수도설비, 세척처리 설비, 폐수처리 설비 등이 필요하기 때문에 현장에서의 적용에 상당한 제한이 따른다. 그러므로 수세성 침투탐상검사를 현장에 쉽게 적용할 수 있도록 세척수를 에어로졸 화(化)하게 되면, 특별한 설비가 없어도 수세성 침투액을 사용하는 부분탐상을 쉽게 할 수 있다. 특히 용접부의 검사에 효과적으로 적용할 수 있으며, 좁은 부분의 검사에도 쉽게 적용할 수 있다.

수형 에어로졸을 이용하면 용제제거성 침투탐상검사에 비해 세척시간을 대폭 단축할 수 있고, 세척액(용제)의 사용량을 줄여서 안전성이 높다. 세척 폐수는 종이 수건 등으로 흡수되도록 조치하면 흘림을 방지할 수 있다.

수형(水型) 에어로졸을 이용한 수세성 침투탐상검사의 작업 순서는 다음과 같다.

전처리→ 침투처리→ 세척처리→ 건조처리→ 현상처리→ 관찰→ 후처리

1. 전처리

　시험체에 부착되어 있는 오물을 물질에 따라 처리를 한다. 수형 에어로졸은 물이 주체이기 때문에 용제와 같은 방법으로 사용해서는 안 된다. 특히 유지류는 제거가 잘 되지 않으므로, 유지류는 용제를 사용하여 제거한다.

2. 침투처리

　수세성 침투액을 분무법 및 솔질법 등의 방법으로 적용한다. 침투시간은 다른 침투탐상검사와 같은 조건으로 한다.

3. 세척처리

　잉여 침투액을 가능한 한 걸레 또는 종이 수건으로 닦은 다음에, 수형 에어로졸 세척액을 약 10~30cm의 거리를 두고 뿌려 세척한다. 수형 에어로졸 세척액을 적용한 후, 곧바로 걸레 또는 종이 수건으로 닦는다. 형광 침투탐상검사일 때는 세척의 정도를 자외선조사등으로 확인하며 세척해야 한다.

4. 건조처리

　적셔진 표면을 마른 걸레 또는 종이 수건으로 닦거나 헤어 드라이어 또는 공기(air) 등을 사용하면 오목(凹)한 부분도 단시간에 건조가 가능하다.

5. 현상처리

　속건식 현상제는 충분히 교반(攪拌)하고 나서 적용한다. 충분히 교반하면 미세 입자가 분산 현탁되어 매끄러운 현상막이 형성된다. 형광 침투탐상시험의 건식 현상법은 담금법, 붓기법, 공기교반법 등으로 적용할 수 있는데, 어떠한 환경에서도 사용할 수 있다고 말할 수는 없다. 그러나 2겹 이상의 망사(gauze)에 싸서 건식 현상제를 적용하면 간단히 현장에서도 건식 현상법으로 적용할 수 있다. 사용법은 시험면 위에서 거즈에 싼 건식 현상제를 가볍게 두드리면 적당량의 건식 현상제가 부착되기 때문에 쉽게 사용할 수 있다.

6. 관찰

관찰은 다른 침투탐상검사와 같은 조건으로 실시한다.

7. 후처리

후처리는 다른 침투탐상검사와 같은 방법으로 실시한다.

8. 세척수의 폐수처리

세척한 폐수의 양(量)은 수세성 침투탐상검사에 비해 매우 적다. 세척하는 곳의 아래 쪽에 낡은 천이나 폐지(廢紙)를 놓아두면 세척한 폐수는 비산(飛散)되지 않고 회수할 수 있다.

※ 형광 침투액을 사용할 때의 필요한 처리는 반드시 자외선조사등의 조명 아래에서 해야 한다.

※ 참고 : ASME Sec. V. Art. 6-2010에서 규정하고 있는 탐상제의 요구사항.

유황(sulfur), 할로겐 및 알칼리 금속 등의 화학물질은 오스테나이트 스테인리스 강, 티타늄, 니켈합금 또는 기타 고온용 합금에 해를 끼칠 수 있다고, 다음 표와 같이 시험체의 재질에 따라 사용하는 탐상제의 화학물질에 대하여 제한하고 있다.

화학물질의 관리		
시험체의 재질	니켈 합금	오스테나이트 또는 듀플렉스(duplex) 스테인리스 강, 티타늄
화학물질	유황(sulfur)	할로겐(염소, 불소 등)
함유량	전체 무게의 1% 이하	

제 2 절 기기 및 구조물의 적용

1. 용제제거성 침투탐상검사

가. 용제제거성 염색 침투탐상검사

제품에 용접부가 있거나 부분적으로 검사할 부위가 있는 경우는 일반적으로 용제제거성 염색 침투탐상검사를 적용한다. 용제제거성 염색 침투탐상검사는 가시광선 아래에서도 관찰이 가능한 침투액을 사용하는 것으로, 그 잉여 침투액을 유기용제로 닦아 제거하는 방식의 침투탐상검사이다. 현상법은 백색의 배경을 형성시키는 방법이므로 속건식 현상법 또는 습식 현상법이 적용된다.

1) 적용대상

용제제거성 염색 침투탐상검사는 속건식 현상법과 조합시켜 사용할 경우에 비교적 높은 결함 검출성능이 얻어진다. 탐상제는 휴대성이 좋은 에어로졸 제품을 많이 사용하며, 전원과 수도 및 장치를 필요로 하지 않으므로, 밝은 곳이면 어떤 곳에서도 사용이 가능하다. 이러한 특징을 살려서 대형부품이나 이들에 대한 부분 탐상 및 소형의 대량 생산품을 발췌하여 탐상할 경우 등에 많이 적용되고 있다. 또한 검사장소를 어둡게 할 수 없거나 수도나 전기설비가 없는 장소에서 검사를 해야 하는 경우 등에 사용된다. 그러므로 기기를 제조할 때의 검사나 보수검사를 할 때 등 기기가 설치되어 있는 현장에서 사용할 경우가 많다. 적용시기도 제품이 완성된 때로 한정하지 않고, 용접 도중(뒷면 따내기 면이나 중간 층), 열처리나 기계가공의 전후(前後)와 기기의 제조 중 그리고 가동 기기를 보수 점검할 때 등 넓은 범위에 걸쳐 있다. 적용하는 예로는 압력용기, 배관의 용접부, 케이싱(casing)이나 임펠러(impeller) 등의 주강품과 터빈 로터(turbine rotor), 크랭크 축(crank shaft) 등의 단강품을 들 수 있다. 그러나 잉여 침투액의 제거처리가 쉽지 않기 때문에 표면이 너무 거친 시험면(대강 $R_{\max}$ $50\mu m$을 초과하는 것)이나 형상이 복잡한 시험체에는 적용이 곤란하다. 그러므로 탐상 면은 단조(鍛造)한 상태이거나 주물과 같은 거친 면의 경우는 기계가공이나 그라인더로 마무리 등의 가공처리를 하고 나서 검사를 해야 한다. 용접부는 비교적 표면이 거칠지 않으므로, 심한 요철(凹凸)(깊은 언더컷과 오버랩)이 없으면 용접 면에도 적용할 수 있다. 나사부분, 작은 구멍이나 좁고 깊은 내부(內部), 날카로운 모퉁이(corner)부 등 복잡한 형상을 하고 있는 부위나 시험품에는 적용이 곤란하므로, 이러한 경우에는 다른 검사방법을 이용해야 한다. 또한 잉여 침투액에 대한 제거처리를 검사원의 손으로 하나하나 처리해야 하므로, 대량 생산부품의 탐상에는 작업성과 시험 능률면에서 적용이 적합하지 않다.

2) 문제점과 대책

다음에 각 처리마다의 문제점과 대책에 대하여 설명한다.

가) 전처리

① 용제제거성 염색 침투탐상검사는 앞에서 설명했듯이 탐상면의 표면 거칠기가 $R_{\max}$ 50 μm을 초과하면 적용이 곤란하다. 이것은 잉여 침투액의 제거에는 결함 내부의 침투액 제거를 방지하기 위하여 탐상면에 직접 용제를 적용하는 것을 피하고 용제를 가볍게 걸레 등에 묻혀 닦는 것을 기본으로 하기 때문이다.

② 탐상면이 넓은 경우나 복잡한 3차원 형상의 시험체는 작업 능률면에서 샌드 블라스트(sand blast)나 쇼트 블라스트(shot blast)를 해야 하는데, 이러한 경우에는 큰 결함을 제외하고 결함이 열린 부분은 거의 막힌다고 생각해야 한다. 그러므로 결함의 검출성능을 저하시키지 않으면서 검사를 할 수 있는 대책으로는 알칼리나 산세척 등에 의한 표면 에칭(etching)을 고려할 수 있는데, 작업 성격상 적용은 비교적 소형 부품이나 한정된 부위로만 한정된다. 또한 알칼리나 산세척 등에 의한 표면 에칭을 하는 경우는 반드시 중화처리를 해야 한다.

③ 에칭처리를 할 수 없는 시험체는 원칙적으로 샌드 블라스트는 피하고, 연삭기(grinder)나 솔질에 의한 마무리를 권한다.

④ 보수검사의 경우는 검사의 대상이 오랜 기간 고온의 증기나 가스 또는 기름 속에 담겨 있던 것이 많다. 그러므로 시험품의 표면이나 결함의 내부에는 산화막이 생성되어 있거나 기름이 부착되어 있을 수 있으므로, 특히 유념하여 전처리를 해야 한다. 이에 대한 대책으로는 산화막의 경우는 연삭기 등으로 바탕이 확실히 나타날 때까지 완전히 제거하며, 결함 내부는 산화막으로 틈을 메

우고 있거나 미세한 결함까지 검출해야 할 경우는 에칭처리를 하여 산화막을 부식시켜서 제거해야 한다. 국부적인 에칭은 에칭액을 적신 탈지면 등으로 대상부의 표면을 문질러서 실시해도 된다.

⑤ 결함 내부의 유지분(油脂分)은 용제를 사용하여 용해시켜 제거한다. 특히 오물이 심한 경우는 결함 내부에 용제가 침투되도록 적용한 용제를 바로 제거하지 말고 잠시 동안 대상부 표면에 잔류시켰다가 제거하면 된다.

나) 침투처리

① 침투처리는 미세한 결함의 탐상이나 피로균열과 같이 열린 부분(開口部)이 매우 좁은 결함을 탐상하는 경우에는 침투시간을 길게 해야 한다.

② 여름철 등 기온이 높아 시험체의 온도가 높은 경우나 다른 이유 등으로 시험체의 온도가 높은 경우는 침투액이 빨리 증발되므로, 때로는 침투액을 추가로 보충해야 한다.

③ 시험체의 온도가 낮으면 침투액의 침투성이 저하되므로, 시험체의 온도를 높여야 한다. 대형 시험체는 온도를 높이기 곤란하므로, 검사 전일부터 따뜻한 장소로 이동해 두거나 건조로(乾燥爐) 등에 넣거나 국부적으로 온도를 높이는 등의 노력을 해야 한다.

다) 제거처리

용제제거성 염색 침투탐상검사에서는 매우 용해도가 높은 용제를 사용하여 제거처리를 하므로, 가장 주의해야 하는 것이 잉여 침투액의 과잉제거이다. 이를 방지하기 위해서는 용제를 직접 탐상면에 적용해서는 안 되며, 우선 마른 걸레나 종이 수건으로 잉여 침투액을 제거한 후 용제를 가볍게 적신 걸레로 표면을 닦아서 잉여 침투액을 제거해야 한다. 이때 장시간에 걸쳐 반복하여 처리해서는 안 된다. 걸레에 용제를 적시는 정도는 걸레로 시험체 표면을 닦았을 때 시험체 표면의 용제가 바로 증발하는 정도가 적당하다. 표면의 요철(凹凸)이 심하여 걸레로 닦는 것만으로는 잉여 침투액의 제거가 곤란한 경우는 전처리를 다시하거나 다른 검사방법으로 실시해야 한다.

라) 현상처리

① 용제제거성 염색 침투탐상검사에서는 색상에 의해 결함 지시모양을 판별하므로, 확실한 백색의 배경(background)을 확보하는 것이 매우 중요하다. 현상방법은 속건식 현상법을 많이 사용하며, 속건식 현상제는 일반적으로 에어로졸 세품에 의한 분무법으로 적용된다. 이 방법은 결함 식별성이 높은 매우 효과적인 현상법이지만, 적절한 두께의 균일한 현상 도막을 만드는 것은 상당한 숙련을 필요로 한다.

② 적용할 때에는 에어로졸 통을 잘 흔들어 교반한 후 노즐을 시험면과 일정한 각도와 거리를 유지하고 적절한 속도로 이동하면서 현상제를 적용해야 한다. 이때 현상제 적용 후 표면의 적심과 건조되는 상태에 따라 현상 도막이 적절한지를 판단해야 한다. 또한 속건식 현상제는 솔질법으로도 얼룩없이 일정한 도막 두께의 양호한 현상 도막을 얻을 수 있지만, 건조된 현상 도막면에 중복해서 덧칠하게 되면 처음의 현상 도막면이 벗겨지거나 지시모양이 불선명해 지므로 덧칠을 해서는 안 된다. 이 경우 현상제는 반드시 덮개가 있는 용기에 넣어 사용하고 솔질 작업할 때 이외에는 항상 덮개를 덮어서 증발을 방지하는 조치를 해야 한다.

③ 습식 현상법은 보통 사용하는 습식 현상제로는 충분한 백색 및 균일한 현상 도막을 얻는 것이 어렵기 때문에 그다지 이용하지 않는다. 만일 적용을 해야 한다면 솔질법과 담금(dipping)법 모두 확실한 백색의 현상 도막이 얻어지도록 현상제의 농도를 높여서 사용해야 한다.

마) 관찰

① 관찰은 가시광선 하에서 실시하지만, 실내에서는 밝기가 부족한 상태에서 할 경우도 있으므로 주의해야 한다. 일반적으로 백색광에서는 500룩스(ℓx) 이상의 밝기 하에서 관찰하게 되어 있다.

② 의사모양을 판별할 때에는 확대경(magnifying glass)을 사용하여 관찰하는 것이 효과적이다. 나타난 지시모양은 일단 닦아 제거를 하고, 그 부분에 다시 현상제를 적용하거나 가는 붓이나 솔로 용제를 칠한 후 현상제를 적용하여 지시모양이 나타나는지를 관찰한다. 의사모양인 경우는 침투액의 부착이

표면에만 한정되므로 용제나 간단히 입으로 불어주는 것만으로도 제거되기 때문에 현상제를 다시 적용해도 지시모양이 나타나지 않는다. 그러나 결함 지시모양은 얕은 결함이나 미세한 결함을 제외하고는 결함 내부에 잔류해 있는 침투액에 의해 다시 지시모양이 나타나게 된다. 용제의 적용은 결함 속에 침투하여 속에 남아 있는 침투액을 희석시키나 이것을 표면으로 스며 나오게 하는 효과도 있다. 용제에는 아세톤(acetone), MEK (methyl ethyl ketone), IPA(isopropyl alcohol) 등이 사용되고 있다.

③ 많은 면(面)을 가진 복잡한 시험체를 관찰할 때에는 누락되는 면이 생기기 쉽기 때문에 사전에 관찰 순서를 정한 후, 대상 면을 확실히 관찰하고 나서 다음 면을 관찰하도록 해야 한다.

④ 결함 지시모양의 크기나 형상은 현상시간이나 현상방법, 전처리, 세척처리의 정도 등 여러 가지 요인에 따라 변화하기 때문에, 이들을 정확히 재현하기는 불가능하다. 또한 결함 지시모양이 반드시 결함을 충실히 나타낸다고 할 수도 없으므로, 결함의 크기나 형상 및 종류 등을 특별히 정할 필요가 있는 경우에는 지시모양에 의한 판단은 피하고, 결함을 직접 관찰하여 판단해야 한다.

바) 후처리

후처리는 현상제의 분말을 제거하는 작업이다. 현상분말이 시험체 표면에 오래 잔류하고 있으면 습기를 빨아들여 시험체에 녹을 발생시켜서 나쁜 영향을 줄 우려가 있으므로, 솔질 및 물 세척 등의 기계적인 방법으로 확실하게 제거해야 한다.

나. 용제제거성 형광 침투탐상검사

용제제거성 형광 침투탐상검사는 형광 침투액을 사용하여 자외선조사등 아래에서 잉여 침투액을 마른 걸레 또는 종이 수건으로 제거하며 실시하는 검사로써, 앞에서 설명한 용제제거성 염색 침투탐상검사와는 침투액의 종류만 다를 뿐 탐상의 원리는 기본적으로 동일하다. 다만 크게 다른 것은 현상제인데, 염색 침투탐상검사는 주로 속건식 현상제가 사용하는데 비해, 형광 침투탐상검사는 속건식 현상제 및 건식 현상제를 모두 사용할 수 있다는 점이다.

1) 적용대상

용제제거성 형광 침투탐상검사는 용제제거성 염색 침투탐상검사에 비해 결함의 검출감도가 높고, 응력부식균열(stress corrosion crack), 입계부식균열(intercrystalline corrosion crack), 피로균열(fatigue crack) 등 미세한 결함을 검출하는데 적합하다. 적용 가능한 시험제는 용제세서싱 염색 침투팀싱검시의 경우외 동일하지만 제거처리가 어렵고, 표면 거칠기의 영향을 받기 쉬우며, 제거조작을 잘못하면 검출감도가 저하되므로, 연마 면과 같이 매끈한 표면을 가진 탐상면에 적용해야 한다. 제거처리는 용제로 실시하므로 수도가 없는 현장 등에서 시험체를 국부(局部) 탐상하는데 적합하지만, 시험환경을 어둡게 해야만 하는 단점이 있다. 또한 용제제거성 염색 침투탐상검사와 같이 좁은 부분에 대한 검사는 어려우며, 단순한 형상의 부위나 시험체의 검사에 적합하다.

2) 문제점과 대책

다음에 각 처리마다의 문제점과 대책에 대하여 설명한다.

가) 전처리

전처리에서의 주의사항은 용제제거성 염색 침투탐상검사에서 설명한 것과 같다. 다만 용제제거성 형광 침투탐상검사는 용제제거성 염색 침투탐상검사의 경우에 비해 표면 거칠기나 요철(凹凸)의 영향을 받기 쉬우므로, 검사 준비단계에서 표면상태에 대해서 충분한 대책을 세워야 한다.

나) 침투처리

침투처리의 기본원리 및 조작은 다른 침투탐상검사와 동일하나, 크게 다른 점은 형광 침투액을 사용하는 침투탐상검사의 공통사항이지만, 침투액이 충분히 시험품 표면에 적시어졌는지 여부를 자외선조사등을 조사하여 확인해야 한다는 점이다.

다) 제거처리

① 제거처리에서도 가장 주의해야 할 점은 용제제거성 염색 침투탐상검사의 경우와 같이 과잉제거와 제거처리의 부족이다. 따라서 용제를 직접 시험 면에 뿌리는 등으로 제거처리를 해서는 안 된다. 염색 침투탐상검사에 비해 조금만 침투액이 남아 있어도 자외선조사등으로 조사하면 형광을 발하여 지시모양의 대비

를 저하시키기 때문에 유념하여 처리를 해야만 한다. 반드시 자외선를 조사하면서 제거처리를 해야 한다.

② 걸레 또는 종이 수건을 사용하여 제거할 때에는 한 방향으로만 닦고, 왕복하여 닦는 것은 피해야 한다. 왕복해서 닦으면 닦은 표면이 걸레 또는 종이 수건에 묻은 침투액으로 다시 오염되어 제거 효과를 볼 수가 없기 때문이다. 그래서 세척의 정도는 자외선을 조사했을 때, 배경에서 형광 휘도가 지시모양의 대비를 저하시키지 않을 정도면 된다.

라) 현상처리

현상법은 속건식 현상법과 건식 현상법이 주로 사용된다. 속건식 현상제를 사용할 경우에 특히 주의할 점은 염색 침투탐상검사와 같이 현상제 도막을 두껍게 해서는 안 된다. 현상제 도막이 두꺼우면 자외선의 조사로 여기(勵起)된 황록색의 형광이 현상제 도막에 흡수되어 선명하지 않게 되고, 색조(色調)도 황록색이 아닌 청백색을 나타내어 지시모양의 판별을 곤란하게 하기 때문이다.

건식 현상제를 사용할 경우는 매몰법(submerging method)과 공기 교반법(air flying method) 그리고 가볍게 끼얹거나 뿌려주는 방법 등 여러 방법으로 적용하지만, 모든 시험체에 대하여 적용 가능하다고는 할 수 없다. 소형 부품들은 매몰법, 대형 부품은 공기 교반법 또는 끼얹거나 뿌려주는 방법으로 적용하며, 결함의 위치나 대상물의 형상에 따라서는 적용할 수 없는 경우도 있다.

대형 부품에 대한 부분 탐상이나 배관 용접부의 탐상에서는 건식 현상제를 2겹 이상의 면 망사(gauze)로 싼 후, 이것을 가볍게 두드려서 시험부 표면에 적용하는 것도 현장에서 간단히 적용할 수 있는 방법이다.

마) 관찰

관찰할 때의 주의사항은 다른 형광 침투탐상검사의 경우와 같다. 관찰 환경의 밝기, 탐상 면에서의 자외선 강도, 관찰 위치 등에 주의하여 실시해야 한다.

바) 후처리

후처리 방법 및 주의사항은 다른 침투탐상검사와 동일하다.

2. 수세성 침투탐상검사

가. 수세성 형광 침투탐상검사

수세성 형광 침투탐상검사는 형광 침투액과 물 분무기 등을 사용하여 그 잉여 침투액을 물로 제거하는 방식의 침투탐상검사이다.

1) 적용대상

① 수세성 형광 침투탐상검사는 형광 침투액을 사용하므로 비교적 결함의 검출 감도가 높은 검사법이다. 세척처리에 물 분무기를 사용하므로 다른 방법에 비해 아주 세척 효율이 좋다. 그러므로 표면이 거친 시험체나 형상이 복잡한 시험체의 탐상에 적합하다.

② 제조할 때의 검사에서는 소형의 대량 생산 주단조품에 적용하며, 알루미늄 합금이나 오스테나이트계 스테인리스강과 같은 재질은 자분탐상검사를 할 수 없으므로 대부분 침투탐상검사를 적용한다.
또한 시험체가 강자성체라도 기공(porosity)과 같은 둥근모양의 결함은 자분탐상검사로는 검출하기 어렵다는 이유로 침투탐상검사를 채택하는 경우도 많다.

③ 소형의 주조품이나 단조품을 기계 가공한 물건들은 대부분 주물이나 단조상태의 표면 부분이 남아 있어서 시험체의 표면이 매끄럽지 않고 거친 면도 혼재되어 있어 대부분 수세성 형광 침투탐상검사를 적용하며, 알루미늄 합금, 오스테나이트계 스테인리스 강 및 티타늄 합금 등 용접 조립품에 대한 용접부 검사에도 수세성 형광 침투탐상검사를 많이 이용하고 있다.

④ 보수검사에서는 항공기 장비 등의 검사에 수세성 형광 침투탐상검사가 많이 이용되는데, 그 이유는 부품의 형상이 복잡하고 표면이 거칠어도 적절한 검출 감도를 가지기 때문이다.

⑤ 수세성 형광 침투액 중에는 고감도의 침투액이 있다. 이 침투액은 일반 침투액보다 미세한 결함을 검출할 수 있으므로, 일반 침투액보다 형광 물질의 함

유량이 많다. 그 반면에 잉여 침투액은 일반 침투액보다 제거하기 어려운 성질이 있기 때문에 표면이 거친 시험체를 이 고감도 수세성 형광 침투액을 사용하여 검사를 하게 되면 표면에 침투액이 남아 배경(background)이 나빠지게 진다. 그러므로 고감도 수세성 형광 침투액은 감도 레벨을 보통 5단계로 나누어 제조 시판하고 있다.

　　고감도 수세성 형광 침투액의 사용을 계획할 때에는 무턱대고 높은 감도가 좋다고 선택하면 배경이 나빠질 수가 있으므로, 검출 대상의 결함 및 시험체의 표면 거칠기와 고감도 침투액과의 관계를 충분히 조사한 후에 가장 적합한 감도 레벨의 침투액을 선정해야 한다.

2) 문제점과 대책

다음에 각 처리마다의 문제점과 대책에 대하여 설명한다.

가) 전처리

① 수세성 침투탐상검사는 일반적으로 공장 내 또는 실내에서 검사를 하므로, 전처리 전용(專用) 용기를 사용하여 오물을 간단히 제거할 수 있어야 한다.
　　오물 중에는 점도가 높거나 낮은 기름, 무기질의 오물 또는 고형물의 오물 등이 있으므로 오물의 종류 및 시험체의 재질 등에 따라 알맞은 용제 등의 방법을 정하여 처리하는 것이 필요하다.

② 소형 정밀 주조품은 제조할 때에 자주 샌드 블라스트(sand blast)를 하는데, 대부분 침투탐상검사 전에 실시한다. 이러한 처리를 하면 결함의 열린 부분(開口部)을 손상시켜 작은 결함은 지시모양으로 나타나기 어렵게 된다.
　　제조 공정상 반드시 샌드 블라스트를 침투탐상검사 전에 해야 하는 경우에는 검사를 하기 전에 부품의 표면을 알칼리 세척이나 산 세척, 전해 연마 등으로 $5 \sim 10 \mu m$ 정도, 시험체에 따라서는 수십 μm 정도의 에칭(etching)을 해야 한다. 이렇게 하여 손상된 결함의 입구를 열어 놓고 나서 침투탐상검사를 해야 한다.

③ 겨울철에 시험체의 온도가 아주 낮은 경우에는 침투처리 전에 시험체를 건조기에 넣어 적당한 온도로 따뜻하게 해야 한다. 또한 습기가 많고 습도가 높을 때에는 시험체의 표면에 이슬이 맺혀 있는 경우가 있으므로,

이러한 경우에도 똑같이 건조기에 넣어 따뜻하게 해도 된다.

침투처리 전에 시험품을 따뜻하게 하는 것은 결함 속으로 침투액을 침투시키는데 아주 효과적이므로, 일반의 경우에도 실시할 것을 권한다.

④ 제조할 때에 TIG 용접을 한 용접부서림 표면이 깨끗하여 기름 따위 등도 없고, 침투액이 결함 속으로 침투하는데 방해되는 것이 없는 경우, 온도가 적당하면 그대로 침투처리를 해도 된다. 세척액을 뿌려서 세척하거나 솔로 칠하는 것은 오히려 역효과가 될 수 있다. 전처리를 하는 이유를 올바로 이해하는 것이 중요하다.

나) 침투처리

수세성 형광 침투탐상검사에서는 침투액을 담금법으로 많이 적용하는데, 솔로 칠하는 것이 아주 편리한 경우가 있다. 예를 들면 소형의 용접 조립품인 용접부를 탐상할 경우 등은 솔질법이 좋다. 또한 내부가 비었거나 내부에 침투액이 들어가면 깨끗이 씻을 수 없는 형상의 시험체를 탐상할 경우도 내부에 침투액이 들어가지 않는 솔질법을 사용한다.

다) 세척처리

① 수세성 형광 침투탐상검사를 하는 설비에서, 세척처리 설비는 공정의 흐름상 보통 침투액 탱크의 옆에 위치하므로, 세척처리를 할 때 물이 침투액 탱크에 들어가기 쉽다. 수세성 침투액은 물이 혼입되면 점도가 상승하여 침투성이 저하되는 성질이 있으므로, 처리할 때에는 물이 들어가지 않도록 노력해야 한다. 대책으로는 세척탱크와 침투액 탱크 사이에 칸막이를 세우거나 내수성(耐水性)의 커튼(curtain)을 설치하는 것이 좋다.

② 세척처리에는 온수를 사용할 때가 많다. 물의 온도가 높으면 잉여 침투액의 제거가 어렵게 되고, 그 결과로 배경(background)이 나빠지게 된다. 이것은 물의 온도가 너무 높으면 침투액 속의 유화제의 성질이 변화하기 때문에 일어나는 현상인데, 이러한 일이 일어나지 않도록 항상 물의 온도를 정해진 값으로 관리하여 세척처리를 하는 것이 중요하다.

세척의 정도를 알기 위하여 자외선조사등을 조사하면서 세척처리를 하지만, 세척의 목적에서 보면 이때 사용하는 자외선조사등은 반드시 관찰할 때와 같은 강도일 필요는 없다. 시험체의 표면에 부착되어 있는 침투액의 양은 지시모양의 침투액 양과 비교하여 월등하게 많아서 자외선조사등의 강도가 상당히 낮아도 충분히 확인이 가능하다. 그러므로 규격 등에서 그 강도를 요구하고 있는 경우를 제외하고, 세척처리 용의 자외선조사등의 강도는 관찰용의 강도보다 낮게 규정 값을 정해도 된다.

라) 건조처리

고온(高溫)이나 불필요하게 긴 시간의 건조는 피해야 한다. 일반적으로 시험체 표면의 수분이 증발되는 시점(時点)에서 건조기에서 꺼내면 된다. 시험체의 표면에 물방울이 맺혀 있으면 상당히 증발되기 어려우므로, 이러한 때에는 세척처리 후 시험체의 표면을 깨끗한 걸레로 눌러 흡수시키거나 또는 약한 압력의 공기를 뿜어주어 물방울을 날려 보낸 후 건조기에 넣어야 한다.

마) 현상처리

① 습식 현상제를 사용할 때는 액(液)의 고임이 발생하지 않도록 시험체를 배치하는 방향을 고려하여 건조기에 넣어야 하는데, 시험체의 형상에 따라 어떠한 방향으로 배치해도 액의 고임이 발생하는 경우가 있다. 이러한 경우에는 건조처리 도중에 시험체를 뒤집는 등으로 방향을 바꾸어 주어야 한다.

② 건식 현상제는 매몰법과 공기 교반(air flying)법으로 적용하는데, 매몰법은 지시모양이 크게 되면 경우에 따라 탈락되어 안 나타날 수 있으므로 주의해야 한다. 감도에 있어서는 공기 교반법보다 매몰법의 쪽이 앞선다.

바) 관찰

① 암실 내에서 자외선조사등을 조사하며 관찰해서 지시모양을 검출하는 경우에는 그것이 결함에 의한 지시모양(defect indication)인지, 의사모양(nonrelevant indication)인지를 판별해야 한다.

결함에 의한 지시모양인 경우에는 밝은 곳에서 그 부분을 자세히 보고 결함의 크기 및 방향 그리고 형상을 조사하는 것이 중요하다. 필요에 따라 10배 정도의 확대경을 사용하면 좋다.

의사모양(疑似模樣)인지 여부의 판별에 아세톤(acetone), MEK(methyl ethyl ketone), IPA(isopropyl alcohol) 등의 휘발성 용제를 붓으로 칠하는 방법이 자주 사용된다. 무현상법의 경우에는 지시모양 위에 칠하며, 현상제를 사용하는 경우에는 지시모양과 현상제를 제거하고 용제를 칠한다. 칠했을 때 지시모양이 제거되었다가 다시 지시모양이 나타나면 결함에 의한 지시모양일 경우가 많다. 이 방법은 결함 속에 남아 있는 침투액을 이용하는 방법이다. 이 작용은 용제에 의해 침투액의 색과 농도가 묽어지고, 양(量)과 적심성도 증가하여 그것이 시험체 표면으로 스며 나와 지시모양을 형성하는 것이다.

② 관찰할 때에 사용하는 검사대(table)가 형광 침투액으로 오염되어 있으면 검사대가 형광을 발하여 관찰이 어렵게 된다. 따라서 검사대를 침투액으로 오염시키지 않기 위해서는 검사대 위에 흑색(黑色)의 네오프렌(neoprene) 고무를 깔면 좋다.

사) 후처리

① 스폿 용접(spot welding)이나 리벳(rivet) 이음으로 조립한 시험체 판의 면에 들어간 침투액은 쉽사리 제거되지 않는다. 따라서 침투처리할 때에 솔질을 하는 등 필요이상으로 침투액이 부착되지 않도록 해야 한다.

밀착된 면에 들어간 침투액은 초음파 세척이나 용제에 의한 증기탈지 등을 사용하면 제거된다.

② 제조할 때에 양극 산화 피막처리(anodize 처리)를 한 부분의 침투탐상검사는 그 처리를 하기 전에 실시하는 것이 원칙이지만, 경우에 따라서는 그 처리 후에 침투탐상검사를 하기도 한다. 이러한 경우 처리를 한 후 몇 일이 경과되지 않은 때에는 시험품의 표면으로 침투액이 스며 나와 침투액의 색이 바랠 때가 있다. 이것은 용제를 사용해도 바래지므로 주의해야 한다.

양극 산화(酸化) 피막(皮膜)의 표면은 다공질이기 때문에, 이 구멍을 메우기 위해서는 구멍을 메우는 봉공(封孔)처리를 해야 한다. 용도에 따라 봉공처리를 하지 않는 경우도 있으나, 이러한 피막 면에 침투액을 칠하면 다공질 피막에 착색하여 색은 바래게 된다.

나. 수세성 염색 침투탐상검사

수세성 염색 침투탐상검사는 가시광선 아래에서 관찰이 가능한 침투액을 사용하며, 그 잉여 침투액을 물 분무에 의해 세척하는 방식의 침투탐상검사이다.

현상법은 백색의 배경(background)을 형성시켜야 하므로 속건식 현상법 또는 습식 현상법이 적용된다. 이 검사법은 높은 결함의 검출성능이 얻어지지 않으므로, 그다지 이용되지 않는다.

1) 적용대상

수세성 염색 침투탐상검사는 다른 검사법에 비해 결함의 검출성능은 그다지 높지 않지만, 잉여 침투액의 세척성이 좋고, 관찰에는 다소의 침투액이 잔류하여 있어도 지장이 없으므로, 표면 거칠기가 거친 시험품($R_{max} 300\mu m$ 정도까지)이나 형상이 복잡한 시험체의 탐상에 적합한 시험법이다.

설비는 세척처리를 위한 수도설비와 분무 노즐을 필요로 하지만, 일반적으로 밝은 환경이면 전원 등은 필요하지 않다. 이 특징을 살려서 대형부품이나 소형부품에 대한 전체 탐상, 나사부분, 작은 구멍이나 좁고 깊은 홈의 내부, 예리한 구석부 등 복잡한 형상 부위나 시험체의 적용에 적합하다.

적용의 예로는 케이싱(casing)과 밸브(valve)등의 주조품에 적용한다. 표면 거칠기가 거친 시험체의 탐상에 적합하기 때문에 제조하는 도중의 반제품 상태에서 거친 상태의 점검 등에 이용되고 있다.

2) 문제점과 대책

다음에 각 처리마다의 문제점과 대책에 대하여 설명한다.

가) 전처리

기본적으로는 용제제거성 염색 침투탐상검사와 수세성 형광 침투탐상검사에서 설명한 내용과 동일하다. 표면 거칠기가 거친 것에 적합하다고 해도 탐상면의 표면 거칠기가 $R_{max} 300\mu m$ 초과하면 적용이 곤란하므로, 기계가공이나 연삭 마무리 등이 필요하다.

나) 침투처리

침투액의 적용은 침투탐상장치를 사용하는 경우는 담금법이 좋지만, 그 이외의 경우는 솔질법으로 하는 것이 좋다. 솔질은 필요한 부분에만 필요량의 침투액을 적용하므로 편리하다. 시험체의 온도가 낮으면 침투액의 침투성이 저하되므로 시험체를 따뜻하게 해야 한다.

다) 세척처리

수세성 형광 침투탐상검사의 침투액은 특히 세척성이 좋으므로, 과세척이되기 쉽다. 평활한 면이면 물 분무를 2~3회 정도 적용하면 대부분의 침투액은 세척된다.

라) 건조처리

기본적으로는 수세성 형광 침투탐상검사에서 설명한 것과 같다. 제조현장에서의 건조는 쉽지 않지만, 우선 걸레 등으로 수분을 닦아낸 후 적당한 방법으로 건조시킨다.

마) 현상처리

기본적으로는 용제제거성 염색 침투탐상검사에서 설명한 것과 같다. 습식현상법은 특히 이 침투액이 물로 세척하기 쉬움에 유의하여 담금법으로 실시할 경우는 필요 이상으로 시험체를 현상액 속에 담그어 두거나 불필요하게시간을 늘려 건조시키는 것은 피하고 빠른 처리를 해야 한다.

바) 관찰

기본적으로는 용제제거성 염색 침투탐상검사에서 설명한 것과 같다. 지시모양의 색조(色調)는 용제제거성 염색 침투탐상검사의 침투액에 비해 일반적으로 희미한 적색을 나타내므로 관찰할 때에는 주의해야 한다. 형광 침투탐상검사에 의한 재검사를 해야 하는 경우는 특히 결함 속에 잔류된 염색 침투액을 철저히 제거해야 한다. 이는 형광 침투액이 염색 침투액과 혼합하게 되면 현저하게 형광성을 감소시키기 때문이다. 염색 침투탐상검사를 한 다음에형광 침투탐상검사를 할 경우는 어디까지나 지시모양이 얻어지지 않는 경우에 한하여 실시하되 기본적으로는 실시해서는 안 된다.

사) 후처리

용제제거성 염색 침투탐상검사에서 설명한 것과 같다.

3. 후유화성 형광 침투탐상검사

후유화성 형광 침투탐상검사는 유화제를 사용하여 잉여 침투액에 수세성을 갖도록 하고, 그 후 물 또는 더운 물로 세척처리를 하여 잉여 침투액을 제거하는 방법이다. 이 검사법에 사용되는 침투액에는 계면활성제가 첨가되어 있지 않기 때문에, 수세성 침투탐상검사와 같이 쉽게 결함 속의 침투액이 세척되지 않으므로, 미세한 결함 탐상을 목적으로 하는 검사에 이용된다. 그러므로 염색 침투액은 거의 사용되지 않는다. 침투액에는 보통 감도의 침투액과 고감도의 침투액이 있으며, 유화제는 기름베이스와 물 베이스의 두 종류의 유화제가 사용된다. 현상법은 건식 현상법이 사용된다.

1) 적용대상

후유화성 침투탐상검사는 다른 침투탐상검사에 비해 결함의 검출감도가 가장 높은 방법으로, 깊이 $10\,\mu m$ 이하의 결함도 검출 가능하다고 알려져 있다. 특히 깊이가 얕고 폭이 넓은 결함에 대한 검출성이 뛰어나다. 그러나 표면 거칠기가 거친 면에는 적용이 곤란하여 일반적으로는 $R_{\max}0.1 \sim 6\mu m$ 정도의 연마·랩 (lap) 가공 면이 적용 대상이 된다. 또한 나사부와 같이 좁고 깊은 홈 부분, 예리한 구석부분, 표면 마무리가 되어 있지 않은 용접부 등 표면 형상이 복잡하며 요철(凹凸)이 많고, 더욱이 검사 대상이 넓은 경우에는 일정한 두께의 잉여 침투액 층이 얻어지지 않을 수 있으므로 균일한 유화처리가 곤란하여 대형 시험체에 적용하는 것은 곤란하다. 다만 적용대상은 표면이 거칠지 않고, 단순한 형상의 작은 대량 생산부품이나 하나로 된 물건이다. 적용 예로서 항공기 기체와 엔진 부품, 자동차 부품에 대한 제품검사 및 보수검사 등에 적용되고 있다.

2) 문제점과 대책

다음에 각 처리마다의 문제점과 대책에 대하여 설명한다.

가) 전처리

기본적으로는 수세성 형광 침투탐상검사의 경우와 같다. 특히 항공기는 특수한 재료가 사용되는 경우도 있으므로, 전처리를 하기에 앞서 재료의 종류를 확인하여 적합한 방법으로 전처리를 해야 한다.

나) 침투처리

침투처리는 담금법으로 실시하지만, 여기서 가장 주의해야 할 점은 배액이다. 배액은 다음에 실시할 유화처리에서 균일하게 잉여 침투액을 유화시키기 위하여 유화처리에 앞서 시험체 표면의 잉여 침투액 층(層)을 균일하게 하기 위한 필요한 작업으로, 담금을 한 후 꺼내어 잉여 침투액을 가능한 한 흘려 떨어뜨려 제거해서 부분적인 침투액 층의 두꺼운 얼룩이 없도록 하는 것이다. 잔류하는 잉여 침투액 층의 두께는 유화시간에 영향을 미치기 때문에 잉여 침투액이 충분히 밑으로 떨어져서 제거되도록 시험체의 배치 방향(자세)을 미리 예비실험에 의해 선택해 두어야 한다. 한 번의 배치로 충분한 결과가 얻어지지 않을 경우에는 배액 도중이라도 시험체의 배치 방향을 바꾸어야 한다. 침투시간에 대해서는 다른 침투탐상검사의 경우와 똑같이 고려하여 적용하면 된다.

다) 유화처리

유화처리에서는 잉여 침투액 층의 표면에 유화제(emulsifier)를 적용하고 그 유화제가 시간 경과와 더불어 침투액 층 속으로 혼입(混入)되는 층의 두께를 유화시간으로 관리하는데, 유화처리가 적정한지 아닌지는 침투처리에서 얻어지는 잉여 침투액 층 두께의 균일성과 유화시간의 균정한지에 따라 결정된다. 그러므로 침투시간의 1/2 이상의 시간의 잉여 침투액의 피막을 균일하게 하기 위한 배액으로 소비된다. 그리고 유화시간은 초 단위의 관리가 요구되기 때문에 유화처리를 할 때에는 잘 보이는 위치에 초(秒) 바늘의 있는 시계를 설치하여 관리해야 한다. 그러나 유화시간은 시험체의 기 위거칠기나 사용하는 유화제의 종류, 침투액의 종류에 따라 다르므로, 사전에 예비 실험을 하여 정해 두어야 한다. 더욱이 유화제의 성능은 유화제 속의 침투액과 수분의 혼입, 사용할 때의 온도 등에 따라 변화하므로, 그 관리를 엄격히 해야 한다.

다음은 기름 베이스와 물 베이스 유화제를 사용하는 경우의 문제점과 주의사항에 대하여 설명한다.

a) 기름 베이스 유화제

기름 베이스 유화제는 유성기제(油性基劑, water in oil)와 계면활성제와의 혼합액으로, 사용되는 유성기제는 침투액의 유성기제와 같은 성질을 사용하기 때문에, 잉여 침투액과 융합되기 쉬워서 적절히 유화시간을 적용하면 잉여 침투액을 쉽게 제거할 수 있으나, 결함 속의 침투액은 씻어 내기는 어렵다. 그러나 이러한 특징을 살리기 위해서는 침투액과 동일 회사의 패밀리(product family ; 동일 제조사의 동일 계열의 탐상제)인 유성 유화제를 사용해야 한다. 기름 베이스 유화제의 유화시간은 유화제의 점도(粘度)와 시험체의 형상 그리고 표면 거칠기, 침투액의 종류, 온도, 침투액의 혼입량 등에 따라 다르기 때문에 사전에 예비실험을 하여 이들의 조건에 맞도록 결정해 두어야 한다.

유화제의 적용방법으로서 기름 베이스 유화제는 잉여 침투액과의 균일한 혼합이 요구되므로, 시험체를 유화제 속에 담그거나 가만히 표면에 부어주는 등의 방법으로 적용한다. 붓기의 방법은 넓은 표면을 동시에 적용하는 것이 곤란하기 때문에 부위에 따라 유화시간의 얼룩이 발생할 가능성이 있으므로 주의해야 한다.

솔질법은 잉여 침투액 속으로 유화제가 섞이는 것이 불균일하게 되므로 적용해서는 안 된다. 그리고 기름 베이스 유화제의 경우, 유화의 상황이 불충분하다고 해서 반복하여 유화처리를 해서는 안 된다. 기름 베이스 유화제는 이와 같이 담금법으로 실시하기 때문에 장시간 사용하면 유화제 속에 침투액이 서서히 혼입되어 유화제가 피로(疲勞)해 지므로, 시험을 시작하기에 앞서 조사하여 유화시간을 확인할 필요가 있다.

b) 물 베이스 유화제

물 베이스 유화제는 시판되고 있는 유화제(계면활성제)를 물로 희석하여 체적비율로 35% 이하의 물 용액으로 사용한다. 이 때문에 침투액과의 혼합은 기름 베이스 유화제에 비해 나쁘지만, 그 반면에 과유화(over emulsification)에 의한 과세척(over washing)으로 결함 속의 침투액을 씻어낼 우려가 적어서 기름 베이스 유화제를 사용하는 경우보다도 결함 검출 정밀도가 높다.

유화시간은 침투액의 종류와 유화제의 희석도(稀釋度)에 따라 다르므로, 사전에 예비실험으로 정해 두는 것이 좋다. 그러나 실제로 물 베이스 유화제의 경우, 특별히 유화시간을 정해 두지 않아도 적당히 유화처리가 된다. 세척처리시에 유화시간의 부족에 의해 잉여 침투액이 깨끗하게 세척되지 않고 남은 경우는 다시 유화제를 적용한 후 세척처리를 반복하여 처리를 할 수 있다.

보통 유화제의 적용에 앞서 잉여 침투액 층을 얇고 균일하며, 유화 얼룩을 방지하기 위하여 예비세척(pre-rinse)을 실시하는데, 예비세척은 다음의 세척처리에서 사용하는 수압(水壓)과 같은 정도의 수압으로 처리하면 된다. 다시 세척은 할 수 있지만 시험 면이 매끄러운 경우는 결함 속의 침투액을 씻어 버릴 우려가 있으므로 주의해야 한다.

유화제의 적용은 담금법으로 많이 사용하는데, 교반(攪拌)되고 있는 유화제 속에 담그거나 유화제 속에서 시험체를 천천히 움직이는 방법으로 실시한다.

유화시간이 경과하면 유화제 속에서 꺼내어 물을 뿌려 유화정지(emulsification stop)를 한다. 이러한 방법 외에 물 베이스 유화제를 분무하여 잉여 침투액을 제거하는 방법도 있지만, 이 경우의 희석농도는 5% 이하로 해야 한다. 물 베이스 유화제의 경우도 침투액이 혼입되는 것은 피할 수 없어서 농도가 엷을수록 빨리 피로해 진다.

라) 세척처리

적절하게 유화처리를 하게 되면 수세성 형광 침투탐상검사의 경우와 같이 신중히 할 필요는 없지만, 기름 베이스 유화제의 경우에는 시험체의 부위마다 세척처리를 시작하는 시간이 너무 달라서는 안 된다. 이를 위해서는 시험체를 유화제 속에서 꺼내면 시험체 전체에 물 분무를 하여 일단 유화정지를 하고 나서 세척을 시작해야 한다. 시험체가 큰 경우는 유화시간 경과 후에 30℃ 전후의 더운 물에 담그어 세척처리를 하면 좋다.

마) 현상처리

현상은 건식 현상법을 많이 사용한다. 현상처리에 앞서 건조처리를 해야 하는데, 이때의 주의사항은 수세성 형광 침투탐상검사의 경우와 같다. 건식 현상제는 매몰법(submerging method)이나 공기 교반법(air flying method)으로 적용한다. 현상할 때의 주의사항 및 시험품의 취급방법에 대해서는 다른 침투탐상검사에서 건식 현상법을 하는 경우와 동일하다.

바) 관찰

관찰에서 주의할 사항은 다른 형광 침투탐상검사와 같다. 다만 후유화성 형광 침투탐상검사는 용제제거성 형광 침투탐상검사의 경우와 같이 의사모양이 발생하기 쉽다는 점이다. 특히 고감도 형광 침투액을 사용한 경우에는 많이 나타나므로, 위에서 설명한 의사모양인지 아닌지의 판별법을 사용하여 확인해야 한다.

사) 후처리

건식 현상법을 사용한 경우의 후처리는 공기를 뿜어 날려버릴 정도로 실시하면 된다. 만일 사용한 탐상제 중에서 시험체의 재질에 나쁜 영향을 미치는 것이 있는 경우에는 유기용제를 사용하여 세척을 하거나 교반되고 있는 더운 물 속에 시험체를 담그어 탐상제를 제거해야 한다.

4. 수형(水型) 에어로졸을 이용한 침투탐상검사

수형(水型) 에어로졸을 이용한 침투탐상검사는 수세성의 염색 또는 형광 침투액으로 침투처리를 한 후에 에어로졸 통에 들어있는 세척수를 분무하여 제거하는 방식의 침투탐상검사이다.

현상법은 염색 침투액을 사용하는 경우에는 속건식 현상법을, 형광 침투액을 사용하는 경우에는 속건식 현상법 또는 건식 현상법이 모두 사용된다.

가) 적용대상

표면이 거친 시험체나 형상이 복잡한 시험체에 대해서는 수세성 침투탐상검사를 적용하는 것이 바람직하지만, 수도설비, 세척처리 설비, 폐수처리 설비 등이 필요하기 때문에 구조물에 부착되어 있는 부품의 검사나 배관 용접부의 검사에 적용하는 것은 곤란하다. 그래서 이 방법은 세척수를 에어로졸 화한 것으로, 특별한 설비가 없어도 수세성 침투탐상검사를 부품이나 구조물 등에 대하여 부분 탐상에 사용할 수 있도록 만든 것으로, 특히 용접부의 탐상과 같은 좁은 부분의 검사에 효과적이다.

처리 면에서도 용제제거성 침투탐상검사에 비해 잉여 침투액의 제거시간을 대폭적으로 단축시킬 수 있고, 더구나 용제의 발생량이 적기 때문에 위생적인 면에 있어서도 유리하다. 세척 배수는 종이나 걸레 등으로 흡수시킬 수 있기 때문에 폐수처리의 문제도 어느 정도 해소(解消)할 수 있다.

나) 문제점 및 대책

다음에 각 처리마다의 문제점과 대책에 대하여, 수형 에어로졸을 이용한 염색 및 형광 침투탐상검사로 나누어 설명한다.

(1) 수형(水型) 에어로졸을 이용한 염색 침투탐상검사

(가) 전처리

수세성 침투탐상검사의 경우와 동일한 방법으로 주의사항을 지키며 실시하면 된다. 그러나 특히 주의할 것은 용제제거성 침투탐상시험의 경우에는 "세척제"가 용제(溶劑, solvent)이기 때문에 그대로 전처리용의 세척제를 사용할 수 있지만, 여기서의 "세척제"는 세척수(洗滌水)이기 때문에 전처리용의 세척제를 사용해도 유지류(油脂類)를 제거할 수 없으므로, 반드시 용제의 "에어로졸 제품의 세척제"를 별도로 휴대하여 사용해야 한다.

(나) 침투처리

수세성 침투액은 에어로졸 통을 이용한 분무법이나 솔질법으로 적용하는 것이 좋다. 다른 항목에 대한 주의사항은 다른 침투탐상검사와 똑같다.

(다) 세척처리

세척처리의 첫 단계는 용제제거성 침투탐상검사의 제거처리와 같이 마른 헝겊 또는 종이 수건으로 잉여 침투액을 제거하면서 시작한다. 그 후 수형 에어로졸 세척액을 약 10~30cm 떨어진 거리에서 뿌려 세척한다. 그리고 뿌리고 나서는 바로 닦도록 한다. 이것은 표면에 남아 있는 세척수와 결함 속의 수세성 침투액이 섞여서 지시모양의 대비(contrast)를 저하시키는 것을 방지하기 위함과 다음 공정의 건조를 쉽게 하기 위함이다.

위보기로 세척작업을 할 경우에는 세척수가 흘려 내릴 수 있지만, 이것을 방지하기 위해서는 수형 에어로졸을 뿌림과 동시에 닦거나 세척수에 젖은 걸레로 잉여 침투액을 닦으면 된다. 세척의 순서는 수세성 침투탐상검사의 경우와 동일하다.

(라) 건조처리

적셔진 시험체 표면을 마른 걸레 또는 종이 수건으로 닦고, 그 후 가능하면 헤어 드라이어(hair dryer) 등으로 건조시키면 된다. 세척에 물을 사용하기 때문에 겨울철과 같은 저온(低溫)에서는 기온이나 습도에 의해 건조가 어려운 경우도 있으므로, 건조처리에 있어서는 주의해야 한다. 세척수에는 녹에 대한 대책으로 억제제(inhibitor)가 첨가되어 있으므로, 녹에 대해서는 그다지 문제가 되지 않는다.

(마) 현상처리

현상은 속건식 현상제를 사용하여 실시하므로, 용제제거성 염색 침투탐상검사의 속건식 현상제를 사용할 경우의 주의사항을 잘 지켜 적용하면 된다.

(바) 관찰

다른 침투탐상검사와 같이 주의사항을 잘 지켜 적용하면 된다.

(사) 후처리

다른 침투탐상검사와 같이 주의사항을 잘 지켜 적용하면 된다.

(2) 수형(水型) 에어로졸을 이용한 형광 침투탐상검사

(가) 전처리

앞에서 설명한 수형(水型) 에어로졸을 이용한 염색 침투탐상검사의 전처리에서와 똑같이 주의사항을 지키며 실시하면 된다.

(나) 침투처리

앞에서 설명한 수형(水型) 에어로졸을 이용한 염색 침투탐상검사의 침투처리와 같이 주의사항 이외에 형광 침투탐상검사에서 공통된 사항으로 반드시 자외선을 조사하여 침투액의 적용상황을 확인해야 한다.

(다) 세척처리

기본적으로는 수형(水型) 에어로졸을 이용한 염색 침투탐상검사의 세척처리와 같은 방법으로 실시한다. 염색 침투액에 비해 세척이 어려우므로, 반드시 자외선조사등 아래에서 실시해야 한다.

(라) 건조처리

수형(水型) 에어로졸을 이용한 염색 침투탐상검사의 건조처리에서와 같은 방법으로 실시하면 된다.

(마) 현상처리

용제제거성 형광 침투탐상검사의 경우와 같은 주의사항을 잘 지켜 같은 방법으로 실시하면 된다.

(바) 관찰

용제제거성 형광 침투탐상검사의 경우와 동일하다.

(사) 후처리

다른 침투탐상검사의 경우와 동일하다.

【 익 힘 문 제 】

1. 주조품의 침투탐상검사에서 대상이 되는 결함의 종류에 대하여 설명하시오.

2. 주조품과 같이 시험체의 형상이 복잡하고 다양한 거칠기를 가진 기계가공 면에 대하여 적합한 침투탐상시험 방법은 ?

3. 단조품에 발생하기 쉬운 결함의 종류와 압연품에 발생하기 쉬운 결함의 종류를 각각 설명하시오.

4. 용접부의 검사시기별 대상이 되는 결함의 명칭을 설명하시오.

5. 표면이 거친 용접부를 검사하는데 효과적인 침투탐상시험은?

6. 고온 및 저온에서의 침투탐상시험에 대하여 설명하시오.

7. 용제제거성 염색 침투탐상시험을 적용할 때 각 처리마다의 문제점과 대책에 대하여 간단히 설명하시오.

8. 용제제거성 형광 침투탐상시험을 적용할 때 각 처리마다의 문제점과 대책에 대하여 간단히 설명하시오.

9. 수세성 형광 침투탐상시험을 적용할 때 각 처리마다의 문제점과 대책에 대하여 간단히 설명하시오.

10. 수세성 염색 침투탐상시험을 적용할 때 각 처리마다의 문제점과 대책에 대하여 간단히 설명하시오.

11. 후유화성 형광 침투탐상시험을 적용할 때 각 처리마다의 문제점과 대책에 대하여 간단히 설명하시오.

제 6 장   지시모양의 관찰과 해석 및 평가

침투탐상검사는 앞에서 설명한 것과 같이 기기(機器)에 사용되는 재료나 용접부의 건전성을 조사하기 위하여 사용하는 검사방법의 일종이다.

사람 몸의 건강상태를 조사할 때에는 시진(視診), 청진(聽診), 타진(打診), 촉진(觸診), 의료기기(醫療機器)에 의한 진찰(診察), 조직검사(組織檢查) 등의 여러 가지 기술을 이용하여 진찰한 후, 그 결과를 종합하여 병(病)의 상태 및 원인에 대하여 판단을 내리는 것과 같이 침투탐상검사라는 하나의 검사기술만으로 재료의 결함 유무, 결함의 상태, 결함의 원인 등 모든 것을 종합적으로 판단하는 것은 곤란하다는 것을 우선 이해할 필요가 있다.

침투탐상검사는 의료의 진찰기술 중 시진(視診)에 해당하는 것으로, 주(主)가 되는 기술은 육안검사이다. 육안검사에 의한 건전성의 진단은 다음과 같은 단계를 거쳐 행해진다. 즉 관찰과 해석 및 평가, 그리고 마지막이 진단이다. 이들 하나하나의 항목에 대하여 순서에 따라 설명을 하겠지만, 여기서는 우선 지시모양의 관찰과 지시모양의 해석 및 지시모양의 평가항목이 의미하는 내용에 대하여 설명한다.

① 지시모양의 관찰 : 현상처리를 한 시험체 표면에 적정하게 현상제 도막이 도포된 것을 확인한 후, 올바른 관찰조건 하에서 침투액에 의한 지시의 유무를 조사하는 행위이다.

② 지시모양의 해석 : 관찰 결과, 지시모양이 확인되면 지시모양의 발생 상황, 발생한 장소 등을 고려하여 지시모양의 발생 원인을 파악하고, 결함에 의한 지시모양인지 아닌지를 살피는 행위이다.

③ 지시모양의 평가 : 지시모양을 해석한 결과, 결함에 의한 지시모양으로 판단되는 경우에 그 형상, 치수, 수량, 분포상황 등을 측정하여 판정기준에 따라 합격 또는 불합격 처리하는 결함으로 분류하는 행위이다.

제 1 절 지시모양의 관찰

1. 지시모양 형성의 조건

침투탐상검사는 표면이 열려 있는 결함을 찾아내어 해로운 것과 해롭지 않은 것을 판별하고 해로운 것은 그 종류와 크기에 따라 보수하거나 또는 제거하여 부품이나 기기(機器), 구조물의 건전성을 유지시켜 안전성을 확보하기 위하여 실시한다. 그러므로 침투탐상검사는 먼저 결함이 우리의 눈으로 쉽게 지각(perception)할 수 있는 지시모양으로 나타나도록 해야 한다. 즉 검출하고자 하는 결함이 뚜렷한 색 또는 형광휘도를 가지고 우리의 눈으로 충분히 지각할 수 있는 크기의 확대된 지시모양으로 나타나게 해야 된다. 검사는 보조기구(補助器具)를 사용해도 되지만, 관찰 자체는 육안으로 해야 하므로, 관찰이 쉽게 이루어지기 위해서는 지시모양이 나안시력(육안으로 측정하는 시력)으로 볼 수 있도록 눈의 분해능 이상의 크기를 가져야 하며, 동시에 지각하기 쉬운 색상이여야 한다. 이러한 지시모양을 형성시키기 위해서는 다음과 같은 조건이 지켜져야 한다.

① 탐상제가 좋아야 한다 : 침투 지시모양의 크기나 색상에 직접 영향을 미치는 것은 현상제와 침투액으로, 시험체의 표면상태, 설치장소의 상태와 상황, 시험작업의 난이도 등을 충분히 검토하여 식별성이 높은 지시모양이 얻어지는 탐상제를 선택해야 한다. 또한 침투액의 오염(汚染) 및 열화(劣化)는 지시모양의 채도(彩度, Saturation)와 명도(明度, luminosity)의 저하를 일으키며, 현상제의 오염 및 열화는 용매, 용질의 변화에 따른 현탁성의 저하를 초래하므로 탐상제의 저장과 보관의 유지관리에 주의해야 한다.

② 선택한 시험법이 적합해야 한다 : 시험법의 적합여부는 지시모양의 형성과 직접 관련이 있으므로, 가장 적합한 시험법을 선택해야 한다. 시험법을 선택할 때에는 경험을 기반으로 발생하는 결함의 종류와 그 성격을 예상하여 그것에 적합한 방법과 탐상제를 선택해야 한다.

③ 시험조건이 적합해야 한다 : 성능이 좋고 또한 잘 관리된 탐상제와 가장 적절하다고 생각되는 시험법을 적용해도 부적절한 조건으로 시험을 실시하게 되면 올바른 지시모양이 얻어지지 않는다. 따라서 시험은 반드시 규정된 절차 및 요건을 준수하여 실시해야 한다.

④ 검사를 실시하는 검사원의 기능 및 기술이 좋아야 한다 : 침투탐상검사는 검사원의 기능 및 기술에 많은 영향을 받는다. 그러므로 검사는 반드시 정해진 기량 및 자격을 갖춘 검사원에 의해 수행되어야 한다.

2. 관찰을 하기 위한 시험조건

침투탐상시험 결과 나타난 지시모양을 관찰하기 위한 시험조건이 올바르지 않으면 결함을 검출하지 못하거나 의사모양을 결함 지시모양으로 잘못 간주해 버리는 경우도 발생한다. 그러므로 이들의 관찰조건이 만족되도록 관찰을 해야 한다. 관찰에 필요한 관찰조건, 즉 ① 시험 면의 밝기(관찰 면의 조도), ② 주변 환경의 밝기(주위 환경의 조도), ③ 눈과 관찰부위와의 각도(시험 면을 보는 눈의 각도), ④ 눈과 광원과의 위치관계(조명 광원과의 눈의 배치), ⑤ 눈과 시험 면 사이의 거리의 5가지 항목에 대하여 살펴보기로 한다.

가. 시험 면의 밝기

1) 염색 침투탐상시험

침투 지시모양을 자연광이나 조명등 아래에서 육안으로 관찰한다. 이때 사람의 눈이 지시모양의 색상, 형상, 개수 등을 올바르게 지각(知覺)하기 위해서는 시험 면에 일정한 값 이상의 조도(illuminance, 조명도라고도 함)가 되도록 해야 한다. 보통 필요한 조도(照度)는 규격에 따라 다르지만, **KS B 0816**-2005에서는 500룩스(ℓx) 이상으로 규정하고 있다. 그러나 사람에 따라 눈의 기능이 다르기 때문에 모든 사람에게 이 값이 가장 좋은 조도라고 한정할 수는 없다.

관찰을 연속하여 장시간 실시하는 경우에는 조명 빛이 너무 밝거나, 너무 어두워도 눈의 피로를 초래하기 쉬우며, 눈이 피로하면 당연히 잘못된 관찰결과를 초래할 수 있으므로, 관찰자의 눈이 피로하지 않고, 장시간의 연속 관찰에 견딜 수 있는 조명 빛의 세기를 미리 선택하여 사용해야 한다.

염색 침투탐상시험에서 지시모양은 백색의 현상제 도막 위에 붉은 색깔의 지시모양(**그림 6-1 참조**)으로 나타나는데, 이 지시모양은 시간이 경과함에 따라 확대되어 인접한 결함들과 합쳐지기도 한다. 따라서 현상시간이 길

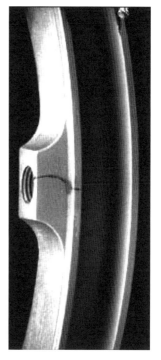

〔그림 6-1〕 침투
지시모양(염색)

어지면 인접해 있는 결함을 분리하여 식별할 수 없게 되고, 의사모양 역시 확대되어 실제 결함 지시모양과 합쳐져서 결함을 구분할 수 없게 되므로, 현상시간 중에도 현상제 도막에서 배어나오는 붉은 색깔의 지시모양을 관찰하여 그 상황을 살펴야 한다.

습식 현상법 및 속건식 현상법에서는 현상시간이 짧으면 지시모양이 실제 결함보다 작게 나타나며, 반대로 현상시간이 길면 지시모양이 실제 결함보다 크게 나타나므로, 현상시간이 경과한 후에 한 번만 관찰해서는 안 되며, 현상시간 중에도 여러 번 시험 면을 관찰하여 정확한 결함의 형상, 크기를 파악하여 적정한 평가를 할 수 있도록 해야 한다.

2) 형광 침투탐상시험

암실 또는 어두운 곳에서 자외선을 조사하며 관찰하기 때문에 관찰자의 눈이 어두운 환경에 익숙해지도록 하기 위하여 관찰을 개시하기 전에 어느 정도(KS : 1분, ASME : 5분) 어둠에 눈을 적응(dark adaptation)시켜야 한다.

관찰 장소의 밝기는 20룩스 이하가 바람직하며, 또한 지시모양을 지각(知覺)하기 위하여 필요한 황록색의 형광 휘도는 $0.01\mathrm{nt}(0.01\mathrm{cd/m^2})$ 이상이기 때문에 $1,000\mu W/cm^2$(**KS B 0816**-2005 : $800\mu W/cm^2$, ASME 등 : $1,000\mu W/cm^2$) 이상의 자외선의 강도를 조사하여 형광체를 여기(勵起, excited)시켜야 한다.

자외선 조사에 의해 발광하는 형광 휘도를 지각할 수 있는 능력 및 관찰할 때 눈의 피로는 사람에 따라 다르므로, 미리 관찰자에 알맞은 세기의 자외선을

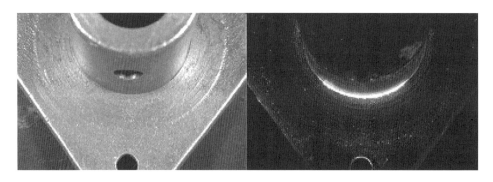

〔그림 6-2〕 침투 지시모양(형광)

선택하여 관찰하는 것이 바람직하다. 그리고 자외선 조사등 아래에서 관찰하면

결함 속에 들어있던 침투액이 나와 현상제에 형성되는 지시모양은 자외선을 조사하면 황록색의 휘도 높은 형광을 발한다. 이러한 지시모양(**그림 6-2 참조**)은 관찰하는 장소가 어두우면 어두울수록 형광 휘도에 의한 식별성이 높아지므로, 가능한 한 어두운 장소에서 관찰을 해야 한다. 특히 미세한 결함을 검사할 경우에도 가능한 한 어두운 편이 좋다.

※ **니트(nit, 기호 : nt)** : 휘도의 단위(MKS 단위). 니트란 $1cd/m^2$ 또는 10^{-4}sb(stilb)의 광도를 가지는 표면의 밝기를 가리킨다. $1nt$ 는 SI 단위계의 cd/m^2와 같다.

※ **칸델라(candela, 기호 : cd)** : 광도의 SI 단위. $1cd$ 는 진동수 540 x 10^{12}Hz(hertz)인 단색광을 방출하는 광원의 복사 강도가 어떤 방향으로 1sr(steradian, 스테라디안) 당 1/683W(watt)일 때 이 방향에 대한 광도이다.

나. 주변 환경의 밝기

염색 침투탐상시험에서 지시모양을 관찰할 때 시험 면에 도포되어 있는 백색 현상제 도막에서의 반사광과 가까이 놓여 있는 물체로부터 반사되는 태양 빛은 눈을 부시게 하며 관찰을 방해하므로 결함 지시모양의 검출도를 저하시킨다.

형광 침투탐상시험에서는 시험하는 장소가 밝거나 암실의 차광(遮光)막 틈 사이에서 들어오는 외부 빛의 밝기 등은 배경(background)과 지시모양과의 차이를 지각할 수 없게 하여 결함 지시모양의 검출을 못하게 한다.

따라서 밝은 곳에서 관찰하는 경우는 반사광이 직접 눈에 들어오지 않는 위치에서 관찰을 해야 하며, 어두운 곳에서 관찰하는 경우에는 작업의 안전성을 해치지 않는 한도인 20룩스 이하의 밝기에서 관찰해야 한다.

다. 눈과 관찰부위와의 각도

지시모양의 색, 형상, 크기를 정확히 알기 위해서는 지시모양 바로 위에서 관찰하는 것이 가장 좋은 관찰방법이다. 만일 장해물이 있거나 바로 위에서 관찰할 수 없는 경우라도 눈이 지시모양을 보는 각도가 시험 면에 내린 수선(垂線)에 대하여 30° 이내를 유지해야 하며, 만일 이 조건을 만족시키지 못하는 경우에는 보조기구를 사용해야 한다. 이 이상의 각도에서 관찰하게 되면 표면의 요철(凹凸) 및 거칠기, 표면 형상 등에 따라 미세한 지시모양이나 휘도가 낮은 지시모양은 보지 못하게 되며, 발견된 지시모양도 형상 및 치수가 실제의 형상 및 치수와 다르게 보이기 때문이다.

라. 눈과 광원과의 위치 관계

조명등 또는 자외선 조사등은 시험 면에 균일하게 빛이 조사되도록 배치해야 한다. 이때 가장 주의해야 할 점은 눈과 빛과의 배치관계이다. 반사광이나 빛이 직접 눈에 들어오면 안구(眼球) 내부의 물질이 형광을 발하여 시각장애를 일으키므로, 이들 빛이 직접 눈에 들어오거나 또는 표면에서의 반사광이 눈에 들어오지 않도록 해야 한다. 가능하면 검사하는 장소의 주위에서도 반사되는 빛이 없도록 해야 한다.

마. 눈과 시험면 사이의 거리

우리가 물체를 볼 때는 눈의 수정체(水晶體, lens)의 곡률이 모양근(毛樣筋, ciliary muscle)의 작동에 의해 조절되어 항상 망막(網膜, retina) 뒤에 물체의 상(像)이 형성되도록 되어 있다. 이 조절 가능한 멀리 있는 점을 원점(遠點), 가장 가까운 점을 근점(近點)이라 하는데, 건전한 눈에서의 원점은 무한대이며, 근점은 약 10cm라고 알려져 있다. 그래서 피로를 느끼지 않으면서 잘 볼 수 있는 가장 가까운 점은 약 25cm 인데, 이것을 보통 분명하게 볼 수 있는 거리 즉, 명시(明視, clear vision)의 거리라고 한다. 그러므로 연속하여 검사를 실시할 경우에는 눈이 피로를 가급적 적게 느끼면서 지시모양을 가급적 크고, 뚜렷하게 표면을 볼 수 있는 명시의 거리에서 시험 면을 관찰하는 것이 가장 좋은 방법이다. 그러나 시험체의 구조에 따라서는 반드시 이러한 가까운 거리에서 관찰할 수 없는 경우도 있지만, 어느 경우라도 60cm 이상은 떨어져서는 안 된다. 60cm 이상 떨어진 위치에서의 관찰은 분해능을 저하시키므로, 명시의 거리와 동등한 분해능이 얻어질 수 있는 보조기구를 사용하여 관찰해야 한다.

제 2 절 지시모양의 해석

지시모양의 해석은 관찰을 위한 지시모양의 형성조건과 시험조건이 모두 만족된 상태에서 관찰을 한다. 관찰 결과 어떠한 지시모양이 나타나게 되면, 우선 지시모양에 대한 해석을 해야 한다. 해석이란 앞에서 설명한 것 같이 지시모양이 나타난 원인을 고려하고, 판정기준에서 지적하고 있는 각종 결함에 의한 지시모양인지 아닌지를 결정하는 것을 말한다.

다음과 같은 행위가 지시모양의 해석에 포함된다.
① 침투지시모양 발생원인의 추정
② 판정기준에 의한 평가대상인 결함에 의한 지시모양인지 아닌지의 결정

여기서 중요한 것은 지시모양의 발생상황과 발생장소 등을 고려하고, 그 발생원인을 추정하여 평가대상이 아닌 지시모양(non-relevant indication)인지, 평가대상의 지시모양(relevant indication)인지를 결정하는 것이다.

이를 위해서는 평가대상이 아닌 지시모양과 평가대상의 지시모양을 어떻게 분류하는지에 대하여 명확히 하지 않으면 안 된다.

이들 용어에 대해서는 다음과 같이 정의한다.
가) 평가대상이 아닌 지시모양 : 실제로는 어떠한 불연속부도 없는데 처리 조작의 잘못에 의해 시험체의 형상에 의해 발생되는 무관련지시와 처리조작의 잘못 등에 의해 발생하는 거짓지시를 말하며, 이들은 모두 의사모양에 속하는 평가 대상이 아닌 지시모양이다.

① 무관련지시(non-relevant indication) : 표면 불연속으로 인하여 나타나는 지시모양으로, 제품의 설계 시에서부터 존재하는 불연속에 의해 나타난다. 예를 들면 열쇠 홈이나 리벳(rivet)을 한 이음부, 끼워 맞춘 곳 그리고 부분용접으로 조립된 부품 사이의 틈새, 단면(斷面)의 변화부 등에서 발생하는 지시모양이 여기에 해당한다. 이러한 지시모양은 부품의 실용성에 영향을 주지 않는 불연속부로써, 주로 시험체의 형상에 의해 나타난다(**그림 6-3 참조**).

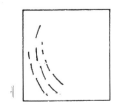 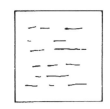  

〔그림 6-3〕 대표적인 무관련지시(의사모양)

② 거짓지시(false indication) : 표면의 불연속과는 관련이 없는 지시모양으로, 탐상제를 잘못 적용하거나 적절하지 않은 탐상법의 채택에 의해 나타난다. 즉 실제로는 아무런 불연속부도 존재하지 않으나 처리조작의 잘못에 의해 발생하는 의사모양(**그림 6-4 참조**)을 말한다.

평가대상이 아닌 지시모양을 무관련지시와 거짓지시로 구분하여 사용하기도 하지만, **KS B 0816**-2005 에서는 이들을 구분하지 않고 모두 의사모양으로 취급하고 있다.

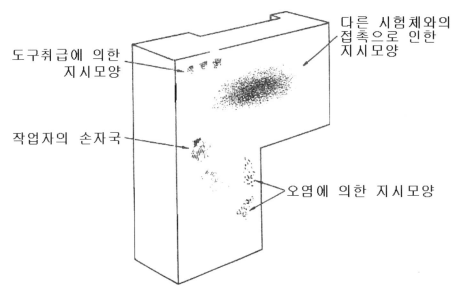

〔그림 6-4〕 대표적인 거짓지시(의사모양)

나) 평가대상의 지시모양 : 평가대상이 아닌 지시모양 이외의 지시모양으로, 재료 나 부품 등의 실용성에 어떠한 영향을 미친다고 생각되는 불연속부에 의한 결함

지시모양(discontinuity indication, defect indication)이다.

지시모양을 관찰할 때에는 지시모양이 평가대상 지시모양인지 평가대상이 아닌 지시모양인지를 먼저 판단해야 한다. 이 판단은 해석기술 중 가장 기본적이고 또한 중요한 부분이므로, 잘못 판단하는 일이 없도록 하기 위해서는 각 지시모양이 어떠한 원인으로 발생하는지에 대한 지식을 갖추어야 한다.

1. 지시모양의 발생원인

가. 평가대상이 아닌 지시모양의 발생원인

평가대상이 아닌 지시모양, 즉 의사모양이 나타나는 주요 원인은 다음과 같다.

① 전처리가 불충분하여 시험 면에 이물질이 남아 있을 때(보푸라기나 먼지 등에 의한 지시).

② 세척처리나 제거처리가 불충분하여 잉여 침투액이 남아 있을 때 또는 손에 묻은 침투액이 시험 면에 자국을 남겼을 때.

③ 유화시간이 짧거나 조작상의 잘못으로 잉여 침투액이 충분히 제거되지 않고 시험 면에 남아 있을 때.

④ 시험체의 형상이나 구조가 복잡하여 세척이 곤란한 곳(구석이나 열쇠 구멍, 용접 비드의 경계 등)과 부품의 삽입 등에 의해 나타나는 경우.

이 의사모양들은 균열이나 불연속부에서 나타나는 지시모양과 같이 선명하지 않다. 이들은 폭이 넓으며 선명하지 않은 지시모양으로 나타나기 때문에 쉽게 확인할 수 있으며, 사전의 조치에 따라 어느 정도 방지도 가능하다.

그 밖에 평가대상이 아닌 지시모양의 범위에 들어가는 것으로는 재료 또는 부품 등의 실용성에 영향을 주지 않는 불연속부에 의한 지시모양으로서 판정기준에 따라 재료 또는 부품의 실용성에 어떠한 영향도 미치지 않는 균열과 기타 불연속부에 의한 지시모양이다. 즉 균열이라 해도 그 발생 원인에는 여러 가지 원인이 있어서, 근본적으로 재료의 품질을 해롭게 하는 것과 본질적으로는 품질에 해를 주지 않고 단순한 제조공정이나 가공공정 상 잘못에 의해 표면층에만 발생하는 것이 있다. 전자에 의해 발생한 지시모양은 명확히 판정대상 지시모양으로 취급하지만, 후자에 속하는 것 중에는 그 지시모양 발생의 원인이 되는 균열의 발생위치, 치수(주로 균열의 깊이), 방향성 등을 고려하여 미리 판정기준과 대조하여 평가대상이 아닌 지시모양으로 취급하기도 한다.

특히 재료의 제조단계에서 발생하는 각종 불연속부는 압연기계의 조정불량에 의한 것이 많고, 극히 얇은 표면에만 남아 있는 것이 많으므로, 이것을 제거하면 건전한 재료로서 사용할 수 있고, 후속공정에 의해 자연히 제거될 수도 있으므로, 평가대상이 아닌 지시모양으로 취급할 때가 많다. 이와 같이 표면에만 존재하여 제거가 가능한 것 이외에 재료의 내부에 존재하지만 제거가 불가능한 개재물이나 라미네이션 등도 경우에 따라 평가대상이 아닌 지시모양으로 취급할 때도 있다.

가) 개재물(inclusion) : 강재 속에 존재하는 슬래그, 산화물, 황화물 및 기타 비금속 개재물의 입자로써, 용융금속의 응고과정에서 재료 속에 함유되거나 석출되어 형성된 것을 말한다. 빌릿(billet)이나 봉재(round bar)와 같은 압연품의 경우 길이방향으로 늘어진 가늘고 긴 끈 또는 선 모양으로 존재하는 경우가 많다. 일반적으로 모재 속에 단독으로 또는 군(群)을 이루어 존재하며, 표면이 노출되어 있어도 대개 모재와 밀착되어 있다. 때로는 모재와 밀착되지 않고 틈이 생겨 침투 지시모양을 나타내기도 한다. 높은 응력이 작용하는 부위에 존재하는 경우 또는 대량으로 존재하는 경우를 제외하고는 일반적으로 유해한 결함으로 취급하지 않는다.

나) 라미네이션(lamination) : 주괴(鑄塊, ingot) 속의 가스 개재물 또는 파이프(pipe)나 공동(cavity)이 압연 중에 밀착되지 않고 층 모양을 이루며 발생하는 불연속부로, 압연방향으로 얇고 평탄하게 표면에 평행하게 나타난다. 주로 판(板), 박판(薄板), 띠판(strip) 속에서 나타나지만, 판 표면에는 잘 나타나지 않으며, 기계 가공한 끝 면에서만 판 표면에 평행하게 뚜렷한 선상(線狀)의 지시모양으로 나타난다. 이러한 종류의 불연속부는 판 두께방향의 응력을 고려해야 하는 경우를 제외하고는 대부분 유해하지 않다.

나. 평가대상 결함 지시모양의 발생원인

평가대상 결함 지시모양은 모두 판정대상 지시모양으로, 재료나 부품의 실용성에 영향을 미치는 결함 또는 불연속부에 의해 나타나는 것이다. 그러므로 평가대상이 아닌 지시모양과의 구별을 명확하게 할 줄 아는 것이 검사원이 갖추어야 하는 중요한 기술능력이다.

시험체 표면에 어떠한 지시모양이 나타났을 때 평가대상의 지시모양으로 명확히 결정하기 위해서는 미리 대상물의 표면상태와 적용한 시험법 그리고 시험조건을 조사하여 의사모양이 아님을 확인한 다음에, 그 지시모양의 원인이 되는 불연속부의 종류(결함종류의 예측), 치수, 방향성, 개수, 발생장소, 발생상황(분포)으로부터 평가기준에서 판정대상이 되는 결함에 의한 지시모양인지 여부를 판단한다. 만일 판정기준의 대상이 아닌 지시모양인 경우에는 평가대상이 아닌 지시모양으로 판정대상에서 제외한다. 이러한 판단을 쉽게 하기 위해서는 각종 결함에 의한 지시모양이 어느 장소에 어느 방향으로, 어떠한 형상과 분포의 지시모양으로 나타나는지에 대한 지식을 갖고 있어야만 한다.

1) 각종 결함에 의한 지시모양

평가대상 지시모양의 원인이 되는 결함 중에서 가장 유해한 것은 균열(crack)이지만, 그 외의 불연속부도 유해한 것들이 있다. 이들 평가대상 지시모양의 원인이 되는 결함과 불연속부의 종류나 성상(性狀 ; 성질과 상태)은 검사를 실시하는 시점(제조할 때의 검사, 사용 중의 검사)에 따라 다르기 때문에, 제조할 때의 검사와 사용 중의 검사(보수검사)에서 탐상이 가능한 결함의 종류에 대하여 살펴본다. 다만 침투탐상검사에서 탐상 가능한 결함에 대해서만 설명한다.

가) 제조할 때의 검사에서 관찰되는 결함의 종류

(1) 고유 결함(Inherent defect) : 제강(製鋼) 시에 발생하는 결함으로, 용융상태의 강(鋼)이 처음 응고될 때에 발생하는 불연속부를 가리킨다. 이들은 재료 강도를 현저히 저하시키는 경우를 제외하고 평가대상으로 하지 않는다. 일반적으로 슬래그, 산화물, 황화물 및 기타 비금속 불순물의 혼입에

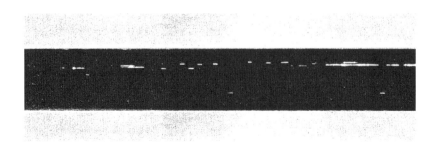

〔그림 6-5〕 개재물에 의한 지시모양

의한 불연속부로서, 보통 개재물(inclusion)과 주괴 속의 가스 개재물 또는 내부 수축 그리고 공동(cavity) 등이 압연 작업 중에 압착되지 않고 신장(伸長)된 모양으로 나타나는 라미네이션 등의 불연속부를 말한다. 이러한 종류의 불연속부는 1차 가공품, 2차 가공품의 구분에 관계없이 모든 금속제품에서 공통적으로 나타난다.

- 침투지시모양 : 개재물 이외의 결함은 뚜렷한 지시모양을 나타낸다.

(2) 1차 가공에서 발생하는 결함 : 1차 가공 결함이란 재료가 처음으로 형성되어 최종 형상이 되었을 때 발생하는 결함으로, 가공의 종류로는 주조, 압연, 단조, 용접 등이 포함된다. 각각의 가공 공정에서 발생하는 결함의 대표적인 예를 다음에 나타낸다.

(가) 주조품(casting)

주조(鑄造)는 주물을 만들기 위하여 실시하는 작업으로, 최종 제품의 대략적인 그 형상과 크기의 주형(鑄型)에 용융금속을 주입하여 응고시켜 성형하는 방법이다.

주조품에 나타나는 결함에는 육안으로 충분히 검출 가능한 표면에 나타나는 블로우 홀(blow hole), 수축공(shrinkage cavity), 탕계(cold shut), 모래 개재물(sand inclusion) 등 이외에, 침투탐상검사가 아니면 검출할 수 없는 미세 기공(micro-porosity), 미세 수축관(micro-shrinkage), 수축 균열(shrinkage crack), 열간 균열(hot crack) 등이 있다. 이 중 미세 수축관, 수축 균열, 열간 균열은 금속이 응고될 때에 나타나는 수축에 의해 발생하는 인장응력이 결정입계를 파괴하여 발생하는 결함으로, 매우 유해한 결함이다.

〔그림 6-6〕 블로우 홀에 대한 침투 지시모양

- 침투지시모양 : 지시모양은 큰 균열일 때는 날카롭고 뚜렷하게 균열의 틈을 나타내지만, 미세 균열일 때는 개개의 지시는 알 수 없고, 군(群)을 이룬 지시모양으로 나타난다.

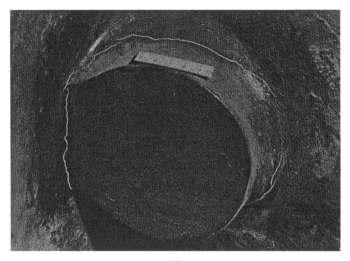

〔그림 6-7〕 수축균열의 침투 지시모양

(나) 압연품(rolling)

압연(壓延)이란 금속의 소성(塑性)을 이용해서 고온 또는 상온의 금속재료를 회전하는 2개의 롤(roll) 사이로 통과시켜서 여러 형태의 재료, 즉 판(板), 봉(棒), 관(管) 등으로 가공하는 방법이다.

판이나 봉으로 압연한 강재에는 강괴 속에 발생되어 있던 균열에 의한 것과 압연 전의 강괴에는 없었으나, 압연에 의해 새로 발생하는 결함도 있다. 압연품에 대한 결함의 예를 다음에 나타낸다.

o 심(seam)이란 결함은 강괴 속의 균열이 압연 중에 눌려서 발생한 것으로, 균열 표면은 대부분 밀착되어 있다.
 - 침투지시모양 : 침투탐상검사로 검출할 수 없는 경우도 있다.

o 겹침(lap)은 위의 심과 유사한 결함이지만, 발생원인은 전혀 다르며, 압연할 때 기계의 조정불량이 주된 원인이다. 즉 압연할 때 강괴의 각(角)이 겹쳐지거나 표면에 무리한 힘이 가해짐에 따라 표면에 흠이 발생하여 이

것이 압연에 의해 강재(鋼材) 표면에 눌려 박히어 발생하는 것이다. 그러므로 겹침은 강재 표면에서 볼 때 매우 적은 각도로 강재 속으로 늘어난 것으로, 표면을 절삭 가공하여 사용하는 경우에는 문제가 되지 않는 결함이다. 눌린 면의 상호 밀착성도 약하다.

 - 침투지시모양 : 짐부탐상검사도 섬출이 가능하다.

o 냉각(冷却) 균열과 수축(收縮) 균열도 압연품 속에 발생하는 결함이지만, 재료를 부적절한 조건에서 냉각함에 따라 발생한다. 보통 압연방향으로 발생하는데 길이와 깊이도 다양하다. 일반적으로 유해한 결함으로 취급한다.

 - 침투지시모양 : 이들은 침투탐상검사에서 검출할 수 있다.

(다) 단조품(forging)

단조(鍛造)는 재료를 소성(塑性)상태에 까지 가열하여 틀(型)을 이용하여 희망하는 형상으로 프레스(press)하거나 해머(hammer) 등으로 두들겨 원하는 모양이나 치수로 가압성형(加壓成形)함과 동시에 기계적인 성질을 개량하는 작업이다. 이 가공에 의해 발생하는 결함의 예를 다음에 나타낸다.

o 단조 겹침(forging lap)은 표면의 일부가 강제적으로 접혀 들어가서 발생하는 것으로, 모재와 하나가 되게 접합되지 않은 것이다. 발생원인은 결함이 있는 틀(型)의 사용과 너무 큰 치수의 틀 사용 및 재료에 대한 틀의 부적절한 적용 등을 들 수 있다. 이 결함은 단조품의 어느 곳에서나 나타난다.

 - 침투지시모양 : 지시모양은 그다지 뚜렷하지 않지만, 물결치는 지시모양을 나타낸다. 깊게 들어간 겹침이라도 뚜렷하게 지시모양을 나타내지 않는다.

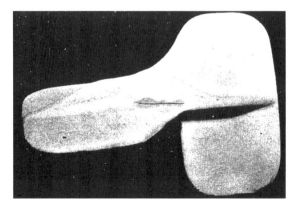

〔그림 6-8〕 단조 겹침의 침투 지시모양

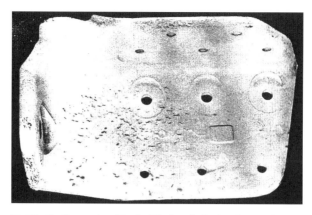

〔그림 6-9〕 단조품의 표면 터짐의 침투 지시모양

o 터짐(burst)은 금속의 강도가 저하하는 온도에서 가공함에 따라 발생하는 결함으로, 일반적으로 내부결함이다. 단조품의 표면검사에서는 침투탐상검사의 대상이 아니지만, 표면을 기계 가공하거나 절단을 하는 경우에 드물게 가공면이나 절단면에서 나타날 때가 있다.
  - 침투지시모양 : 지시모양은 짧은 선상(線狀)의 지시가 산란된 모양으로 나타난다.

o 표면 균열(surface crack)은 단조할 때 틀에 대한 취급방법이 부적절한 경우에 발생하는 표면 균열이다. 침투탐상검사의 대상이 되는 결함이다.
  - 침투지시모양 : 뚜렷한 모양의 미세 균열이 군(群)을 이루어 나타난다.

o 백점(flake)은 보통 고합금강의 단조품에서만 볼 수 있는 내부에 발생하는 미세한 균열이다. 이 결함은 재료가 가열되어 있는 상태에서 냉각될 때, 수소에 의한 원인으로 내부에 발생하는 내부 결함이지만, 기계 가공한 경우에는 가공 표면에도 나타난다. 표면에 나타난 백점은 침투탐상검사의 대상이 되는 결함이다.
  - 침투지시모양 : 선명하게 물결치는 짧은 선모양의 지시가 공통된 방향을 가지고 분리되어 나타난다.

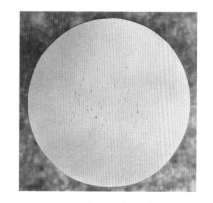

〔그림 6-10〕 백점

(라) 용접

　용접은 모재와 접합할 부분을 토치(torch)나 아크(arc)로 가열하여 모재 또는 용가재(filler metal)와 함께 용융금속을 만들고 이를 응고시켜 접합시키는 금속 접합법이다. 용접결함의 예를 다음에 나타낸다.

o 표면 수축균열(surface shrinkage crack)은 용접부에서 가장 자주 나타나는 흔한 결함의 하나로, 용접봉을 마지막에 떼는 크레이터(crater) 등에서 자주 발견된다. 이 부분은 그때까지 용접해온 부분에 비해 단면(斷面)의 두께가 얇고 냉각과 수축이 빠르기 때문에 균열이 되기 쉽다.

o 크레이터 균열(crater crack)은 용접 비드의 크레이터에 발생하는 균열로, 크레이터의 중심에서 **그림 6-11**과 같이 별모양을 하고 있으며, 보통 단일 결함으로 나타난다. 기타 비드의 끝부분 근방에서 용접의 중심에 길이방향의 수축결함이 발생할 때도 있다.
　- 침투지시모양 : 선명하고 짧은 지시모양이 뚜렷이 구획을 지어 연속되지 않고 나타난다.

※ **크레이터(Crater)** : 용접 비드의 끝에 생기는 오목한 부분. 아크 또는 가스의 화염작용에 의하여 비드의 끝부분에 생긴 움푹하게 패인 부분을 말한다.

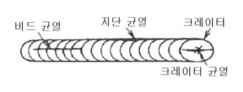 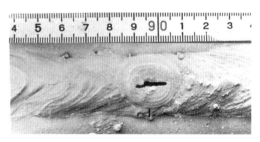

〔그림 6-11〕　크레이터 균열

o 융합불량(lack of fusion)은 용접에서 근접한 모재를 녹이는데 충분하지 않은 온도 또는 부적절한 토치(torch)의 위치로 인하여 발생하는 내부결함이지만, 용접 비드 끝부분이나 뒷면 따내기(back gouging)한 표면에 나타날 때도 있다.
　- 침투지시모양 : 그다지 예리하지 않은 지시모양으로 나타난다.

o 용입부족(incomplete penetration, lack of penetration)은 용접금속이 고화(固化)되기 전에 금속이 개선 면에 완전히 용입되지 않아 발생하는 내부 결함으로, 보통은 침투탐상검사의 대상은 아니지만, 뒷면 따내기 면에 대한 검사에서는 침투탐상검사의 대상이 되며, 개선 면을 따라서 직선모양의 지시모양으로 나타나므로 검출이 가능하다.
   - 침투지시모양 : 개선 면에서는 뚜렷한 지시모양으로 나타난다.

o 오버랩(overlap)은 용접금속이 가장자리에서 모재에 융합되지 않고 겹쳐진 부분이 있어 발생하는데, 연삭기(grinder) 등으로 쉽게 제거할 수 있는 결함이다. 그 자체는 용접부의 강도(強度)에 영향을 미치지는 않는다. 침투탐상검사에서는 지단부(止端部)에 발생하는 그 균열(shrinkage crack)이나 모재균열과 같은 위치에 유사한 지시모양을 나타나는 경우가 있으므로 주의하여 관찰해야 한다.
   - 침투지시모양 : 비드 지단부에 뚜렷한 지시모양으로 나타난다.

o 모재균열은 경도(硬度)가 높은 금속을 용접하는 경우에 온도 변화에 따른 팽창과 수축에 따라 재료 속에 발생하는 응력에 의해 용접 근방의 모재에 나타나는 균열이다.
   - 침투지시모양 : 뚜렷한 지시모양을 나타낸다.

(3) 2차 가공에 의해 발생하는 결함

이들 결함은 봉(bar), 관(tube), 판(plate), 단조품, 주조품의 기계 가공이나 열처리 그리고 도금 등의 최종 마무리 작업에 의해 발생한다. 결함의 예를 다음에 나타낸다.

(가) 기계 가공 균열 : 공작기계의 조정불량이나 절삭력이 없는 용구(칼)를 사용함에 따라 금속 표면이 절삭되는 대신에 상처가 난 것으로, 일반적으로 짧은 톱니모양으로, 기계 가공 방향에 대해 직각으로 나타난다.
- 침투지시모양 : 불규칙한 모양의 단독 균열로서 나타낸다.

(나) 연마균열(grinder crack)

경화된 금속재료의 표면을 연마했을 때에 나타나는 가열 균열이다. 이 균열은 금속재료의 표면을 반복하여 가열 냉각시킬 때, 어느 반복회수를 초과하게 되면, 그 가열 층에 비교적 얕게 들어간 잔금균열(crazing)로서 나타난다. 이때의 가열은 연마판 아래에서 발생하며, 냉각제가 매우 적거나 표면 연마량이 아주 많거나 또는 아주 빠른 속도로 연마하여 표면을 광택 마무리를 하는 경우 등으로 연마 판에 의해 발생하는 표면 균열로써, 일반석으로 연마 방향과 직각으로 발생하며, 심할 경우에는 그물모양(mesh)으로 나타난다. 이 때문에 잔금균열, 귀갑균열(tortoise shell crack)이라고도 부른다. 균열은 폭이 좁고, 미세하며 날카로운 선상(선모양)으로 나타나며, 열린부분(開口部)은 밀착되어 있다.

- 침투지시모양 : 뚜렷하게 나타나는 경우도 있지만, 미세하여 표면에 따라서는 발견하기 어려운 경우도 있다.

(다) 열처리 균열 및 담금질 균열(quenching crack)

열처리란 금속재료를 경화시키거나, 금속의 결정구조를 바람직한 상태로 하거나 또는 부품의 강도를 원하는 성질로 하기 위하여 관리되는 조건 하에서 금속재료를 가열·냉각하는 방법이다. 이 처리 중에 발생하는 균열은 시험체의 부분 부분에서 발생되는 온도 불균일로 인하여 발생하는 응력에 의해 생기는 것으로, 가열과 냉각의 모든 과정에서 발생한다. 이러한 균열은 보통 깊이가 깊고, 임의 방향으로 비교적 뚜렷한 형상을 나타내는 경우가 많다. 담금질 균열은 단면(斷面)이 얇은 곳 또는 두꺼운 단면과 얇은 단면이 맞닿는 부분이나 필릿(fillet), 예리한 노치(notch) 부분 등에서 발생한다.

- 침투지시모양 : 균열이 비교적 깊고, 또 열린 폭도 넓어서 뚜렷하게 나타난다.

(라) 도금 균열(plating crack)

도금처리 중에는 균열이 잘 발생하지 않으나, 단단한 재료를 도금처리하면 가끔 도금 후에 균열이 발생하는 경우가 있다. 냉간 가공(cold working), 열처리, 연마 등의 가공으로 인하여 높은 잔류응력이 있는 경우에는 도금 후의 세척이나 산세척(酸洗滌) 중에 균열이 발생하기도 한다. 균열이 발생하면 도금의 일부 표면이 벗겨지며, 높은 내부응력이 없어진다. 균열은 도금 층을 관통한다.

- 침투지시모양 : 비교적 뚜렷하게 나타난다.

나) 사용 중의 검사(보수검사)에서 관찰되는 결함의 종류

(1) 피로파괴(Fatigue crack)에 의한 균열

재료가 지닌 인장강도를 나타내는 응력보다도 상당히 낮은 응력을 반복적으로 가함에 따라 발생되어 금속표면으로 진행하는 파괴현상을 피로파괴(疲勞破壞, fatigue fracture)라 한다. 일반적으로 작용 응력이 가장 높은 금속표면에서 시작하여, 주응력의 방향과 직각방향으로 진행한다. 만일 금속재료 표면이 건전한 경우에는 아주 많은 횟수의 응력이 반복하여 가해져야만 발생하지만, 표면에 노치(notch)가 있으면 그곳에 응력이 집중되어 적은 횟수에서도 파괴된다. 피로파괴를 초래하는 응력에는 기계적인 응력 이외에 저온 또는 고온의 열이 반복하여 가해졌을 경우에 발생하는 열응력도 있다. 피로파괴에 의하여 발생하는 균열은 특징이 있어서 쉽게 확인되는데, 피로균열은 반복 응력 하에서 천천히 진행하므로, 균열 표면은 특징적인 조밀한 줄 무늬모양(이것을 striation 이라 한다)을 한 매끄러운 표면을 나타낸다.

- 침투지시모양 : 표면 균열이기 때문에 항상 날카롭고, 주응력의 방향에 대하여 직각방향으로 뻗은 뚜렷한 절단 선으로 나타난다.

(2) 응력부식에 의한 균열(Stress corrosion crack)

잔류응력(residual stress) 또는 부하(負荷)응력과 부식(腐蝕) 분위기가 조합된 작용 하에서, 균열에 의해 금속 표면이 취화(脆化)되어 발생하는 파괴이다. 일반적으로 이들 응력이 적을수록 파괴에 이르는 시간은 길어진다. 하지만 파괴가 발생하지 않는 하한(下限)의 응력이 있는 경우와 없는 경우가 있을 때, 없는 경우는 항복응력보다도 훨씬 낮은 응력에서도 발생하는 것으로 밝혀졌다. 다만, 이 파괴는 특정 재료가 특정 환경조건에 놓인 경우에 발생하는 것으로, 같은 재료라도 환경이 다르면 파괴가 반드시 일어난다고는 할 수 없다. 균열은 결정입내(結晶粒內)를 관통하여 진행하는 경우와 결정입계(結晶粒界)를 따라서 진행하는 경우가 있으며, 둘이 공존하는 경우도 있다. 이 중 어느 것을 따르는지는 재료의 종류 및 환경조건 그리고 응력의 종류와 크기 등에 따라 다르다.

- 침투지시모양 : 균열이 결정 입내를 통과한 경우와 입계를 통과한 경우가 다르다. 전자의 경우는 번개치는 모양과 같이 가지가 갈라진 지시모양(light forked pattern)을 나타내며, 후자의 경우는 그물모양으로 갈라진 지시모양을 나타내는데, 개개의 그물망이 매우 미세하기 때문에 대부분 지시모양은 육안으로 볼 때 선모양의 지시모양으로만 보인다.

(3) 크리프 파괴에 의한 균열(Creep crack)

크리프(creep)란 일반적으로는 재료를 고온에서 사용할 때 일정한 응력하에서 물체의 소성변형(塑性變形, plastic deformation)이 시간의 경과와 더불어 점차적으로 증가하는 현상을 말하며, 마침내는 균열을 발생시켜 파괴를 일으키는데, 이것을 크리프 파괴(creep fracture)라 한다. 크리프는 재료의 점성에 기인하는 것으로서 탄성한도 내에서도 발생하지만 지극히 미약하며, 주로 소성변형 상태에서 발생한다. 보통 400℃ 이하의 온도에서 사용되는 금속재료에는 발생하지 않는 파괴이다. 재료가 400℃ 이상의 높은 온도에서 일정한 응력을 받아 어느 시간이 경과하면 조직 중 원소의 재고용(再固溶)과 재석출(再析出)이 발생하게 되며, 더욱이 이 상태가 되면 결정입계(grain boundary)에 공동(空洞, void)이 석출하기 시작한다. 발생한 공동은 처음에는 독립된 공동으로 존재하지만, 다음에 그 수와 양이 증가하여 합해져서 결정입계를 채워서, 미세한 입계균열이 되며, 다시 이들이 하나로 합쳐져서 큰 매크로(macro) 균열이 된다.
- 침투지시모양 : 일반적으로 침투탐상검사에서는 검출할 수 없다.

2. 침투 지시모양의 분류

침투 지시모양 중에는 제조조건이 부적절(不適切)하거나 사용조건의 부적절로 발생하는 것 그리고 부품, 기기(機器)나 구조물의 실용성과는 전혀 관계가 없는 원인에 의한 것 등이 있다. 이 중 의사모양을 제외하고, 제조 조건이나 사용 조건이 원인이 되어 발생하는 불연속부나 결함 지시모양은 각각의 발생원인에 따라 독특한 발생과정과 성장과정에 대한 그 결과로서 독특한 형상 및 분포를 나타낸다. 그러므로 여기서는 침투 지시모양을 형상에 따라 분류하고, 각 지시모양의 원인이 되는 대표적인 발생원인에 대하여 알아보기로 한다.

가. 지시모양의 분류

침투탐상검사에서 불연속의 지시모양은 외형상으로는 여러 가지 형태이나 일반적으로 크게 나누어 다음의 5가지로 형태로 나타난다.

1) 연속적인 선으로 나타나는 지시모양

균열(crack), 탕계(cold shut), 단조 겹침(forging laps), 터짐(burst), 긁힌 자

국(scratch)이나 금형 자국(die marks)에 의해 발생한다. 일반적으로 균열의 지시모양은 거의 직선이거나 지그재그 모양(jagged)과 비슷한 연속적인 선상(線狀)으로 나타난다.

주조품 표면에서의 탕계(cold shut)는 2개의 금속 흐름이 만나면서 녹아 들어가지 않는 불완전한 융합에 의해 발생하므로, 지시모양의 윤곽은 지그재그 모양보다 곧은 선으로 나타나며, 일반적으로 비교적 폭이 매우 좁고 깊이는 얕게 발생한다. 단조 겹침도 폭이 좁고 깊이는 얕으며, 완만한 파도 같은 선으로 나타난다.

긁힌 자국이나 금형자국은 여러 가지 선 모양으로 나타나지만, 침투액을 완전히 제거하고 나면 보통 불연속의 바닥을 볼 수 있으므로, 이들을 쉽게 확인할 수 있다. **그림 6-12**는 연속적인 선으로 나타나는 균열에 의한 결함 지시모양을 나타낸다.

〔그림 6-12〕 균열에 의한 결함 지시모양

2) 단속(斷續)적인 선으로 나타나는 지시모양

시험체를 연마(grinding)하거나 피닝(peening) 또는 단조작업이나 기계작업 등에 의해 발생한다. 연속적인 선으로 나타나는 불연속이라도 다른 환경조건 하에서는 단속적(斷續的, 끊어졌다 이어졌다 하는 것)인 선으로도 나타나는데, 시험체를 연마작업하거나 피닝 또는 단조작업이나 기계작업 등을 했을 때 표면에 있는 불연속이 금속처리 공정에 의해 막히는 경우가 있다. 이러한 때에는 불연속들이 단속되어 나타난다.

단조 겹침도 표면에 있는 불연속이 막히어 단속적인 선으로 침투 지시모양을 나타낼 때도 있다.

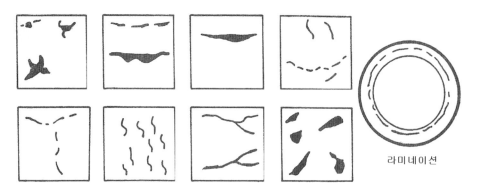

라미네이션

〔그림 6-13〕 대표적인 결함 지시모양

3) 원형상(圓形狀, 둥근 모양)으로 나타나는 지시모양

단독 결함이 넓은 범위에 걸쳐 분산되어 발생하는 경우에 나타나는 지시모양으로, 보통 기공(porosity)에 의해 생기는데, 기공은 가스 홀(gas hole), 핀홀(pin hole) 또는 일반적으로 시험체의 다공성(多孔性) 구조 등의 결과에 의해 발생한다. 그리고 비교적 큰 것은 매끈한 원형 또는 타원형의 윤곽을 가진 선으로 둘러싸인 면적을 가지고 있다. 깊이 있는 균열이 현상제를 적용했을 때 도포된 많은 양의 침투액으로 인하여 원형 지시모양을 나타내기도 한다. 또한 단독으로 떨어져 있는 원형 지시모양이 일반적으로 원형인지 원형이 아닌지는 깊이의 차이에 따라 나타나기도 한다. 예를 들면 용접이 끝나는 부분에 나타나는 크레이터 균열(crater crack)은 방사상(放射狀)의 지시모양을 나타내지만, 용접부에서 깊이 들어간 것은 많은 양의 침투액이 스며들어 각각의 균열 지시모양이 합쳐져서 가끔 둥근 지시모양으로 나타나기도 한다.

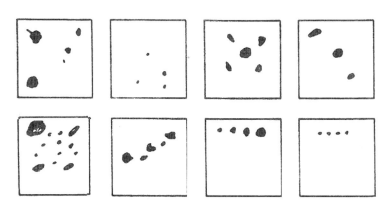

〔그림 6-14〕 대표적인 원형상(둥근모양)의 침투 지시모양

4) 작은 점으로 나타나는 지시모양

단독 결함이 넓은 범위에 걸쳐 분산되어 발생하는 경우에 나타나는 지시모양으로, 핀홀(pin holes)이나 시험체가 다공성 성질을 가지고 있거나 주조물의 생산에서 매우 조대(粗大)한 결정립 또는 수축공에 의해 나타난다. 또한 주조 합금의 미세 수축으로 인하여 생기기도 한다.

5) 확산 및 흐릿하게 나타나는 지시모양

확산된 지시나 흐릿하게 나타나는 지시모양은 대부분 넓은 범위에 걸쳐서 나타나므로 관찰하기는 대단히 어렵다. 형광 침투액을 사용했을 경우, 전체 표면은 흐릿하게 빛을 발하지만 염색 침투액을 사용했을 경우에는 배경이 백색이 아닌 분홍색으로 나타난다. 이 확산되는 환경은 마그네슘의 미세수축과 같이 매우 미세하면서도 넓게 분포되어 있는 기공으로 기인한다. 또한 수축균열이나 입계균열이 집단으로 나타나는 경우는 지시모양이 흐릿하게 나타난다. 입계에 발생하는 균열은 아주 미세하기 때문에 개개의 균열 지시모양은 육안으로 관찰할 수는 없지만, 발생하는 곳 전체가 흐릿하게 나타난다. 그리고 이러한 지시모양은 시험전의 불충분한 세척, 잉여 침투액의 부적절한 제거 또는 너무 두꺼운 현상제의 도포 등이 원인이 되기도 한다. 따라서 넓은 범위에 분포되어 흐릿하게 나타나는 지시모양은 의심을 가지고 살펴보아야 한다. 이러한 지시모양은 즉석에서 평가하기보다는 완전히 세척한 후 재검사를 하여 확인하는 것이 바람직하다.

나. 침투지시모양의 분류

여기서는 **KS B 0816**-2005에서 규정하고 있는 침투지시모양의 분류방법에 대하여 설명한다.

재료나 용접부에 단독으로 존재하는 불연속부는 발생원인에 따라 독자적인 특성의 침투지시모양(독립 침투지시모양)을 나타내지만, 동일한 발생원인에 의한 불연속부가 동시 다발적으로 발생하게 되면 분산된 지시모양(분산 침투지시모양)으로 나타난다. 특정의 발생원인으로 발생한 불연속부가 발생원이 되어 파괴가 진행되거나 동시 다발적으로 발생한 불연속부가 성장하여 서로 결합하게 되면 연속 지시모양(연속 침투지시모양)이 된다. 따라서 단독으로 발생한 불연속부에 의한 지시모양이 분산 지시모양 및 연속 지시모양의 기본이 된다.

그러나 극히 일부의 불연속부를 제외하고 발생한 불연속부를 발생 직후에 단독의 지시모양으로 찾아내는 것은 곤란하며, 대부분 발생원으로부터 파괴가 진행되어 분산상태나 연속상태가 되어 나타나게 된다. 그러므로 **KS B 0816**-2005에서는 침투지시모양을 모양 및 존재 상태에 따라 독립과 연속 및 분산 침투지시모양으로 구분하여 다음과 같이 분류하고 있다.

1) 독립 침투지시모양

독립하여 존재하는 개개의 침투지시모양을 말하며, 다음의 3종류로 분류한다.

가) 균열(갈라짐)에 의한 침투지시모양 : 관찰에 의해 균열로 확인된 결함 지시모양.

나) 선상(선모양) 침투지시모양 : 균열 이외의 침투지시모양 가운데 그 길이가 나비의 3배 이상인 것.

다) 원형상(둥근모양) 침투지시모양 : 균열 이외의 결함으로 선상 침투지시모양이 아닌 것.

2) 연속 침투지시모양

여러 개의 지시모양이 거의 동일 직선상에 존재하고 그 상호 거리가 2mm 이하인 침투지시모양. 침투지시모양의 지시 길이는 특별한 지정이 없을 때는 침투지시모양의 개개의 길이 및 상호거리를 합친 값으로 한다.

※ 선상 침투지시모양(=선형 지시모양)과 원형상 침투지시모양(=비선형 지시모양)에 대한 분류는 ISO 규격에서도 KS B 0816 규격과 똑같이 규정하고 있다.

3) 분산 침투지시모양

일정한 면적 내에 여러 개의 침투지시모양이 분산하여 존재하는 침투지시모양.

다. 결함의 분류

침투탐상검사를 실시하여 결함 지시모양이 나타났을 때, 나타난 지시모양의 형상이 반드시 실제 결함의 모습과 똑같다고 생각해서는 안 된다. 지시모양은 발생한 결함의 종류와 반드시 1 : 1로 대응하지는 않지만, 어떠한 특정의 불연속 또는 결함은 항상 유사한 지시모양으로 나타나므로, 나타난 지시모양을 상세히 관찰하여 그 특징을 파악하게 되면 지시모양이 어떤 원인에 의해 발생한 불연속 또는 결함에 의한 지시모양인지에 대하여 추정이 가능하다. 따라서 특정 결함이 나타내는 특정의 지시모양을 알아둠으로써 결함을 쉽게 분류할 수 있다.

결함의 분류는 침투 지시모양을 분류한 후에 실시한다. 현상제 피막을 제거하고 시험체 표면을 확대경 등을 이용하여 흠을 관찰해서 결함의 존재를 확인한 후 결함의 종류, 모양, 치수를 결정해야 한다.

KS B 0816–2005에서 규정하고 있는 결함에 대한 분류는 결함의 모양 및 집중성에 따라 다음과 같이 분류하고 있다.

1) **독립 결함** : 독립하여 존재하는 결함을 말하며, 3종류로 분류하고 있다.
　가) 균열(갈라짐) : 균열이라고 인정되는 것.
　나) 선상(선모양) 결함 : 균열 이외의 결함으로, 그 길이가 나비의 3배 이상인 것. 즉 지시의 폭이 3배 이상인 것.
　다) 원형상(둥근모양) 결함 : 균열 이외의 결함으로 선상 결함이 아닌 것. 즉 지시의 폭이 3배 미만인 것.

2) **연속 결함** : 균열, 선상 결함, 원형상 결함이 거의 동일 직선상에 존재하고 그 상호 거리와 개개의 길이의 관계에서 1개의 연속한 결함이라고 인정되는 것. 결함 길이는 특별한 지정이 없을 때는 결함의 개개의 길이 및 상호거리를 합친 값으로 한다.

3) **분산 결함** : 정해진 면적 내에 존재하는 1개 이상의 결함. 분산 결함은 결함의 종류, 개수 또는 개개의 길이의 합계 값에 따라 평가한다.

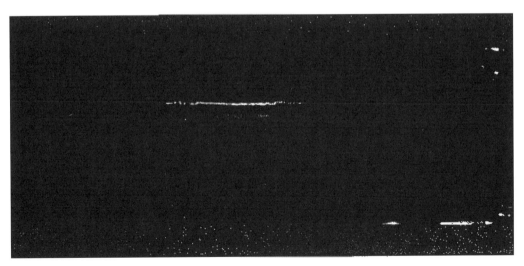

〔그림 6-15〕 스테인리스 강관의 균열(형광 침투탐상시험에 의한 지시모양)

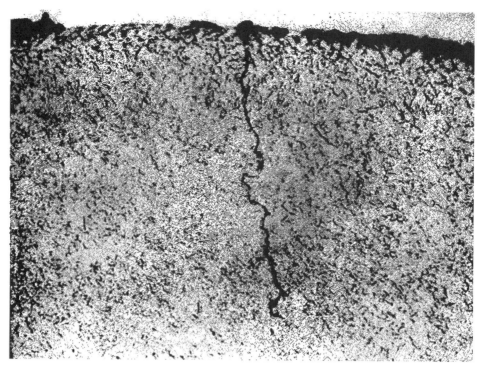

〔그림 6-16〕 스테인리스 강관의 균열 단면 사진

※ 참고로 지시모양을 평가할 때 가장 많이 사용되고 있는 ASME Sec. VIII(Boiler & pressure vessel code-2010) Div. 1 App. 8(Method for liquid penetrant examination)에서 규정하고 있는 침투지시모양의 평가 및 합격기준을 다음 표에 나타낸다.

침투지시모양의 평가	합격기준
불연속의 지시모양은 실제의 불연속보다 크게 나타날 수도 있으나 평가는 지시모양의 크기를 기초로 한다. 1. 결함 지시 : 지시모양의 긴 길이가 1.5mm(1/16인치)를 초과하는 지시를 평가 대상으로 한다. 2. 선상 결함 : 지시모양의 길이가 폭(나비)의 3배 이상인 지시. 3. 원형상 결함 : 형상이 원형 또는 타원형이고, 지시모양의 길이가 폭(나비)의 3배 이하인 지시 4. 의심스러운 지시 : 결함 지시모양인지를 확인하기 위하여 재검사를 실시한다.	별도의 규정이 없는 한, 모든 검사표면에는 다음의 지시가 없어야 한다. 1. 평가 대상이 되는 선형 지시모양. 2. 5mm(3/16인치)를 초과하는 평가 대상이 되는 원형 지시모양. 3. 지시의 끝과 끝 사이의 간격이 1.5mm(1/16인치) 이하로 떨어져 있는 일직선상에 있는 4개 이상의 평가 대상이 되는 원형 지시모양.

제 3 절 침투 지시모양의 평가

지시모양의 평가는 모든 관찰조건을 만족시킨 상태에서 관찰 및 해석을 하여 그 종류와 치수 및 수량 등으로부터 판정기준에 따라 판단해서 판정대상인 결함에 의한 지시모양인지 여부를 결정하는 것을 말한다. 그러므로 평가를 할 때 중요한 것은 결함의 종류를 실수하지 않고 잘 결정하고, 그 치수 및 수량, 분포상태를 정확히 측정하는 것이다. 그러나 평가하기 전에 우선 알아 두어야 할 것은 제품이나 부품에 대하여 어느 시점(제작할 때의 검사, 사용 중 검사)에서 실시하는 검사인지에 따라 검사가 가지는 의미와 내용이 다르다는 점이다. 즉 검사는 크게 나누어 제조할 때의 검사와 사용 중에 실시하는 검사(보수검사)가 있다.

1. 평가하기 전의 주의사항

가) 제조할 때의 검사는 정해진 제조 조건을 정확히 지키며 제조되었는지 여부를 점검하기 위하여 실시하며, 사용 중 검사는 사용 중에 새로운 결함이 발생하였는지 여부와 만일 결함이 검출되었다면 그 부품을 그대로 사용하였을 때, 기기 또는 구조물의 건전성에 어떠한 영향을 미치는지를 추정 평가하기 위하여 실시한다. 따라서 제조할 때의 검사는 어떠한 결함(종류와 치수)이 어느 정도(개수와 분포) 존재하고 있는지를 파악하며, 제조 조건을 크게 벗어나서 판정기준으로 판정할 수 없는 종류, 크기, 개수, 분포상태의 결함을 가진 품질의 경우에는 판정할 수 없는 것도 있다. 이에 대해 사용 중 검사는 지금까지 계속 사용해 온 조건으로 사용을 지속할 경우, 결함이 성장하여 부품의 파괴 및 기기 구조물의 안전성을 현저히 저하시킬 가능성이 있는지 여부를 추정하고 조치하기 위하여 실시한다. 어느 경우든 평가에 있어서 결함 종류의 확인 및 결함 치수와 개수의 정확도가 요구된다.

나) 침투탐상검사에서 얻어지는 지시모양은 결함 검출이 쉽도록 결함이 확대된 상으로 나타난다. 이것을 잊고 결함 검출(detection)과 치수 측정(sizing)을 혼동하여 지시모양의 길이와 모양이 실제의 결함 길이와 모양이 같을 것이라 생각하여 평가해서는 안 된다. 판정기준을 적용하는 경우에도 지시모양의 치수인지, 실제 결함의 치수인지를 명확히 해서 실수하지 않고 판정해야 한다. 실제 파괴는 지시모양의 치수가 아닌 결함의 실제치수에 의해 발생한다는 점에 주의해야 하며,

실제 결함 치수가 평가기준이 되는 경우에는 현상제를 제거하고 시험체 표면에서 치수 측정을 해야 한다. 그러므로 지시모양의 길이 및 모양과 실제 결함의 길이 및 모양과는 표현(表現)상으로도 뚜렷하게 구분하여 사용해야 한다. 이러한 점을 주의하면 평가는 자동적으로 실시되게 된다.

다) 평가는 검사원(산업기사 또는 SNT-TC-1A 또는 ISO 9712의 Level II)에 의해 행해지는 행위이지만, 검사원이 행하는 평가 권한은 한정되어 있으며, 평가결과의 최종 결정은 검사 책임자(기사 또는 SNT-TC-1A 또는 ISO 9712의 Level III)에 있다는 것을 잊어서는 안 된다. 검사원의 직무와 권한에 대해서는 인증 규정 및 절차서에 정해져 있으므로, 이 범위를 벗어나서는 안 된다. 검사원이 실시하는 평가란 판정기준(acceptance standard)의 내용에 따라 그 종류와 치수가 판정기준의 범위에 들어가는지 여부를 판단하는 것이며, 갖가지 응력에 대한 결함과 재료 강도와의 관계로부터 결함의 유해성을 평가하여 그에 대한 조치를 결정하는 것이 아니라는 점을 알아야 한다. 하물며 검사원이 독자적으로 결함에 대한 조치를 지시할 수 있다고 생각하는 것은 잘못이라는 점을 잘 이해하고 오해가 없도록 해야 한다.

라) 결함 평가에 관여하는 검사원의 중요한 역할 중의 하나는 가장 적절한 검사를 할 수 있는 시험방법 및 절차를 자세히 작성하여 문서화하고, 그것에 따라 정확하게 시험을 실시하여 결함 지시모양을 빠뜨리지 않고 모두 찾아내야 하며, 결함의 종류와 치수를 올바르게 측정하여 판정기준에 따른 내용을 바르게 이해하여 그것으로 결함이 판정의 범주에 속하는지 여부를 판단하여 분류하는 것이다. 또한 결함의 정확한 평가를 위해서는 검사원의 시험기술 관련지식과 기량, 그리고 재료, 부품에 발생하는 결함과 파괴에 관한 전반적인 지식이 요구된다.

마) 검사원은 소재, 부품, 기기, 구조물을 비파괴검사 기술을 이용해서 검사하여 결함 검출 및 평가를 실시하고, 보고서를 작성한 후 검사 책임자에게 보고한다. 그 후의 조치는 검사 책임자가 검토한 후 결정한다. 이는 결함이 있는 부분이 발견되었다고 해서 즉시 기기나 구조물을 불합격 처리하여 그 사용을 정지시키는 것이 불합리할 수도 있기 때문이다. 부품 자체에 판정의 범주에 들지 않는 결함이 있다고 해서, 결함의 종류와 치수만으로 부품을 기기나 구조물의 일부로서 사용하는 기기 전체의 유해도(有害度)를 결정할 수 있는 것이 아님을 이해해야 한다.

안전성 확보를 위한 조치를 결정하기 위해서는 결함의 발생 원인을 규명하고, 부품의 소재를 제조에서부터 그 시점까지의 모든 품질에 영향을 미치는 행위의 이력, 각종 환경조건 및 응력을 고려하여

① 부품이 어떠한 응력조건에 견디도록 설계되어 있는지?

② 설계상 고려하지 않은 이상(異常)한 사태가 발생한 때의 응력은 ?

③ 부품이 파괴되는 경우 그것이 인명 피해, 주변 환경, 주변 기기 등에 미치는 피해의 중대성은 어떻게 평가되는지 ?

등에 대하여 검토하고, 안전성을 확보하기 위한 조치를 결정해야 한다. 조치의 종류로는 폐기(廢棄), 교체, 연마 후 보수, 용접 후 보수, 다시 열처리 등 여러 가지 방법이 있지만, 경제적 배려도 감안하여 기기나 구조물의 기능, 수명에 근본적인 책임이 있는 설계 책임자, 교체 보수에 대해 전체 책임이 있는 제조 책임자와의 합의 하에 최종 조치를 결정해야 한다.

2. 결함의 위험성에 관한 일반원칙

침투지시모양을 평가함에 있어 검사원으로서 시험평가를 하기 위해 알아두어야 하는 결함의 성격에 관한 상식(常識)인 다음 5가지의 일반 원칙에 대하여 설명한다.

① 응력이 가해지는 부품의 표면에 발생하는 결함, 특히 균열과 노치(notch)는 표면 아래에 있는 어떠한 모양의 결함보다도 해롭다.

② 응력방향에 직각 또는 이와 동등한 각도를 가지는 결함은 응력방향에 평행 또는 이와 똑같은 방향에서 발생하는 유사한 결함보다도 해롭다.

③ 높은 응력을 받는 부분에 발생하는 결함은 결함의 종류에 관계없이 낮은 응력부분에 발생하는 유사한 결함보다도 위험성이 높다.

④ 균열 또는 끝이 날카로운 노치로 되어 있는 결함은 원형상(둥근모양)의 결함보다도 중요한 응력 발생원이기 때문에, 피로균열의 발생원이 될 가능성이 있다.

⑤ 설계상 필릿(fillet)부나 기타 높은 응력이 발생한다고 생각되는 형상의 부분에 발생하는 결함은 이러한 장소에서 떨어진 곳에 발생하는 유사한 결함보다도 위험성이 높다.

이것은 검사원이 시험결과를 평가하기 위하여 알아 두어야만 하는 결함의 위험성에 관한 상식이다. 그러나 이것만으로 합격, 불합격의 기준으로 하는 것은 불충분하다.

【 익 힘 문 제 】

1. 지시모양의 관찰, 해석 및 평가에 대하여 설명하시오.

2. 관찰을 위한 환경조건을 염색 및 형광으로 나누어 설명하시오.

3. 평가대상 지시모양과 평가대상이 아닌 지시모양에 대하여 설명하시오.

4. 의사모양이 나타나는 원인에 대하여 성명하시오.

5. 용접에서 발생하는 주요 결함을 설명하고, 어떠한 경우에 검출할 수 있는지를 설명하시오.

6. 피로파괴에 의한 균열은 침투 지시모양이 어떻게 나타나는지 설명하시오.

7. 주조품에서 검출되는 큰 결함은 어떤 모양으로 나타나는지를 자세히 설명하시오.

8. 크리프 파괴에 의한 균열의 발생원인을 설명하시오.

9. 침투탐상시험에서 불연속의 침투지시모양은 외형상으로는 여러 가지 형태이나 일반적으로 크게 나누어 5가지로 분류한다. 이에 대하여 설명하시오.

10. 단속적인 선으로 나타나는 침투 지시모양에 대하여 예를 들어 설명하시오.

11. 비파괴검사원이 시험결과를 평가하기 위해 알아두어야 하는 결함의 위험성에 관한 일반적인 5가지의 원칙에 대하여 설명하시오.

제 7 장 탐상장치와 탐상제의 관리

제 1 절 탐상장치와 탐상제의 관리

항상 안정되고 신뢰성이 높은 침투탐상검사를 하기 위해서는 우선 비파괴검사원이 검사에 필요한 충분한 지식과 능력을 갖고 있어야 함은 물론 이와 동시에 검사의 실시요령도 규정해 두어야 한다. 또한 검사에 사용하는 탐상장치나 탐상제도 정상상태임이 확인된 것을 사용하여 검사를 해야 한다.

여기서는 이들 침투탐상검사 결과의 신뢰성에 영향을 미치는 탐상장치와 탐상제의 관리 그리고 비파괴검사원 및 검사 실시요령 등에 대하여 설명한다.

1. 관리할 사항과 방법

검사에 사용하는 재료나 설비는 일반적으로 그것을 구입할 때 검사의 요구조건에 적합하고 우수한 성능을 가진 것을 선택하지만, 우수한 재료나 설비라 하더라도 그것은 영구히 사용할 수 없고, 사용하는 동안 그 성능은 점점 저하되어 나중에는 원래의 성능을 완전히 잃어버리게 된다. 따라서 탐상검사의 신뢰성 확보를 위하여 재료나 설비는 작업 전 후에 하는 일상점검 또는 정기점검 등의 관리를 해야 한다. 그리고 일정한 수준이상의 기량을 가진 검사원이 정해진 조건 및 절차에 따라 검사를 해야만 안정되고 신뢰성이 높은 검사결과를 얻을 수 있다. 이를 위해서는 검사결과의 신뢰성과 관계되는 모든 인자가 관리 대상이 된다. 검사결과의 신뢰성과 관계되는 인자를 크게 나누면 다음과 같다.

① 탐상장치 및 설비
② 탐상제
③ 검사원의 검사 실시기술과 판정능력
④ 검사절차서

이들 항목에 대해서는 요구되는 내용이 만족되는지를 검사를 시작하기에 앞서 확인해야 한다. 그러나 매일 또는 오전과 오후, 검사를 시작하기 전에 모든 요구조건에 대하여 점검하는 것은 시간적으로 불가능하며, 또한 그다지 의미가 있지도 않다.

일반적으로 항목별로 그 중요성을 고려하여 「매일 작업 시작 전에 점검할 사항」, 「매주 점검할 사항」, 「매월 점검할 사항」, 「3개월마다 점검할 사항」 및 「매년 점검할 사항」 등으로 분류하여 실시한다. 예를 들면 습식 현상제의 농도는 매일(每日) 작업 시작 전에 점검하며, 자외선조사등의 강도점검은 1주일(週日) 마다 실시해야 한다. 그리고 수세성 침투액의 수분 함유량의 점검은 1개월 마다 점검하며, 건조기의 기내 온도 분포의 균일성은 1년 마다 점검을 실시하는 것 등이 한 예이다.

이와 같이 일정 기간마다 실시하는 점검을 정기점검이라 한다. 어느 경우도 점검시기, 점검사항 및 점검내용을 명확히 문서화하여 그것에 따라 실시해야 한다. 점검결과는 정기점검 기록에 기재하여 평상시에도 쉽게 점검상태를 명확히 파악할 수 있도록 보관해 두어야 한다.

2. 탐상장치의 관리

침투탐상검사에 사용하는 탐상장치를 처음 설치할 때는 요구조건에 적합하고 우수한 성능을 가진 것을 선택해야 한다. 그러나 아무리 우수한 성능을 가진 탐상장치라 하더라도 장기간 사용하게 되면 때로는 고장도 나고, 서서히 성능도 떨어져서 신뢰성 높은 검사를 할 수 없게 된다. 그래서 검사의 신뢰성을 확보하기 위하여 정기점검을 실시하여 탐상장치가 구비해야 할 본래의 성능을 만족시키는지 여부를 확인한 후에 검사를 해야 한다.

정기점검은 일상점검에서 1년마다 점검, 경우에 따라서는 그 이상 기간마다의 점검으로 나누는데, 탐상장치의 종류, 사용빈도, 검사내용에 따라 그것에 적합한 적절한 시기를 선택하고, 또한 적용 시방서(specification) 등에 따라 점검시기가 정해져 있는 경우에는 그것에 우선하여 정해야 한다.

일상점검은 작업을 시작하기 전에 실시하고, 주간 점검 및 월간 점검은 그 주(週) 또는 그 월(月)의 처음 작업을 시작하는 날에 실시하는 것을 원칙으로 한다. 점검 결과 이상이 발견된 경우에는 조속히 수리, 조정, 교환 등의 처리를 실시하여 정기점검 기록부에 그 내용을 기록해야 한다.

다음에 탐상장치의 점검사항에 대하여 설명한다.

가. 개방형 탱크

1) 외관 점검

외관(外觀)을 검사하여 침투액 탱크와 유화제 탱크 그리고 현상제 탱크에 대하여 누설이나 오물 및 파손이 없는지를 점검한다. 특히 탱크에 칠한 도료 (塗料)가 침투액과 유화제의 부착으로 인하여 녹아내려 검사실시에 장해가 될 수 있으므로 주의해서 관찰한다.

나. 세척장치

1) 외관 및 작동 점검

외관을 검사하여 세척 탱크와 세척 노즐, 호스의 파손여부, 오물이 없는지를 점검하고, 노즐의 작동이 정상인지를 점검한다.

2) 유량 점검

세척장치는 수압, 유량 및 수온을 조정할 수 있는 기능을 가진 분무(spray) 노즐로서 물을 살포할 수 있는 것이 일반적으로 사용되고 있다. 그러므로 이 장치의 수압계, 유량계 및 수온계의 정밀도를 정기적으로 검사하고, 세척장치 작동 시에는 수압, 유량 및 수온이 아래의 범위에서 임의로 조정할 수 있는지를 점검한다.

o 수압 137~274kPa(1.4~2.8kgf/cm²)
o 수온 16 ~ 38℃

또한 유량을 점검하기 위하여 수압을 규정된 값으로 조정한 후, 1분간에 세척 노즐에서 나온 물을 용기에 담아 그 물의 용적을 측정하여 규정된 값 이내에 있는지를 점검한다.(수세성 형광 침투탐상장치에서 세척 노즐에서의 유량에 대한 규정값은 294kPa에서 1분에 11.5~23ℓ이다)

3) 세척탱크의 어둡기 점검

세척탱크의 세척처리를 하는 장소에 대한 조도(照度)는 조도계로 측정하여, 그 값이 규정된 값 이하인지를 점검한다.

다. 온도 및 압력조절장치

1) 외관 및 작동 점검

외관을 검사하여 물의 누설이나 파손이 없는지, 펌프(pump)와 히터(heater)의 작동이 정상인지를 점검한다.

2) 수압 및 수온의 점검

온도 및 압력 조절장치의 수압 및 수온이 규정된 값 이내에 있는지를 장치의 압력계 및 온도계를 보고 점검한다.

3) 압력계 및 온도계 점검

온도 및 압력 조절장치에 장착되어 있는 압력계와 온도계를 교정한다(계측기의 정밀도 검사).

라. 건조기

건조기는 온도를 조절할 수 있는 열풍 순환식의 기능이 있는 것으로, 세척 처리 후 또는 습식 현상처리 후 표면이 젖은 시험체를 효과적으로 건조시킬 수 있어야 한다.

1) 외관 및 작동 점검

우선 외관을 검사하여 건조기 내외에 오물이나 파손이 없는지, 히터(heater)와 송풍 팬의 작동이 정상인지를 점검한다.

2) 온도 점검

건조기의 온도계로 건조기의 온도가 규정된 값 이내에 있는지를 점검한다.

3) 외부 공기 흡입 교환 점검

건조기의 문을 닫고, 건조기의 운전상태에서 건조기의 외부 공기 흡입구멍의 풍속을 풍속계로 측정하여 얻어진 풍속의 값과 외부 공기 흡입구멍의 면적을 곱하여 흡입된 외부 공기의 체적을 구한다. 그 체적이 규정된 값 이내에 있는지를 점검한다.

4) 온도 상승 점검

건조기의 온도 조절기를 정해진 온도에 맞추고, 온도 조절기의 수감부(受感部) 부근에 정밀하게 관리되는 온도계를 설치하고 운전을 시작한다. 운전 시작에서부터 정해진 온도에 도달하기까지의 시간을 측정하여 그 시간이 규정된 값 이내에 있는지를 점검한다. 일반적으로 건조기를 작동하여 실온 20℃ 온도에서 107℃로 온도 상승할 때까지의 시간이 40분 이내인 것을 기준으로 한다.

5) 온도 균일성 점검

4)의 온도 상승에 대한 점검을 마친 후, 온도 조절기를 정해진 온도에 맞추고, 1시간 동안 운전하여 건조기의 온도를 안정시킨다. 건조기 내의 온도 조절기 수감부 부근과 다른 3곳을 포함하여, 4곳에 정밀하게 관리되는 온도계를 설치하여, 그 온도를 측정한다. 그 온도가 규정된 값 이내인지를 점검한다. 일반적으로 107 ± 5.5℃에서 1시간 이상 안정되는 것을 기준으로 한다.

6) 온도 조절기의 온도 지시계의 점검

5)의 온도 균일성을 점검할 때에 온도 지시계의 눈금과 온도 조절기 수감부 부근에 설치된 온도계의 눈금과의 차(差)가 규정된 값 이내인지를 점검한다.

표 7-1 수세성 형광 침투탐상장치에 대한 점검항목 및 규정된 값(예)

No.	점검항목	규정 값
1	수세성 침투액 수분 함유량 및 제거성	점검주기 : 1월
2	침투액의 피로시험	점검주기 : 3개월. 1월, 4월, 7월, 10월에 점검한다.
3	온도 및 압력조절장치	수압 : 137~274kPa(1.4~2.8kgf/cm^2) 수온 : 16~38℃
4	습식 현상제	비중 : 1.33~1.039
5	자외선조사등의 강도	관찰용 : 800$\mu W/cm^2$(ASME : 1,000$\mu W/cm^2$) 이상 세척용 : 400$\mu W/cm^2$ 이상
6	조명용 조도	1,000 룩스 이상
7	검사실 어둡기	20 룩스 이하
8	세척탱크의 어둡기	100 룩스 이하
9	건조기 온도	70℃

7) 온도 회복 점검

　5)의 온도 균일성의 점검에 이어, 온도회복에 대한 점검을 한다. 검사를 할 때 시험체를 건조기에 넣었다 꺼냈다 하면 당연히 장치 내의 온도가 저하되므로, 정해진 온도에서 회복되는지의 기능을 점검해야 한다. 정해진 시간동안 모든 문을 열고, 그 후 다시 문을 닫았을 때, 정해진 온도에서 규정시간 이내에 회복되는지를 점검한다. 일반적으로 장치의 문을 1분간 개방한 후, 다시 문을 닫고 107 ± 5.5℃로 온도가 상승해서 안정될 때까지의 시간을 측정한다. 회복시간은 8분 이내를 기준으로 한다.

마. 냉각 팬

1) 외관 및 작동 점검

　외관을 검사하여 냉각 팬에 오물 및 파손여부와 팬의 작동이 정상인지를 점검한다.

바. 검사실의 점검

1) 외관 점검

　외관을 검사하여 검사실의 암실 커튼 막(암막)의 파손이나 검사대에 오물 등의 여부를 점검한다. 검사대는 특히 침투액의 형광물질로 오염되어 있지는 않는지를 자외선조사등을 조사하여 점검한다.

2) 어둡기 점검

　검사실을 어둡게 했을 경우의 검사실 내의 조도(照度)를 정밀하게 관리되는 조도계로 측정하여 그 값이 규정된 값 이내인지를 점검한다.

사. 자외선조사장치의 점검

1) 외관 및 작동 점검

　외관을 검사하여 관찰용 및 세척용의 자외선조사등에 파손이나 오물 여부와 정상적으로 작동하는지를 점검한다.

2) 강도 점검

　정밀하게 관리되는 자외선 강도계를 사용하여 자외선조사등의 강도를 측정하여 그 값이 규정 값 이내인지를 점검한다. 자외선조사등의 앞면으로부터 규정된 거리만큼 떨어진 위치에 자외선 강도계의 수감부를 놓고 측정한다. 이때 수감부를 자외선 조사등에 수직에 되게 놓고 최대 값이 얻어지는 곳에서 강도를 측정한다. 규정된 값을 벗어나는 경우 자외선조사등을 분해 청소하여 내부에 오물 등을 제거하고, 다시 조립하고 나서 강도를 다시 측정한다. 청소를 해도 강도가 규정된 값에 들지 않을 때에는 램프(lamp)를 교환한다. 또한 필터가 파손되면 정해진 파장의 자외선을 얻을 수 없으므로 점검해야 한다.

아. 조명용 전등

1) 외관 및 작동 점검

외관을 검사하여 조명용 전등이 파손이나 오물 여부와 정상적으로 작동하는지를 점검한다.

2) 조도 점검

검사에 사용하는 조명용 전등의 조도를 조도계로 측정하여, 그 값이 규정된 값 이상인지를 점검한다.

자. 자외선 강도계와 조도계

계측기인 자외선 강도계와 조도계는 권위있는 기관에 교정 의뢰하여 교정된 것을 사용한다.

차. 환풍기

1) 외관 및 작동 점검

외관을 검사하여 환풍기에 오물이나 파손 여부와 정상적으로 작동하는지를 점검한다.

3. 탐상제의 관리

침투탐상검사에 사용하는 탐상제는 에어로졸 제품을 제외하고, 대부분 반복하여 사용하므로, 사용횟수가 증가하게 되면 탐상제는 피로(疲勞)하게 된다. 탐상제의 피로는 결함 지시모양의 형성에 큰 영향을 미치므로, 정기적으로 점검을 하지 않으면 안 된다. 대표적인 피로의 원인이 되는 것으로는 유지류(油脂類), 먼지, 녹 등의 혼입에 의한 오물 및 산(酸), 알칼리, 물의 혼입에 따른 변질(變質)과 경우에 따라서는 탐상제 속의 용제(溶劑) 증발에 따른 조성의 변화 등을 들 수가 있다. 이러한 원인에 의해 본래 검출해야 할 결함이 검출되지 않거나 또는 지시모양과 건전부와의 대비(contrast)가 나빠서 시시모양을 보지 못하고 빠뜨린다거나, 그뿐만 아니라 시험체를 부식시키는 경우도 있다. 따라서 이러한 상태가 되지 않도록 탐상제에 대하여 정기점검을 해야 하며, 필요한 경우에는 탐상제를 교환해야 한다. 탐상제의 점검은 탐상제를 사용하는 사람이 쉽게 실시할 수 있는 것과 탐상제의 제조자 등에 의뢰하지 않으면 안 되는 것이 있다.

탐상제의 점검은 새 제품의 탐상제 성능과 비교하는 것이 일반적이기 때문에, 탐상제 구입 시에는 미리 소량(1ℓ 정도)의 탐상제를 채취하여 밀봉된 용기에 넣고 고온과 직사광선을 피하여 어두운 곳에 보관해 두어야 한다. 이 탐상제를 기준 탐상제(basic penetrant)라 한다.

가. 탐상제의 정기점검

탐상제의 정기점검도 검사설비의 정기점검과 똑같이 그 사용빈도와 검사내용, 적용하는 시방서의 요구에 따라 일상(日常)점검, 주(週) 1회 점검, 월(月) 1회 점검, 분기(分期)에 1회 점검, 년(年) 1회 점검 등으로 나누어 실시한다.

다음에 점검사항과 내용을 설명한다.

1) 습식 현상제
가) 상태

습식 현상제 속에 이물질(異物質)이나 오물(汚物)의 혼입여부 및 겔(gel)화 여부에 대하여 매일 점검한다. 또한 습식 현상제를 충분히 교반해도 바로 분리될 때는 교환해야 한다.

나) 농도

습식 현상제의 농도의 점검은 비중을 측정하여 매일 점검을 해야 한다. 습식 현상제의 농도와 비중의 관계는 **그림 7-1**에 나타낸 그래프와 같다.

측정할 때에는 습식 현상제를 잘 교반(攪拌)하여, 0.001까지 읽을 수 있는 부력을 이용하는 비중계(specific gravity balance)를 사용하여 측정한다. 보통 습식 현상제는 농도 60g/ℓ일 때, 그 비중은 약 1.035이다(액의 온도 15℃). 제조자가 추천하는 값과 적용하는 시방서 등에서 요구하는 값 등으로 규정 값을 정해서, 그 규정 값(일반적으로 비중 : 1.02~ 1.04 로 규정) 이내에 있는지를 점검 한다.

다) 형광

현상제를 자외선조사등으로 조 사하였을 경우, 과도한 형광이 나 오는지 여부를 점검한다.

점검은 깨끗한 알루미늄 판(75mm × 250mm 정도)에 습식 현상제를 적 용하고, 건조처리 후 자외선조사등 으로 조사하여 형광의 감도를 점 검한다. 이는 매일 점검한다.

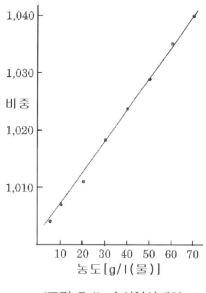

〔그림 7-1〕 습식현상제의 농도와 비중 그래프

2) 건식 현상제

가) 상태 점검

현상제를 손으로 가볍게 집었을 때 덩어리가 잡히지 않는 등 이상 유무 (有無)를 점검한다. 이 점검은 매일한다.

나) 형광 점검

건식 현상제를 자외선조사등으로 조사하여 침투액의 혼입에 의한 형광의 감도가 적정한지를 점검한다. 매일 점검한다.

3) 성능시험

알루미늄 담금질균열 시험편(A형 대비시험편) 또는 도금 균열 시험편(B형 대 비시험편)을 사용하여 기준 탐상제가 만드는 지시모양과 사용 중의 탐상제가 만드는 지시모양을 비교한다. 대비시험편의 한쪽은 기준 탐상제를 사용하고, 다 른 쪽은 사용 중인 탐상제를 사용하여 일반적인 공정으로 처리하여 양쪽 각각 의 탐상제에 의해 생기는 지시모양을 관찰한다. 이때 기준 탐상제의 지시모양 에 비해 사용 중인 탐상제의 지시모양이 충분한지 여부를 점검한다. 특히 지시 모양의 색상, 형광 휘도가 충분한지 여부를 확인한다. 또는 사용 중의 탐상제를 사용하여 침투탐상 시스템 모니터 패널(PSM-panel 또는 TAM-panel)의 인공 결함을 탐상하여 요구되는 개수의 지시모양이 정확하게 나타나는지 여부를 확인한다.

4) 물 베이스 유화제 점검

가) 농도 : 농도계(굴절계)를 사용하여 농도가 규정된 값 이내인지를 점검한다.

5) 형광 침투액과 유화제의 피로시험

형광 침투액과 유화제의 피로 점검은 최소한 다음 내용에 대하여 실시하며, 필요시 탐상제의 제조업자에게 의뢰하여 실시한다.

가) 형광 침투액은 형광 휘도, 감도, 수세성, 부식성, 수분 함유량(후유화성 침투액은 불필요), 점도(粘度)에 대하여 실시한다.

나) 기름 베이스 유화제는 수세성, 부식성, 수분 함유량, 점도에 대하여 실시한다.

위의 4)와 5)의 예와 같이 탐상제를 순환하여 사용하는 경우, 피로에 따른 점검 등으로 사용 중인 탐상제의 성능점검이 필요하므로, 탐상제의 보수점검에 대하여 간략히 설명한다.

(1) 수분 함유량 : 탐상제의 원료에는 아주 소량의 수분이 함유되어 있다. 특히 계면활성제를 사용한 탐상제의 경우는 그 양이 많다. 따라서 침투액이나 유화제에는 필연적으로 수분이 함유되지만, 함유된 수분이 많으면 경금속에 대한 부식성이 증가하게 된다. 이 검사항목에는 침투액 등에 함유된 수분이 일정량 이하인지를 확인하여 탐상제의 품질을 보증하는 항목이다.

(2) 형광 휘도 : 형광휘도의 측정은 형광 침투액에 대해서만 실시한다. 형광 침투탐상검사에서는 자외선을 조사하여 침투액의 성분 중에 함유된 형광염료를 발광시켜서 결함 속에 잔류하는 소량의 침투액을 식별하는 것이지만, 이 때의 형광 휘도가 식별성에 크게 영향을 미친다. 따라서 형광 휘도는 자외선의 방사(放射)에 의해 시간이 경과함에 따라 저하되기 때문에, 형광 휘도의 저하가 너무 현저하면 검사작업을 하기 어렵게 되거나 결함 지시모양을 빠뜨리는 원인도 된다. 이 때문에 휘도가 자외선에 대해서 어느 정도 안정되는지의 시험을 형광 휘도측정과 함께 실시한다. 이것을 형광 안전성시험

이라 한다. 이 2가지의 시험이 형광 침투액의 결함 지시모양의 식별성에 대한 중요한 시험이다.

(3) 점도 : 침투액이 결함 속으로 침투(침투능력)하는 데는 점도가 영향을 미친다. 즉 점도가 낮은 침투액일수록 결함 속으로 침투하는 속도는 빨라진다. 침투액의 점도 범위는 보통 1.5~10 centistoks(= $1.5~10 \times 10^{-2} cm^2/s$) 이며, 이 범위 안에 들게 되면 침투 능력은 그다지 차이가 나지 않는다. 침투탐상검사에서 일반적으로 침투시간을 5분 이상으로 하고 있으므로, 그 차이는 거의 무시된다.
침투액의 점도는 알루미늄 담금질균열 시험편(A형 대비시험편) 등을 사용하여 측정하며, 기준 점도(미사용 제품의 점도)와 검출 지시를 비교하여 차이가 있으면 피로가 진행하고 있는 것이다. 이 시험은 유화제에도 똑같이 점도를 측정하여 액의 피로의 진행 상태를 확인하기 위한 방법으로 사용된다.

(4) 수세성 : 침투액 및 유화제의 물에 의한 제거성을 조사하는 시험이다. 침투액 및 유화제의 세척능력이 떨어지면 세척부족이나 과세척의 원인이 되어 결과적으로는 결함 검출의 지시모양이 불충분하게 되므로 실시하는 시험이다.

(5) 부식성 : 부식성 시험은 직접 탐상제의 결함 검출을 위한 성능과는 관계가 없지만 시험체를 부식시키면 안 되므로, 탐상제가 구비해야 할 조건의 하나이다. 강(鋼), 알루미늄 합금, 마그네슘 합금의 부식성을 확인하여 부식이 있으면 탐상제가 피로해 졌다고 판단을 하는 시험이다.

(6) 감도시험 : 감도시험이란 침투액의 침투능력, 세척능력, 유화제의 유화능력, 현상제의 현상능력 등을 종합적으로 판정하기 위한 항목이다. 탐상제의 성능은 침투액, 유화제, 현상제의 각각의 기능이 평형하게 조합되어야 성능을 발휘하는 것이므로, 이 감도시험은 각각 탐상제의 물리적 성상(性狀)시험(앞의 각 시험)을 마친 후 피로가 나타난 경우에 이 시험을 적용하여 종합적으로 액의 피로를 확인하여 폐기하는지 여부를 결정하는 최종시험이다.

나. 에어로졸 제품의 탐상제 관리

에어로졸 제품의 탐상제는 밀봉되어 있으므로, 개방형 탱크에 들어있는 탐상제에 비해 탐상제의 성능 저하는 매우 적다. 그러나 무제한으로 언제까지나 충분한 성능을 갖고 있을 수는 없으므로 관리가 필요하다. 보관상태에 따라 다르지만 보통 제조일로부터 2~3년간을 유효기간으로 사용기한(期限)을 정하고 있다. 사용기한이 지난 탐상제에 대해서는 새 제품의 탐상제와 알루미늄 담금질 균열 시험편(A형 대비시험편) 또는 도금 균열 시험편(B형 대비시험편)을 사용하여 성능시험과 똑같은 방법으로 점검을 실시하여 양호하면 사용해도 된다. 또한 그 결과에 따라서는 사용기한을 조금 연장해도 된다.

이때 다음 내용에 대해서도 점검해야 한다.
① 작은 균열의 지시모양이 새 제품의 것과 똑같이 나타나는지 여부,
② 지시모양의 색상은 충분한지,
③ 현상제 도막의 색은 변함없이 백색인지,
④ 현상제 도막이 매우 미세한 상태에서 거칠어져 있지는 않은지,

또한 에어로졸 제품의 압력이 저하되었을 경우, 침투액과 세척액은 노즐로부터 나오기만 하면 사용할 수 있지만, 현상제는 노즐에서 뿜기가 약해져서 충분한 현상제 도막을 만드는 것이 불가능하다. 따라서 현상제의 경우에는 압력이 저하된 것은 폐기해야 한다.

4. 검사원의 관리

탐상장치나 탐상제가 아무리 우수해도 이것을 사용하여 시험을 실시하는 검사원이 충분한 능력을 갖고 있지 않으면 신뢰성이 높은 시험을 실시할 수 없게 된다. 일반적으로 침투탐상검사는 검사원이 직접 수(手)작업으로 하는 공정이 많고, 또한 지시모양의 검출도 검사원의 눈에 의해 관찰되므로, 검사원의 눈의 능력과 침투탐상검사에 관한 지식과 실기능력에 대하여 관리해야 한다. 일반적으로 인정시험에 의해 그 관리를 하고 있다.

가. 눈의 능력

침투 지시모양은 색상의 대비(contrast)에 의해 검출되므로, 적색과 녹색에 대한 색을 정상적으로 보는 능력이 필요하다. 즉 색깔을 식별하는 색각(色覺)이 정상이어

야 한다. 침투탐상검사에서는 작은 지시모양이나 미세한 결함을 직접 볼 수 있어야 하므로, 근거리의 작은 것을 볼 수 있는 능력을 갖고 있어야 한다. 이 때문에 일반적으로 눈에서 30cm의 거리의 것을 보는 능력 즉 근거리 시력이 충분해야 한다. 근거리 시력은 특별한 경우를 제외하고 "0.7" 이상을 필요로 한다. 그래서 규격에서도 시력의 요구사항을 규정하고 있는데, 일반적으로 근거리 시력은 교정 유무에 관계없이 한쪽 눈은 적어도 표준 재거(Jaeger) 시력 검사표에서 재거번호 2(KS B ISO 9712 등 일부 규격에서는 재거번호 1)나 이에 해당하는 형태 및 크기의 글자를 눈으로부터 30cm 의 거리에서 읽을 수 있어야 한다. 또한 비파괴시험 방법에서 사용되는 색채 간의 대비(contrast)를 충분히 구분해서 식별해 낼 수 있어야 하며, 근거리 시력 및 색채 간의 대비능력을 알아보기 위한 시력검사를 매년 실시해야 한다고 규정하고 있다.

나. 지식과 실기능력

검사원은 교육 및 경력 그리고 시험을 통하여 충분한 지식과 실기능력을 갖고 있다고 인정되어야 만 검사원으로서 자격이 부여된다. 자격은 일반적으로 유효기한이 있으며 갱신하기 위해서는 필요한 지식 및 경력을 계속 유지해야 한다.

5. 시험공정 관리

침투탐상검사는 몇 가지의 처리공정으로 구성되어 있으며, 각 처리방법은 사람에 따라 다를 수 있다. 따라서 신뢰성을 확보하기 위해서는 검사공정을 규정화(規程化)해야 한다. 일반적으로 침투탐상검사에 대한 기본 규정(規程)을 만들고, 이를 바탕으로 개개의 품목에 대한 품목별 절차서를 작성하여 공정을 관리해야 한다. 품목별 절차서에는 검사조작의 조건 및 합부 판정기준은 필수적으로 포함되어야 한다. 이들의 규정 및 절차서는 주기적으로 검토하여 제정 및 개정, 폐지에 대하여 관리를 해야 한다.

제 2 절 안전 관리

1. 화재 예방

침투탐상검사에서 사용하는 탐상제는 현상제와 유화제 등의 일부를 제외하고는 대부분 가연성 물질인 용제(溶劑)로 되어 있다. 따라서 가연성이 있는 탐상제를 취급할 때에는 보통의 기름류, 용제류(溶劑類)의 취급과 똑같이 화재예방에 대한 관리를 해야 한다. 또한 많은 량의 저장 및 사용시설 등에 대해서는 법에서 규제하는 사항이 있으므로 잘 파악하고 있어야 한다. 안전한 검사를 하기 위하여 화재예방에 대한 점검항목을 나타내면 다음과 같다.

① 화재 예방에 대하여 규정은 적절한지?
② 방화책임자가 선정되어 있는지?
③ 화재 예방에 대한 철저한 의식을 갖고 있는지?
④ 소화 설비는 충분히 갖추어져 있는지?
⑤ 소화 및 피난에 대하여 필요한 계획을 세우고 수시로 필요한 훈련을 실시하고 있는지?
⑥ 탐상제의 관리는 규정화되어 있고, 그 내용은 적절한지?
⑦ 탐상제의 저장, 보관의 시설, 용기 등이 규정대로 바르게 되어 있는지?
⑧ 탐상제의 수납방법, 취급방법은 올바른지?
⑨ 탐상제의 사용장소에 보관 및 취급이 바르게 되어 있는지?

2. 안전 관리

침투탐상검사에 사용하는 탐상제가 인체에 해롭지 않다고 하지만 침투액과 세척액, 속건식 현상제 등을 인체에 직접 분무하거나 흡입되도록 해서는 안 된다. 특히 밀폐된 곳이나 실내에서 탐상할 때는 휘발성 가스나 독성 가스가 공기 중에 남아 있을 수 있으므로, 환기를 충분히 시킨 후 탐상해야 한다. 개방형 탱크의 유기용제는 휘발성이 있어 상온에서도 증기가 되는 성질이 있어 증발되므로, 이러한 휘발성의 증기를 흡입하면 급성중독에 걸릴 수 있으므로 취급에 주의해야 한다. 또한 탐상제가 피부에 묻었을 때는 피부에 염증이 생길 수 있으므로 비누를 사용하여 잘 씻어야 하며, 이를 예방하기 위하여 고무장갑을 사용하는 것도 좋은 방법이다.

자외선조사장치를 사용할 경우, 규정된 파장 영역의 자외선은 눈이나 피부에 해가 없지만 직접 눈이나 피부에 장시간 조사되면 눈을 피로하게 하며, 피부의 노화를 촉진시키게 된다. 자외선에 가급적 적게 노출되도록 하기 위해서는 피부나 눈에서의 자외선 강도는 $1,000\mu W/cm^2$ 이하로 하는 것이 바람직하다.

현상제는 금속 산화물인 미세 분말을 많이 사용하므로 검사를 할 때 공기 중에 미세 분말이 비산되어 흡입될 수 있으므로 마스크를 착용해야 하며, 자주 신선한 바깥공기로 환기를 시켜 주어야 한다.

에어로졸형 제품과 개방형 탱크에서 사용하는 가연성(可燃性) 탐상제의 화재예방에 필요한 취급사항을 정리하면 다음과 같다.

① 작업장소는 가능한 한 정리정돈을 하고, 특히 화기(火氣)에 대하여 주의한다.
② 작업장소에는 소화기를 비치(備置)한다.
③ 필요이상으로 많은 양의 저장 및 사용은 가능한 한 피한다.
④ 개방형 탱크를 사용할 경우는 잠깐이라도 탐상제의 뚜껑은 덮는다. 세척액 및 현상제 등의 휘발성이 높은 것은 사용 후 반드시 밀폐하여 보관한다.
⑤ 직사광선에 닿지 않도록 한다. 특히 에어로졸형 제품을 사용하는 경우에는 직사광선에 의한 온도의 상승에 주의해야 한다.
⑥ 화기 근방 및 고온에서의 보관이나 사용은 피한다.
   특히 에어로졸형 제품은 온도가 40℃ 이상이 되면 용기 내의 가스 압력이 상승하여 폭발의 우려가 있으므로 주의할 필요가 있다.
⑦ 저온(低溫)상태에서의 에어로졸 제품은 내압(內壓)이 낮아 분사(噴射)가 약해질 수 있다. 이때에는 반드시 30℃ 이하의 더운 물 속에 넣어 온도를 높이고 나서 사용해야 하며, 직접 화기에 가까이 하여 온도를 높이고자 해서는 안 된다.

3. 에어로졸형 제품

간편하게 사용할 수 있는 침투액, 제거액, 현상제의 에어로졸 제품이 판매되고 있다. 이들 에어로졸 제품은 고압가스인 액화석유가스, 디메틸에테르(DME), 탄산가스 등의 충전가스와 탐상제로 만들어지며, 충전가스에는 인화성(引火性)이 있는 가연성(可燃性) 가스와 인화성이 없는 불연성(不燃性) 가스가 있으므로, 이것을 취급할 때에는 주의가 필요하다.

에어로졸형 제품은 $0.5mPa(5kgf/cm^2)$ 내압에 견딜 수 있도록 설계된 일종의 소형 압력용기이므로, 온도가 상승하면 통 안의 가스가 팽창하여 폭발할 우려가 있으므로 50℃ 이하에서 보관하고, 폐기할 때에는 반드시 구멍을 뚫어 폐기해야 한다.

4. 기타

침투탐상검사에서 세척처리 후 발생하는 폐수와 유화제, 용제, 염료 등은 환경이 오염되지 않도록 배수기준에 따라 충분히 처리한 후 배수해야 한다.

【 익 힘 문 제 】

1. 시험결과의 신뢰성에 영향을 미치는 인자에 대하여 설명하시오.

2. 침투탐상검사에서 검사원의 관리가 필요한 이유를 설명하시오.

3. 자외선조사장치의 점검하는 방법과 점검주기에 대하여 설명하시오.

4. 자외선조사장치의 강도점검에 대하여 설명하시오.

5. 습식 현상제의 농도 점검주기 및 측정방법에 대하여 설명하시오.

6. 건식 현상제의 성능시험에 대하여 설명하시오.

7. 에어로졸형 제품이나 개방형 탱크를 사용할 때의 가연성 탐상제의 화재예방에 필요한 취급사항을 설명하시오.

【 찾아보기 】

ㄱ

가스 홀	gas hole	250
거짓지시	false indication	29, 235
결정입계	grain boundary	240, 247
결함 검출능력	detectability	107, 113
결함 지시모양	discontinuity indication, defect indication	29
겹침	lap	180, 241
계면장력	interfacial tension	15, 20
고압 수은등	mercury arc lamp, mercury vapor lamp	29, 91
고유 결함	Inherent defect	239
공식	pitting	194
과유화	over emulsification	129, 221
광전소자	photoelectric element	94
국제표준화기구	International Organization for Standardization	131
귀갑 균열	tortoise shell crack	246
그리트 블라스팅	grit blasting	99
긁힘	scratch	195
금형 자국	die marks	249
기공	porosity	69, 126, 250
기준 탐상제	basic penetrant	266

ㄴ

냉간 가공	cold working	246
냉간 균열	cold crack	171, 172
네오프렌	neoprene	216
노치	notch	246, 258
니트	nit	233

ㄷ

다공성 재질	porous material	68
다공질 기공	loose structure porosity	179
단조 겹침	forging lap	178, 242
단조 터짐	forging burst	177
담금질 균열	quenching crack	97, 246
덧살(돋움살)	weld reinforcement	185, 188
도금 균열	plating crack	246, 270
독성	toxicity	74, 77
동점도	kinematic viscosity	200
뒷면 따내기	back gouging	183, 244

디메틸 에테르	Dimethyl Ether	82
뜨임	tempering	189
뜨임 균열	tempering crack	190

ㄹ

라미네이션	lamination	179, 238
리벳	rivet	216, 235

ㅁ

마찰계수	coefficient of friction	192
메니스커스	meniscus	20, 26
메탈 플로우	metal flow	176, 179
메탈 할라이드 램프	metal halide lamp	91, 93
명도	luminosity	230
명시	clear vision	234
모래 개재물	sand inclusion	173, 179
모발균열	hair crack, hairline crack	178
모세관 현상	capillarity	19
무관련지시	non-relevant indication	235
무기물질	inorganic compound	118
미세 균열	micro crack	193
미세 수축관	micro shrinkage	240
미세 기공	macro or micro porosity	179, 240
밀도	density	22

ㅂ

반발력	repulsive force	16
방전가공	electro-erosion	103
배액	drain	29, 123
배액대	drain station	86, 121
배액시간	drain time	123
백점	flake, white spot	178, 243
벤토나이트	bentonite	30
별모양 균열시험편	"Star Burst" monitoring panel	95, 99
부식	corrosion	74, 142, 266
부착력	force of adhesion	19
불림	normalizing	189
붓기법	pouring method	40, 120, 135
블로우 홀	blow hole	32, 172, 183
비금속개재물	nonmetallic inclusion	179, 238
비자성체	nonmagnetic material	171

| 비중계 | specific gravity balance | 266 |
| B형 대비시험편 | type B comparative reference panel(test block) | 104, 267 |

ㅅ

산세척	acid cleaning	119, 246
샌드 블라스트	sand blast	103, 118, 206
샤워법	shower method	120
선상의 지시모양	linear indication	150, 180, 252
세제	detergent	24, 118, 163
쇼트 블라스트	shot blast	206
수소 취성 균열	hydrogen embrittlement crack	177
수용성 현상제	water soluble developer	30, 78, 134
수지상 결정	dendrite	32, 176
수축공	shrinkage cavity	172, 240
수축균열	shrinkage crack	172, 244
스캐브	scab	171, 177
스크래치	scratch	195
스크루	screw	170
스폿 용접	spot welding	216
슬래그 개재물	slag inclusion	173, 183
시감도 곡선	luminosity curve	94
시방서	specification	31, 260, 266
심	seam	180, 241

ㅇ

알루미늄 시험편 (A형 대비시험편)	Aluminum comparator block	97, 164
알칼리 세척	alkaline cleaning	119, 213
어둠 적응	dark adaptation	232
억제제	inhibitor	224
언더컷	under cut	183
에어 블로잉법	air blowing method	89, 134
에칭	(chemical) etching	113, 213
연마 균열	grinder crack	125, 245
연성	ductility	32, 176
연속상	continuous phase	24
열간 균열	hot crack, hot tear	172, 240
열화(劣化)	degradation	28, 185
염욕로	salt bath	32, 190
영의 방정식	Young 's equation	18
예비 세척	prerinse	128
오버랩	overlap	184, 245

오버홀	overhaul	196
외관검사	visual inspection	107, 192
용강	liquid steel	169,176
용사	thermal spraying	192
용입부족	incomplete penetration	184, 245
봉세세척	solvent cleaning	119, 143
용제세척제	solvent cleaner, solvent remover	120
유기용제	organic solvent	27, 73, 118
유성기제	water in oil	128, 220
유탁액	emulsion	23
유화정지	emulsification stop	28, 62, 129
융합불량	lack of fusion	126, 184, 244
응력 부식 균열	stress corrosion crack	194, 210
응집력	force of cohesion	19
이원성 침투액	dual mode liquid penetrant, dual purpose penetrant	43, 75
인발품	drawing	176
인화점	flash point	23, 74
입계 부식 균열	inter-crystalline corrosion crack	210
입자 여과법	Filtered particle penetrant testing	67

ㅈ

자연균열	season crack	190
자외선 강도계	ultraviolet meter, black light meter	94, 264
잔금균열	crazing	246
재결정	re-crystallization	176
적심성	wetting ability	17, 202
전사	transfer	146, 175
전해연마	electrolytic polishing	119, 213
절연체	insulator	68
절차서	Procedure	31, 256
점도계	Viscometer	201
점성	viscosity	22, 74
접촉각	contact angle	17, 74, 124
정기검사(점검)	periodic inspection	193
정전기탐상시험	Electrostatic testing	68
정전 도포법	electrostatic spray method	120, 122
조도(조명도)	illuminance	94, 166, 231
조도계	illumination meter, lux meter	94, 263
종 균열	longitudinal crack	183
줄 무늬모양	striation	247
중력가속도	gravity acceleration	20

중화	neutralization	120, 206
증기세척, 증기탈지	vapor degreasing	110, 118, 197
증착	plating	192
지각	perception	26, 29
지단 균열	toe crack	183
지시서	Instruction	32
지연균열	delay crack	185, 188

ㅊ

채도	Saturation	230
초음파 세척	ultrasonic cleaning	110, 118
축차	rotor	176
치수 측정	sizing	255
친수성유화제	Hydrophilic emulsifier	43
친유성유화제	Lipophilic emulsifier	43
침식	erosion	194
침투성	permeability	74
침투시간	penetration time, dwell time	29, 124, 269
침투탐상시스템 모니터 패널	penetrant system monitor panel(PSM-panel)	99, 268

ㅋ

칸델라	candela	233
크레이터 균열	crater crack	183, 244
크롬 도금	chromium plating	99, 104, 192,
크리프 균열	creep crack	194
크리프 파괴	creep fracture	248
크립톤 85	krypton(kr)-85	69

ㅌ

탕계	cold shut	32, 240
터빈 블레이드	turbine blade	170
터짐	burst	243, 248
템필스틱	Tempilstik	97
트리클로로 에틸렌	trichloroethylene	86, 197
TAM-panel	testing and monitoring panel	99, 268

ㅍ

| 파우더 건 | powder gun | 165 |
| 판정기준 | acceptance standard | 238 |

패밀리	product family	221
편석	segregation	176, 180
표면 수축균열	surface shrinkage crack	244
표면 균열	surface crack	178, 243
표면장력	surface tension	15, 74
풀림	annealing	185, 189
피닝	peening	249
피로균열	fatigue crack	194, 247
피로파괴	fatigue fracture	193, 247
PSM-Panel	PSM-Panel	99, 268

ㅎ

하전 입자법	Electrified particle method	68
형광 물질	fluorescent material	30
화학연마	chemical polishing	119
흡인력	attractive force	16, 122
흡출	bleed out	28, 79, 132

| 참고 문헌 |

1. 침투탐상검사 : 이용, 세진사 1993
2. 비파괴검사 용어사전 : 한기수, 골드 2008
3. 신 비파괴검사 편람 : 일본 비파괴검사협회 1992
4. 침투탐상검사 I : 일본 비파괴검사협회 2005
5. 침투탐상검사 II : 일본 비파괴검사협회 2005
6. 침투탐상검사 III : 일본 비파괴검사협회 2005
7. 비파괴검사 개론 : 일본 비파괴검사협회 1993
8. 신판 비파괴검사 공학 : 일본 비파괴검사협회 1993
9. 금속재료 입문 : 일본 비파괴검사협회 1998
10. 금속재료 개론 : 일본 비파괴검사협회 1998
11. 신판 비파괴검사 매뉴얼 :일본 규격협회 1995
12. 철강재료의 자분 및 침투탐상시험에 의한 결함지시모양의 참고 사진집 : 일본 비파괴검사협회 1991
13. Liquid Penetrant Testing (CT 6-2) : General Dynamic
14. Liquid Penetrant Testing (PI 4-2) : General Dynamic
15. Nondestructive Testing Hand Book. Volume(third edition) : ASNT
16. Principles of Penetrants : C. E. Betz, Magnaflux corporation
17. KS B 0816 침투탐상시험방법 및 지시모양의 분류, 한국표준협회 2005
18. KS B ISO 3452-3 비파괴검사 - 침투탐상검사 - 제3부 : 대비시험편 2006
19. ASME Boiler and Pressure Vessel Code, Sec. V Art. 6 2007
20. ASME SE 165 Standard Test Method for Liquid Penetrant Examination 2007

■ 著 者 略 歷 ■

한 기 수
- 한양대학교 원자력공학과 졸업
- 비파괴검사 기술사
現, 동양검사기술주식회사 대표이사
   한국 비파괴검사학회 감사
   한국 엔지니어링협회 이사
   한국 기술사회 이사

비파괴검사 이론 & 응용 ❺
침투탐상검사

초   판 | 2012년 1월 10일
재   판 | 2016년 5월 10일
저   자 | 한국비파괴검사학회
          한기수
발 행 인 | 박승합
발 행 처 | 노드미디어
등   록 | 제 106-99-21699 (1998년 1월 21일)
주   소 | 서울특별시 용산구 갈월동 11-50
전   화 | 02-754-1867, 0992
팩   스 | 02-753-1867
홈페이지 | http://www.enodemedia.co.kr
I S B N | 978-89-8458-254-5-94550
          978-89-8458-249-1-94550 (세트)

정가 23,000원